Minhas cartas e as dos outros

Carlos Lacerda

Minhas cartas e as dos outros

Volume 2

Notas explicativas, organização, compilação e comentários
de Túlio Vieira da Costa

EDITORA
UnB

FUNDAMAR
FUNDAÇÃO 18 DE MARÇO

Equipe editorial: Rejane de Meneses (Supervisão editorial);
Yana Palankof e Sonja Cavalcanti (Acompanhamento editorial);
Elizabeth Araújo e Jupira Correa (Preparação de originais);
Ana Flávia Magalhães Pinto e Luísa Guimarães Lima (Revisão);
Magda Hayata de Azevedo (Editoração eletrônica);
Marcelo Terraza (Capa)

Impresso no Brasil

Direitos exclusivos para esta edição:

Editora Universidade de Brasília
SCS - Q. 02 - Bloco C - nº 78
Ed. OK - 2º andar
70300-500 Brasília- DF
Tel: (0xx61) 3035-4200
Fax: (0xx61) 225-5611
direcao@editora.unb.br

Fundamar – Fundação 18 de Março
Rua Ceará, 2025
30150-311 Belo Horizonte-MG
Tel: (0xx31) 3282-4363
Fax: (0xx31) 3281-2015
e-mail: fundamar@fundamar.com
site: www.fundamar.com

Ficha catalográfica elaborada pela
Biblioteca Central da Universidade de Brasília

Lacerda, Carlos
L131 Minhas cartas e as dos outros / Carlos Lacerda ; cartas coligidas e ordenadas por Túlio Vieira da Costa. – Brasília : Editora Universidade de Brasília; Belo Horizonte: Fundamar, 2005.
Obra em 2 volumes

ISBN 85-230-0801-2 (v.1) (Editora Universidade de Brasília)
ISBN 85-230-0793-8 (v.2) (Editora Universidade de Brasília)
ISBN 85-99098-01-2 (v.1) (Fundamar)
ISBN 85-99098-02-0 (v.2) (Fundamar)

1. Carlos Lacerda – correspondências. I. Costa, Túlio Vieira da. II. Título.

CDU 869.0 (81)

Sumário

Capítulo 2

Segunda Parte (1965-1968)
Cartas na fase plena da ditadura militar

As primeiras cartas entre Carlos Lacerda e Humberto Castello Branco[1] são quase todas só doçura. "V. Exa." pra cá, "companheiro de ideais" pra lá, "seu amigo e admirador", convite para isto, recusa por aquilo, e declarações de admiração recíproca.[2]

Depois da prorrogação do mandato do presidente da República em julho de 1964, a tônica da correspondência mudou e as hostilidades foram iniciadas. Há um recuo aparente de Carlos Lacerda em 4 dezembro, explicado pela pressão recebida de seu influente amigo Júlio Mesquita Filho.[3]

Algumas das cartas trocadas são bem extensas. São publicadas na íntegra porque abordam um assunto que nunca perdeu a sua atualidade: *as medidas econômico-financeiras adequadas para um país em desenvolvimento.*

Na carta de 20 de março de 1965,[4] a matéria tratada foi a política partidária, e aí Carlos Lacerda mostra lucidez na interpretação dos fatos ao prever o fim das eleições diretas

---

1 Humberto de Alencar Castello Branco (1900-1967). Cearense. Presidente da República (1964-1967), substituindo Ranieri Mazzilli, que por sua vez substituíra João Goulart em 31 de março de 1964. Chefiava até essa data o Estado Maior do Exército. Faleceu em desastre de avião quando o que o transportava foi atingido por um Caça das Forças Aéreas Brasileiras.

2 Em uma delas o fecho é a seguinte declaração: "Da mesma maneira como se expressou em sua última carta, subscrevo-me seu amigo e admirador. Sinceramente".

3 Júlio Mesquita Filho (1892-1969). Jornalista e diretor de *O Estado de S. Paulo* e fundador do *Jornal da Tarde.*

4 Cópia dessa carta não foi encontrada no Fundo de Arquivo Carlos Lacerda no original e na sua integralidade. Foi, porém, parcialmente reproduzida por Vianna FILHO, p. 293; e no livro de PAIVA, 1987.

no Brasil, se derrotados fossem todos os candidatos da União Democrática Nacional nos estados da Federação.

Em 17 de maio seguinte, o candidato à Presidência, já se sentindo alijado, diz a que veio, condenando a política em geral do governo e oferecendo as alternativas que o seu interlocutor alegava não terem sido apresentadas.

Carlos Lacerda em suas memórias, quando ainda lutava para ter respeitado o seu direito de disputar a eleição para a Presidência, resume o que pensava no íntimo ao escrever a quem considerava seu principal algoz:

> Nesta fase da vida me preocupa saber que, no passar do tempo, talvez a minha oportunidade de ser presidente da República – para a qual me preparo – venha quando a saúde já não me ajudar e as disposições do espírito se recusarem às do corpo. Isto que alguns chamam a minha ambição, para esconder a sua, é apenas a consciência de uma tarefa a executar, de uma séria missão a cumprir – que talvez seja apenas a de ser um bom avô, envelhecendo em paz. Preocupa-me menos saber se vou ou não ser presidente, o que parece improvável a muitos amigos, mas não aos inimigos, do que saber se ainda estarei em condições de ser o que um presidente, no meu entendimento, deve ser.[5]

As cartas dirão mais do que qualquer comentário e constituem material valioso para se entender o desencontro político entre o líder civil da revolução e aquele que assumiu a liderança militar pelas circunstâncias. Ambos acabaram derrotados por ela, o que confirma uma verdade de todos sabida: as revoluções costumam devorar preferencialmente os seus principais líderes.

Aliás, o encontro político de Carlos Lacerda com Humberto Castello Branco é daquelas surpresas que a vida oferece

[5] LACERDA, 2001, p.81.

aos homens. Encontram-se os dois líderes depois de palmilharem caminhos diferentes. O líder civil, pregando a intervenção do Exército para resolver os impasses políticos; o líder militar, infenso a qualquer participação na política partidária. O movimento de 31 de março teve a participação discreta de Castello Branco. Discreta, mas muito importante, diga-se.

Castello Branco assumiu o comando do movimento com o general Costa e Silva por estar na Chefia do Estado Maior do Exército e merecer a confiança dos militares das diversas correntes que passaram a se digladiar dentro das Forças Armadas.

Carlos Lacerda e Humberto Castello Branco encontraram-se à frente, em 31 de março de 1964, num movimento político que ainda não mereceu julgamento sereno dos contemporâneos e nem dos pósteros. E para estudá-lo há de aprofundar no exame dos atos que o motivaram e julgar o golpe em seus três períodos distintos: período do governo Castello Branco (1964-1967), do governo Costa e Silva (1967-1968) e do AI-5 em diante (1968-1978).[6]

A verdade nem sempre proclamada é que o golpe de 1964 veio apoiado pelo que se denomina opinião pública ou vontade manifesta da sociedade. E ainda que o título revolução desgoste os que sofreram o golpe de 1964, houve de fato um movimento da sociedade em seu favor e que permitiu a sua aceitação sem grandes protestos e até com muitos aplausos.[7]

---

[6] "O período em que o Brasil acumulou maior taxa de crescimento do planeta foi de 1964 a 1980 (7,79% em média ao ano), quando o Brasil conseguiu reduzir a pobreza à metade" (OLIVEIRA, 2004, p. 16).

[7] *O Jornal do Brasil* lançou nos dias 30 e 31 de março de 1964 dois editoriais que causaram sensação intitulados: "Basta!", "Chega! " e "Fóra!". Do editorial de *O Globo*, 2 de abril de 1964: "Graças à decisão e ao heroísmo das Forças Armadas (...) o Brasil livrou-se ontem do governo irresponsável que levava o país para rumos contrários a sua vocação e às suas tradições". O dicionário Histórico Biográfico Brasileiro da Fundação Getúlio Vargas assinala que, com exceção da *Ultima Hora*, todos os demais jornais importantes se manifestaram a favor do movimento de 31 de março.

Os fatos subseqüentes ao golpe de 31 de março de 1964 mudaram o país, sem sombra de dúvida.[8] Para pior, pela supressão da liberdade, e isso o condena politicamente de forma irremediável. Mas há de reconhecer em seu favor a ordenação das finanças públicas, o que permitiu o desenvolvimento sustentado, que colocou o Brasil entre as 10 maiores economias do mundo na década de 1970, fase conhecida como o Milagre Brasileiro. O Brasil conviveu por anos seguidos com o pleno emprego e um crescimento constante e expressivo do produto nacional bruto, metas que todos os bons governos perseguem.

A revolução, ou golpe, de 31 de março de 1964 tem de ser analisada, como se disse, em suas fases distintas para o historiador conceder os créditos e as condenações que cada uma venha a merecer na avaliação do analista.

Na primeira fase, sob a presidência de Castello Branco, viveu-se em período de exceção, mas com as aparências democráticas aplaudidas pela sociedade e ratificadas pelo Congresso intimidado, é verdade. Houve cassações arbitrárias de mandatos, mas, por outro lado, permissão de oposição como as cartas publicadas o comprovam.[9] Se as manifestações de Carlos Lacerda não forem consideradas de forte e desassombrada oposição, ter-se-ia de mudar o significado das palavras.[10]

---

[8] "A reforma Campos-Bulhões promoveu a mais ampla reforma do Estado Brasileiro. (...) Criou o Banco Central, criou o Banco Nacional de Habitação, o Fundo de Garantia dos Trabalhadores, o Crédito Direto ao Consumidor. Organizou o mercado de capitais e o sistema de arrecadação federal" (OLIVEIRA, 2004, p. 17).

[9] Liberdade vigiada e oposição consentida, tal como ocorria na democracia do México, governada por um partido único. Havia a lembrança da derrubada do ditador em 1945 e a sua tranqüila volta ao poder por lhe não terem cassado a cidadania como de hábito em tais circunstâncias.

[10] *Mais feio por dentro do que por fora* e *Anjo da Rua Conde Lage* foram alguns dos epítetos usados por Carlos Lacerda para desmoralizar o presidente da República que dificilmente seriam aceitos sem reação violenta fora de um de regime democrático. O governo de Castello Branco suportou ataques frontais e diretos do

A Constituição de 1967, votada pelo Congresso, é o legado positivo dessa fase revolucionária que os analistas costumam omitir para se fixar apenas no que ocorreu depois.

Thomas Skidmore lembra o apoio que os principais jornais do país deram à revolução de 31 de março.[11] A Igreja e a Ordem dos Advogados do Brasil, dois ícones representativos da sociedade civil, estiveram unidos no pedido de deposição do governo Goulart e, com elas, os dois maiores partidos políticos: "Virtualmente, toda a UDN e a metade do PSD rapidamente apoiaram a revolução, aumentando o rol de denúncias contra o governo Goulart".[12]

As verdadeiras causas do movimento de 31 de março e os motivos que o levaram a se desviar dos seus propósitos iniciais estão explicados neste capítulo.

A carta de Castello Branco de 3 de dezembro de 1964, quando o mandato já estava prorrogado por um ano, dá sinais de que o governo da revolução não mais apoiaria o candidato civil indicado pela UDN e buscaria alternativas.

Sobre a carta de 4 de dezembro, Carlos Lacerda afirma mais tarde que, quando a escreveu, já não alimentava esperança quanto à mudança de rumo do novo governo. Submetera-se apenas ao pedido de um amigo. A cena é descrita em detalhes no livro *Rosas e pedras do meu caminho*:

> Levantei-me, fui sentar-me à mesa de trabalho e rascunhei uma carta ao marechal Castello Branco. Não quero publicá-la aqui.

---

seu opositor mais ostensivo: "A máquina de propaganda e de corrupção da opinião pública já montada e funcionando vai eliminar, dentro em pouco, as fontes da crítica". (Carta de 17 maio de 1965).

[11] SKIDMORE, 1988, p. 63: "A Revolução de 1964 foi entusiasticamente festejada pela maior parte da mídia brasileira. Jornais importantes como o *Jornal do Brasil*, *O Globo*, *A Folha de S. Paulo* e *O Estado de S. Paulo* pugnavam abertamente pela deposição do governo Goulart".

[12] Ibidem, p. 64.

> Fi-la pelo dr. Júlio e pedi-lhe que fosse o portador, pois só a escrevi por sua causa.[13]

Em 25 de maio de 1965, Carlos Lacerda alteou a sua voz para lamentar que ministros do governo Castello ainda usassem jargões ou desinformações para dá-lo como assassino de Getúlio Vargas.[14] E esse tom cresceu no curso do tempo, em cartas e em pronunciamentos.

No que tange à política, há a destacar a carta de Carlos Lacerda de 9 de fevereiro de 1965, que teve um efeito surpreendente em virtude de o presidente se sentir melindrado pelas ironias nela inoculadas e resolver mudar uma decisão já tomada: *eleição direta e não indireta, como se cogitava para os governos estaduais*. Foi o que revelou Luis Vianna Filho,[15] em seu livro de memórias, sem contudo perceber que a decisão que a todos surpreendeu fora motivada por um sentimento menor e revelador da personalidade complexa de Humberto Castello Branco.

As demais cartas desta parte do capítulo são de outros personagens que viveram a história da época e completam o que os dois principais líderes da revolução de março de 1964 deixaram escrito.

Enquanto esses dois missivistas debatiam o que parecia importante para o Brasil no que tange à política econômica financeira, nos bastidores tramava-se a decisiva luta pelo poder, que resultou na derrota de ambos.

---

[13] LACERDA, 2001, p. 180.

[14] "A idéia de me atribuir o crime ou de ter contribuído para a queda e suicídio de Getúlio Vargas é a habitual covardia de muitos que, não podendo acusar as Forças Armadas desse suposto "crime", atribuem-no a mim, transformando-me em vítima expiatória de longas omissões e súbitas conversões."

[15] VIANNA FILHO, p. 293.

1964 – Carlos Lacerda a Castello Branco em 9 de novembro

A sua Excelência o senhor marechal Humberto de Alencar Castello Branco, presidente da República[16]

Senhor presidente,

Convidou-me Vossa Excelência para a honrosa missão de chefiar a delegação brasileira à próxima Assembléia Geral das Nações Unidas.

Ponderei na ocasião a Vossa Excelência que a Convenção da União Democrática Nacional, já anunciada, fazendo-me candidato à Presidência da República, talvez interferisse nas razões do seu convite.[17]

Tendo agora se confirmado em memorável assembléia a candidatura com que me honraram os meus companheiros, quero deixar Vossa Excelência inteiramente à vontade, embora constitua para mim uma alta honra o convite formulado para desincumbir-me de tão importante missão.

---

[16] A cópia dessa carta encontrada no Fundo de Arquivo não está datada. Em carta posterior a novembro, ela é referida pelo seu destinatário como de 9 de novembro de 1964.

[17] Há um episódio um pouco constrangedor para Carlos Lacerda que antecedeu a esse convite. Narra Armando Falcão, no seu livro *Nada a declarar* (1989, p. 285) que no primeiro encontro do governador com Castello Branco depois de 31 de março: "Sem que ninguém esperasse, Lacerda derrapou (...) Dê-me missão oficial a fim de que eu viaje e passe uns tempos no exterior longe dos problemas. Lá fora quero me recompor. Um frisson me correu por dentro". A versão de Carlos Lacerda para o episódio é diferente. O que ele teria dito foi o seguinte: "Presidente, queria renovar um pedido que lhe tinha transmitido por intermédio do Juracy. Se o senhor tiver alguma missão no exterior compatível, que seja útil ao governo – não quero uma viagem de presente – e o senhor me ache capaz de desempenhá-la, gostaria de desempenhá-la, gostaria de ir. (...) Aí o Juracy ainda fez um comentário muito lisonjeiro, em todo caso eu o registro aqui porque foi o comentário que ele fez: Veja presidente, o que é um governo da UDN! Um homem que está lidando com milhões e milhões de cruzeiros, e que está fazendo todas essas obras na Guanabara, podia ter uma viagem paga por qualquer empreiteiro desses e não tem dinheiro para fazer uma viagem. Castello respondeu: Vou pensar no assunto. Creio que teremos uma missão para você" (LACERDA, 1977, p. 310).

Melhor do que eu, Vossa Excelência poderá julgar a conveniência ou não de confirmar tal convite, uma vez que, candidato à Presidência da República, talvez já não persistam as razões que levaram Vossa Excelência a fazer aquele convite.

Sou de Vossa Excelência atento amigo e admirador,

Carlos Lacerda

1964 – Castello Branco a Carlos Lacerda em 22 de novembro

Brasília, 22 de novembro de 1964

Prezado governador Carlos Lacerda,

Esperei o seu regresso dos Estados Unidos para lhe enviar esta carta.

No começo de outubro último, interpretando os sentimentos de revolução, tive a honra de convidá-lo para chefiar a delegação brasileira à próxima Assembléia Geral da Nações Unidas.

Veio a Convenção da União Democrática Nacional, e com ela a escolha recaiu em seu nome para candidato à Presidência da República.

Vejo agora inconveniência para confirmar o convite. Em sua carta, de 9 do corrente, tive de sua pessoa uma elevada compreensão para o caso da designação em apreço. Além de me deixar "inteiramente à vontade", reconheceu que o lançamento de sua candidatura "talvez interferisse nas razões" da ratificação ou não do convite.

Eu lamento profundamente não vê-lo representando o Brasil na ONU. Muito desejei nomear um grande brasileiro e um dos maiores líderes revolucionários, como o atual governador da Guanabara, para, por ele, estar o nosso país presente na Assembléia das Nações.

De um amigo e companheiro de ideal.

Humberto Castello Branco

1964 – Do governador do Estado da Guanabara

Rio de Janeiro, 28 de novembro de 1964
Senhor presidente,

Agora que o caso de Goiás foi afinal resolvido, e não tem V. Exa., no momento, uma crise política em mão, não tenho porque adiar esta carta, que há dias estou para lhe enviar, mas lhe poupei para não agravar suas preocupações. A gravidade e urgência do assunto levam-me a esta denúncia, que não posso mais calar sem faltar gravemente contra o Brasil.

Refiro-me à política econômica do seu governo, matéria sobre a qual tenho repetidamente feito críticas que V. Exa. há de reconhecer serem tão construtivas quanto leais. Não tenho interesses a defender senão os do país. Não tenho objetivos a atingir senão coincidentes com os da revolução e, portanto, com êxito do seu governo.

Permita-me V. Exa. que diga, a política econômica do governo está sendo conduzida a um desastre nacional e internacional. Com a idéia de promover a deflação, está se conduzindo a política de crédito de tal modo que, na prática, se promove a desnacionalização da indústria nacional. Neste momento, por exemplo, a indústria Jaffet,[18] *que praticamente pertence ao Banco do Brasil – tal o vulto dos auxílios que antes recebeu desse Banco Oficial – acaba de ser vendida a um grupo americano que tem como testas-de-ferro os srs. Jorge Serpa*[19] *e Walter Moreira Sales, veterano na matéria, sob os auspícios do sr. Roberto Marinho,*[20] *já envolvido em negócios de rádio e televisão com a participação, escondida e inconstitucional, de outro grupo americano.*

[18] Ricardo N. Jafet, presidente do Banco do Brasil no período de 1951 a 1953.

[19] Negociante e conselheiro político de vários governos. Diretor financeiro da Manesmann Mineração quando da emissão de títulos falsos que abarrotaram o mercado nas décadas de 1950 e 1960.

[20] Roberto Irineu Marinho (1904-2002). Jornalista. Proprietário do jornal *O Globo* e das Organizações Globo de Rádio e Televisão.

A transferência da indústria nacional para mãos estrangeiras é a inevitável conseqüência da política econômica adotada pelo ministro Roberto Campos.[21] *Há dias um jornal, a* ***Tribuna da Imprensa****, publicou fac-símile de páginas de relatório da firma de estudos econômicos Consultec,*[22] *pelas quais se comprova que o controle do grupo Hanna sobre a antiga St. John Del Rey Mining Co. foi encomendado ao sr. Mauro Thibau,*[23] *e o estudo do negócio da Hanna em matéria de exportação de minérios foi encomendado ao sr. Roberto de Oliveira Campos. Hoje esses dois senhores são ministros do governo da revolução. Era de esperar que ao menos se abstivessem em relação aos interesses da Hanna. Mas não. Tendo sido os introdutores da Hanna os técnicos contratados pela Hanna, são também, uma vez feitos ministros, os propugnadores do controle da Hanna sobre a exportação de minério de ferro. Isto, sob o falso pretexto do respeito à iniciativa privada – o que é uma desculpa esfarrapada para encobrir um privilégio "de fato" – e a perfeita igualdade de condições, que na verdade não existe.*

Sobre este último assunto, tive ocasião de falar ao sr. Thomas Mann,[24] *subsecretário de Estado norte-americano, quando há dias tive o prazer de conhecê-lo. A contrapartida indispensável da exportação de minério é o estabelecimento, no Brasil, de indústrias de base, como se fez com Volta Redonda.*

Já V. Exa. conhece o meu protesto contra a disposição pela qual o seu governo foi induzido a permitir a importação de máquinas de segunda-mão. Com este absurdo se consegue, na prática, fazer falsos investimentos com "máquinas usadas", e produzir de modo antieconômico, em condições iníquas e lesivas ao interesse nacional.

---

[21] Roberto de Oliveira Campos (1917-2001). Economista, diplomata e professor.

[22] Entidade particular presidida por Lucas Lopes, que, entre outros trabalhos, preparou o Plano de Metas do governo Kubitschek. Participava dessa empresa Roberto de Oliveira Campos.

[23] Mauro Thibau (1923). Ministro de Minas e Energia do governo Castello Branco (1964-1967).

[24] Thomas Mann. Subsecretário de Estado dos Estados Unidos da América.

Senhor presidente, eu não tomaria o seu precioso tempo se não estivesse convencido da inteira boa-fé com que V. Exa. receberá este aviso, feito com lealdade mas não menor aflição. Depois de fazer votar um "Estatuto da Terra",[25] *que, conforme já disse a V. Exa., abre as portas à desnacionalização das grandes propriedades agrícolas no Brasil, promove-se, com a cessação do crédito combinada com a agravação insuportável do ônus fiscal, a capitulação da indústria nacional aos grupos estrangeiros, que, sem trazer capital novo, sem maior esforço, sem risco nenhum, sem nenhuma compensação real para o Brasil, com a simples aplicação de seus lucros, se apossam do parque industrial existente porque atuam como fornecedores de numerário para evitar a falência das indústrias quando o Banco do Brasil – de acordo com instruções do seu governo – se fecha na hora da crise ao mesmo tempo em que crescem, por todos os lados e por todos os meios, os encargos fiscais que encarecem o custo de vida.*

Supondo que tudo isto melhore dentro de alguns meses, como fazem crer os inspiradores dessa política, saiba V. Exa. que ao melhorar financeiramente, o Brasil terá entregue suas indústrias principais nas mãos de grupos estrangeiros, cujo único esforço terá sido o de socorrer de numerário a indústria nacional, para pagar os encargos impostos pela política do governo da revolução. A inevitável conseqüência disto será ou a contra-revolucão popular pela justa revolta contra quem houver desnacionalizado a produção nacional, ou a ditadura para impor ao país as conseqüências desse erro terrível.

Não posso ser suspeitado de xenofobia, de ódio ao capital estrangeiro. Nunca fui demagogo, senão para os comunistas e para certos grupos do negocismo internacional – o que muito me honra. Não tenho ligação com nenhum grupo industrial, e se o tivesse diria porque não considero vergonha – a não ser quando se usa a função pública para servir a interesses privados ou quando se serve de mero testa-de-ferro.

[25] Lei nº 4.504, de 30 de novembro de 1964, atribuída ao ministro da Justiça Milton Campos, mas reivindicada sua autoria por Roberto Campos em seu livro *A Lanterna na popa.*

É, pois, por patriotismo e por lealdade que afinal me dirijo a V. Exa. por escrito para deixar constância do meu protesto contra essa política que está pondo em perigo o que já foi conquistado pela indústria nacional e compromete, historicamente, a revolução e o governo que V. Exa. honradamente preside. Entendo que V. Exa. não pode ser responsabilizado, no futuro, por esse erro trágico. Mas igualmente sei que, já é hora de apelar para que V. Exa. reveja a política econômica, que a pretexto de importar, destrói o que o Brasil já possui e compromete a revolução aos olhos do povo, transferindo para as mãos de grupos estrangeiros e seus testas-de-ferro o que já é nacional.

Afirmo a V. Exa. que esse resultado não é necessário ao combate à inflação e não se inclui entre os sacrifícios que a nação tem de fazer para curar-se desse mal. Não deve a deflação ser feita para permitir a desnacionalização do que já é nacional. A desnacionalização, agravada pela proteção a grupos como a Hanna, a transferência de propriedade nacional para grupos estrangeiros – bem diferente do investimento estrangeiro em atividades produtivas por eles criadas no país – são subprodutos indesejáveis de uma errada política de reconstrução financeira.

Senhor presidente, as provas sobre a Consultec, a participação e responsabilidade dos dois citados ministros nos negócios da Hanna, a política de escravização financeira dos grupos nacionais (e ninguém suspeitará de qualquer ligação minha com um grupo como o Jaffet) estão feitas. Não houve contestação nem, que eu saiba, qualquer providência.

A proteção aos interesses da Hanna, promovida por dois ministros de Estado, é um crime contra o interesse nacional. O embarque de minério de ferro deve ser feito em porto brasileiro – e não concedido a grupo estrangeiro – para assegurar o preço do carvão, do qual depende o do ferro, do qual, por sua vez, depende tudo o que se consome no Brasil. O que se está fazendo com a política econômica adotada é, na prática, condenar o Brasil à inflação permanente a pretexto de procurar uma deflação drástica. Pois, é evidente que uma indústria desnacionalizada, tendo que exportar praticamente todos os seus lucros e produzindo a preços escorchantes e só para o mercado interno, agrava a inflação convertendo-a numa desgraça crônica e diminui o Brasil em vez de o expandir.

Está em jogo a dignidade do governo e, com ela, a autenticidade da revolução. E V. Exa. não precisa que lhe diga quanto confio na sua dignidade e na limpidez do seu patriotismo. É para tais sentimentos que apelo para que destrua essas alegações, já comprovadas, ou tome as providências que delas naturalmente decorrem.

Não seria justo que a revolução fosse julgada pela ação dos seus aproveitadores. E que nos dividíssemos por causa deles e para proveito deles.

Atenciosamente, seu amigo e admirador

Carlos Lacerda

Rio de Janeiro, 30 de novembro de 1964

Senhor presidente e eminente amigo,

Depois do telefonema com que me honrou esta manhã venho acrescentar o seguinte.

Quando o presidente de uma associação de inquilinos alegou ser o sr. Roberto Campos dono de alguns apartamentos, ele se apressou a desmentir e deu ocasião a editoriais de órgãos que elogiam a sua gestão e, em troca, não vêem publicados inquéritos como o da Caixa Econômica.

No entanto, a acusação precisa e documentada de que foram os srs. Roberto Campos e Mauro Thibau os técnicos contratados pela Hanna, por meio da Consultec, para os seus negócios no Brasil, não foi contestada.

Nem poderia ser. Mas nem sequer impediu que esses dois ministros advogassem no governo da revolução, a causa da Hanna.

A política de minério do seu governo foi, desde o começo, dirigida no sentido conveniente aos interesses da Hanna, conforme em tempo adverti. A própria fixação de critérios, tal como lhe foi proposta e, afinal, adotada, abriu a porta à Hanna, contra o interesse nacional.

Não se trata da xenofobia da qual V. Exa. quer libertar o Brasil, como disse em seu discurso em Vitória. Não posso ser suspeitado de exagero nacionalista. Exagero é o dos que entregam, desnecessariamente, a indústria nacional a grupos estrangeiros, que têm em pessoas como o sr. Walter Moreira Sales alguns dos seus mais nefastos agentes. Não se trata, tampouco, de proteger indústrias mal-administradas. Não posso ser suspeito de simpatia pelo grupo Jaffet ou outro qualquer. A técnica de fazer estourar empresas para promover sua compra por grupos organizados para isto – e apoiados numa sólida cadeia de controle da informação e da opinião pública – está sendo empregada em grande estilo, sob a capa de um esforço, necessário e patriótico, para conter a inflação.

Recebi, do deputado Bilac Pinto, a informação de que à minha carta anterior V. Exa. responderá com outra carta. Isto muito me honra. Mas creia que os problemas que levanto para seu conhecimento não precisam de contestação.

Precisam, isto sim, de solução. Para ajudar V. Exa. a lhes dar solução estarei sempre à sua disposição, com seriedade, com lealdade.

Não posso mais calar a minha reprovação à política econômica que está sendo imposta à revolução pela inexplicável ascendência, inacessível à crítica construtiva, impermeável à razão e ao bom-senso, que tem no seu governo elementos comprometidos com as idéias e métodos do adversário, como é o caso do sr. Roberto Campos.

Atenciosamente,

CL/RA

1964 – Castello Branco a Carlos Lacerda

Brasília, 3 de dezembro de 1964
Senhor governador Carlos Lacerda,[26]

Respondo à sua carta de 28 do mês último e o faço pelo compromisso pessoal que lhe expressei, por telefone de Brasília, no dia seguinte a seu recebimento. Apesar de a descortês sentença, constante de sua carta complementar, de 30 do mesmo mês, me cientificar de que os problemas que está levantando "não precisam de contestação", eu preferi, assim mesmo, enviar-lhe esta resposta.

Quanto às suas críticas acerbas e injustas, esclareço o seguinte:

1º - A política do governo conduz o país a um desastre nacional e internacional. Estou convencido honestamente do contrário, e nisso sou apoiado por muita gente de alto valor, não pertencente ao Ministério. É perigosamente impopular a nossa política financeira. Mas o pior é que nem todos os opositores me apontam outra solução. Procurarei não desanimar e me esforçarei por não desgovernar a nação. Como a sua carta não apresenta, sobre esta parte, argumentos, passo adiante.

2º - A política de crédito promove a desnacionalização da indústria nacional. O governo procura o disciplinamento de seus próprios gastos e a austeridade no dispêndio a fim de liberar recursos para as atividades produtivas. De variadas formas fortalece o empresário nacional. Mobiliza recursos não inflacionários, oriundos de empréstimos externos, para expandir o crédito às empresas nacionais. Nas várias negociações de empréstimos internacionais, tem também insistido, com êxito, em que sejam financiadas não apenas as importações imprescindíveis, mas também equipamentos comprados na indústria nacional, que vê assim seu mercado ampliado sem agrava-

[26] O tom cortês dessa carta não esconde a desavença entre os missivistas. Confrontado o seu texto com a carta do vice-governador Raphael de Almeida Magalhães, de 29 de maio de 1964, percebe-se a iminente ruptura.

mento da pressão inflacionária. Está atento aos problemas que surgem, nesta fase de transição, e auxilia as empresas que necessitem de auxílio temporário para se adaptar ao novo clima de produtividade e austeridade que se procura criar. Estou à disposição do senhor governador para, quando quiser, desdobrar as informações acima resumidas.

3º - Caso Jaffet. É inverídico que o governo esteja contribuindo para desnacionalizar a sua indústria, ou qualquer outra. O Banco do Brasil continua a ampará-la, evitando a concordata ou a falência. Tive conhecimento, por intermédio do Ministério da Fazenda, de que um grupo nacional estabelece negociações para socorrer a empresa Jaffet, a qual informa que considera a transação capaz de fortalecê-la e de não debilitar o empresariado nacional. O governo faz averiguações sobre o que é estabelecido entre os dois grupos, sobretudo diante da grave acusação do governador da Guanabara.

4º - Falsos investimentos com "máquinas usadas". O governo não modificou o regulamento para permitir a importação de aparelhamento de segunda mão. A liberação da importação de máquinas usadas ocorreu com a lei de remessa de lucros votada em dezembro de 1961.[27] *O governo atual fez subordinar tais importações à licença prévia. A Carteira de Comércio Exterior, em cada caso, terá, então, elementos para decidir sobre o estado do equipamento e sua adequação às condições técnicas a que se destinam. Posso ainda pormenorizar a minha explicação quando o senhor governador desejar.*

[27] Aqui há um equívoco de Carlos Lacerda. A importação sem cobertura cambial de equipamento usado surgiu no governo Café Filho, em 1955, com a Instrução 113 da Sumoc. A lei de remessa de lucros de 1961 nada inovou a respeito. "Em 20 de setembro de 1954 foi baixada a Instrução 113 da Sumoc, que procurava criar condições favoráveis à realização de investimentos estrangeiros. Essa regulamentação concedia licença de importação sem cobertura cambial para compra de máquinas por empresas estrangeiras, desde que associadas a brasileiras". (*Dicionário histórico biográfico brasileiro*, ed. cit. de 2000, Vol. I, verbete Bulhões, p. 878). É interessante notar que a lei de remessas de lucros votada pelo Congresso em 1961 só veio a ser regulamentada por João Goulart dezessete meses depois, em 1963.

5º - Roberto Marinho está envolvido em negócios de rádio e televisão com a participação de um grupo americano. Desconheço o assunto e vejo, hoje na imprensa, que o senhor governador proclama um grande escândalo. Já ordenei averiguações a respeito.

6º - O ministro Thibau foi o autor do controle da Hanna sobre uma outra companhia, e o ministro Roberto Campos [28] *foi o autor do projeto de expansão de minério da mesma empresa. O fac-símile a que se refere o senhor governador nada mais é que uma lista de estudos e projetos submetida espontaneamente pela Consultec à Secretaria da CSN.*[29] *Há mais de um mês que, com a maior isenção de ânimo, averigüei a conduta dos dois citados ministros. Julgo que as suspeitas não procedem. O ministro Thibau limitou-se a fazer uma perícia, como qualquer profissional que presta serviços técnicos. O ministro Roberto Campos, em 1960, exonerado de qualquer responsabilidade governamental, participou de um estudo sobre exportação de minério, tendo antes se certificado das intenções do governo a respeito e informado este das intenções da Hanna.*

7º - Dois ministros de Estado fazem a proteção da Hanna. Isso é muito mais contra mim do que contra os dois ministros. Seria muito grave se tal acontecesse. As informações que chegam a seu conhecimento são mentirosas. Os ministros Thibau e Roberto Campos

[28] Roberto de Oliveira Campos (1917-2001). Ministro do Desenvolvimento da revolução de 1964 e um dos autores do Plano de Metas do governo Juscelino Kubitschek; seguramente um dos economistas que mais influíram sobre a política brasileira no último século. Ex-seminarista e autor do livro de memórias de grande mérito, *A lanterna na popa.*

[29] Companhia Siderúrgica Nacional, sediada em Volta Redonda, Estado do Rio de Janeiro, fundada em 9 de abril de 1941. A primeira indústria de aço implantada no Brasil financiada pelos Estados Unidos da América como parte do preço para o Brasil participar da guerra ao lado das nações democráticas. Em 11 de junho de 1940, Getúlio Vargas pronunciou um discurso no encouraçado Minas Gerais, insinuando o interesse em se aproximar da Alemanha nazista, que lhe oferecia os serviços da Krupp. Esse parece ter sido um recado indireto para despertar a política externa americana pelo Brasil. Recado recebido e respondido com presteza. "Razões militares, já hoje anacrônicas, e razões sentimentais ou familiares da época levaram afinal a localizar em Volta Redonda, com justificações técnicas que sempre se pode dar nessas circunstâncias" (Carta de Carlos Lacerda ao senador Arthur Bernardes Filho, ministro da Indústria e Comércio do governo Jânio Quadros, transcrita no primeiro capítulo deste livro).

têm tido uma irrepreensível conduta moral e política. Nenhum Ministro isoladamente formula ou formulará a política brasileira de minério. Há uma comissão interministerial, formada por cinco ministros de Estado e pelo secretário-geral da CSN, por mim presidida. O presidente não é envolvido ou suplantado. A decisão depende deste, depois de ouvido o Conselho de Segurança Nacional. A acusação do senhor governador ultrapassa os dois ministros e atinge em cheio outros ministros e o presidente da república. Creia, senhor governador, que nós também temos fibra e espírito público para tratar dos interesses nacionais.

8º - Está em jogo a dignidade do governo e, com ela, a autenticidade da revolução. É o que pensa, sem razão e sob a forma inusitada de um insulto, um dos mais eminentes chefes da revolução. Isso é o que pensa o senhor governador. Mas o que se passa é isto: não periclita a dignidade do governo e a revolução não está sendo coberta de indignidade; não periclita mesmo com os seus renovados e redobrados ataques. A nossa conduta assenta-se em seriedade e em homens sérios. Se algum dia tomar parte em nossos estudos e decisões, a sua honradez não irá corar.

Li ontem, penosamente, o seu artigo de ***A Tribuna da Imprensa****, sem compreender os motivos que o ditaram, nem atinar com o objetivo dos inesperados ataques ao meu governo e à minha pessoa. Eu deploro a sua resolução de se associar à campanha que a* ***Tribuna da Imprensa*** *empreende contra a ação governamental e, pessoalmente, contra o chefe do governo. É, sem dúvida, um direito seu. Mas me pertence o dever de assumir a responsabilidade das decisões do governo. Estou sendo atacado, agressiva e insultuosamente, pelo senhor Hélio Fernandes*[30] *e pelo senhor governador da Guanabara. As provocações já são inúmeras. Mas eu, além de não me intimidar, não perderei a serenidade e a dignidade de meu cargo.*

[30] Hélio Fernandes (1924). Diretor e proprietário do jornal *Tribuna da Imprensa*, adquirido de Carlos Lacerda pelo preço de assumir as dívidas da empresa. Como elogio, não se pode deixar de mencionar que Hélio Fernandes é irmão de Millor Fernandes.

Não desejo absolutamente entrar em polêmica. Estou pronto, no entanto, para mais esclarecê-lo, caso seja de seu interesse.

Expresso o meu profundo pesar por perder a ajuda de um dos mais autênticos e históricos revolucionários e ao mesmo tempo por ganhar um oposicionista. A iniciativa é do senhor governador.

Da mesma maneira como se expressou em sua última carta, subscrevo-me seu amigo e admirador.

Sinceramente,

H. Castello Branco

Refleti muito.

1964 – Resposta de Carlos Lacerda a Castello Branco em 4 de dezembro

Rio de Janeiro, 4 de dezembro de 1964

Senhor presidente Castello Branco

Refleti muito sobre a sua carta. Escrevi-lhe, a propósito, um longo estudo, repleto de exemplos, visando a uma análise séria e profunda da nossa divergência, que jamais desejei fosse pessoal nem de modo a por em perigo a revolução, da qual depende o futuro do povo brasileiro.

Algum dia, em ocasião menos grave, talvez lhe seja de alguma utilidade ler, desprevenidamente, sob outra luz, esse magoado mas leal desabafo. Talvez haja ali alguma verdade capaz de esclarecer certas dúvidas. Pelo menos foi assim que o pensei e o senti e, esta noite, o escrevi.

Mas de sua carta o que mais me impressionou – e é o essencial – foi a sua reação de mágoa e até revolta ante o que reputou insultuoso à sua intenção e à sua conduta.

Isto seria muito grave para mim, pelo apreço que lhe demonstrei e que mantenho. E ainda mais grave para sorte da revolução e do país, a que ambos servimos.

Não posso lhe dar prova maior de sinceridade para com o amigo, e de responsabilidade para com o Brasil do que entregar, em suas mãos, a decisão dos assuntos que motivaram a minha divergência, que não é passional nem motivada por qualquer interesse que não seja do seu êxito, que é o de todos nós.

Fica em suas mãos a decisão de tudo isso a que aludi, o conteúdo político do governo da revolução, o rumo da sua política econômica, o problema da opinião pública, a necessidade das lideranças políticas e da autenticidade revolucionária na transformação do país, cujo comando lhe pertence.

Vossa Excelência receba estas palavras como sinal da minha amizade e da minha confiança na sua integridade.

Se é isto que lhe faltou, aqui o tem. Vossa Excelência merece isto. E ainda mais, o Brasil.

Seria injusto acrescentar que devo estas palavras ao bom conselho[31] *dos que são melhores do que eu.*

Com este aperto de mão, aceite a amizade do Carlos Lacerda.

Desta vez V. Exa. me permitirá publicar o texto integral e autêntico.

1965 – Ao marechal Castello Branco

Rio de Janeiro, 9 de fevereiro de 1965[32]

Senhor presidente,

Um jornal respeitável, o ***Jornal do Brasil****, divulga hoje que "acho bom o adiamento das eleições". Hoje, às 7 da manhã, de*

[31] Leia-se "conselho de Júlio Mesquita Filho", conforme relatado em outro local.

[32] Esta carta foi publicada na íntegra por Cláudio Lacerda de Paiva (1998, p. 177-179).

*outro jornal me telefonaram perguntando se era exato o que o **Jornal do Brasil** publicava: que havia eu escrito uma carta a V. Exa. sugerindo o adiamento das eleições.*

Sabe V. Exa. que isso é falso. Mas, de verdade, existe o fato. Escrevi a V. Exa. uma carta. Pela segunda vez, em pouco tempo, uma carta minha a V. Exa. é objeto de inconfidência, e de novo procurando me deixar mal sem nem sequer deixar V. Exa. bem. Pois, na verdade, ninguém fica bem servido pela intriga senão os intrigantes.

Na primeira, tendo V. Exa. me respondido com uma carta de quem se sentia magoado, mas de nenhum modo rompido, a versão dada à imprensa pelo indiscreto era que V. Exa. me escrevera uma carta rompendo comigo.

Como diz uma amiga minha, é uma injúria dizer que as mulheres gostam de intrigas. Quem gosta de intrigas, diz ela, são os políticos com muitas ambições e poucas idéias.

Tenho procurado ser humilde diante dos arrogantes. Continuo a ser um homem de boa-fé mesmo diante dos espertos; e tenho procurado fazer uma crítica construtiva.

Desta vez a intriga visa a dar a impressão de que o candidato à sucessão presidencial tem medo do julgamento do povo e "acho bom" o adiamento das eleições. Não acho bom. Poderei achar inevitável, dado que talvez seja um mal menor. Mas o modo pelo qual se está conduzindo – mais uma vez – a questão faz com que, legitimamente, se tenha dúvida sobre esse ponto.

Convém deixar claro: se considero justo o temor que existe no seu governo de ver derrotada a revolução nas eleições parciais de 1965, não duvido quanto à nossa vitória na eleição presidencial de 1966. A não ser que, a pretexto de união nacional, o governo de V. Exa. viesse a se engajar contra mim, com um candidato divisionista, o que não creio, pois, sem beneficiar o país, seria uma injustiça, e o povo não gosta dos injustos. De qualquer modo, considero a eleição de 1966 indispensável. Quanto à de 1965, parece-me temerário substituir a eleição por subterfúgios. Estou certo de que V. Exa. apresentará à nação razões capazes de convencê-la de que as eleições são inconvenientes, sem que o povo pense que a revolução foi feita para acabar com o direito do povo de escolher o seu governo.

Não tenho publicado nossas cartas porque dou a V. Exa. o arbítrio de divulgá-las ou não. Mas honram-nos a ambos, portanto não há porque temê-las. Publiquei somente uma porque V. Exa. considerou útil a sua divulgação.

Desta vez V. Exa. me permitirá publicar o texto integral e autêntico para que todos o conheçam, em face da perigosa e crescente onda de confusão armada pelos intrigantes, que tentam apossar-se da revolução servindo-se dos seus líderes para atirá-los uns contra os outros. Enquanto se temem os decaídos, eu creio que devemos ter mais cuidado com os aderidos, pois esses são os que há muitos anos empresam a desgraça e o atraso econômico, político, administrativo e cultural do Brasil.

Considero necessário acrescentar à carta de ontem este esclarecimento: em 1966 levarei a democracia a juntar-se com a revolução, promovendo pelo voto do povo a transformação do país. Completaremos assim a revolução iniciada e bastante comprometida pela intriga e a perplexidade; e a submissão aos que se apossaram dela para realizar objetivos pessoais.

Isso será mais fácil se V. Exa. não permitir que a intriga nos separe. Sei bem o que é a manobra dos intrigantes, pois às vezes os tenho surpreendido a meu redor, também. É uma variedade maldita mas blandiciosa e renitente, que procura nos corromper pela lisonja, nos destruir pela adulação a pretexto de incondicionais e afasta de nós os amigos leais. Não há nada pior do que o falso esperto que, pensando iludir a todos, só a si mesmo se ilude.

Hei de me esforçar todo dia para que até o fim do meu governo V. Exa. não seja vítima com o país dessa fauna que já destruiu no Brasil várias revoluções. A mania da esperteza já levou este país à desgraça várias vezes. Compete-nos livrar o Brasil da esperteza assim como das táticas por amor à arte, sem estratégia definida, que reduzem a vida pública a um jogo de habilidades, a serviço de ambições sem grandeza.

Pois não sou eu o único prejudicado, uma vez que minha ambição pessoal é pouca e está bem atendida. Nem sequer me perturbam os insultos. Não eram menores os que me atiravam os auxiliares do seu malogrado antecessor.

Não tenho feito outra coisa senão do meu lado sustentá-lo. E fazer justiça a V. Exa. desde o instante em que promovi a indicação do seu nome e com outros governadores honrei-me por levar esse nome ilustre ao general Costa e Silva e ao então presidente Ranieri Mazzilli,[33] *insistindo junto a ambos de modo até impertinente pela imediata eleição de V. Exa. para a Presidência da República. Vê V. Exa. pois que não pretendo eleições apenas porque sou candidato, mas também as quis para que V. Exa. fosse eleito.*

De sua parte conheço as generosas referências à pessoa e à administração deste seu amigo. Resta portanto que todos os seus auxiliares pelos quais V. Exa. se sente sempre e em todos os casos responsável respeitem a sua conduta e a imitem, respeitando-me.

Continuarei a lhe escrever sempre que me parecer útil ao país uma palavra de colaboração, da qual não se exclui a advertência respeitosa e amiga. Não é justo, por isso mesmo, que o que eu digo seja torcido e usado contra mim, por meio de indiscrições sistematicamente sopradas por quem não tem mais o que fazer, ficando o povo sem saber o que escrevi e sabendo apenas a versão dos intrigantes.

Permita V. Exa. que me subscreva como, para honra minha, fez V. Exa. numa de suas cartas: Do seu companheiro de ideal.

[33] Ranieri Mazzilli (1910-1975). Deputado federal por São Paulo de 1951 a 1967. Presidente da Câmara por mais de um mandato e presidente Interino da República em 1961 e 1964 na vacância do cargo.

Não estou interessado em prorrogação.

1965 - Carta de 20 de março para Castello Branco

A não realização de eleições estaduais este ano – inspirada sobretudo na miragem da "coincidência de mandatos", que tem como alternativa para a escolha das Assembléias – me parece um erro contra o aperfeiçoamento da democracia. Uma vez que se afirma oficialmente a inconveniência de eleições, a solução é a adoção pura e simples da fórmula que o Congresso adotou em relação ao mandato presidencial: a prorrogação. V. Exa. conhece bem o meu ponto de vista. Não estou interessado em prorrogação, até porque teria que me desincompatibilizar para tentar merecer a honra de ser o seu sucessor. Não desejo assumir responsabilidades, aliás indeclináveis, em face do meu estado e dos demais. O melhor, o certo, o corajoso, o democrático é realizar eleições.

1965 - Carta de 17 de maio para Castello Branco[34]

...foi com os mesmos sentimentos que a escrevi.

Rio de Janeiro, 17 de maio de 1965
Senhor presidente,

Tenho a honra de lhe entregar o trabalho que preparei sobre o programa econômico financeiro do governo, com a alternativa que Vossa Excelência deseja receber.

No discurso que pronunciou no dia 12 deste, V. Exa. abriu a porta para um melhor entendimento do assunto e uma colaboração

[34] O texto seguinte é tal como foi reproduzido por Cláudio Lacerda de Paiva (1998, p. 119-121).

ainda a tempo de criar melhores condições para a revolução e para a população.

Parecendo, talvez, até intransigente a quem não está familiarizado com o "Programa de Ação Econômica", o ponto de vista de V. Exa., ao contrário, se não interpretei mal, é encorajador. Pois V. Exa. proclama que o planejamento não tem "meios precisos de informação e controle", e isto, segundo V. Exa., ainda depende da "institucionalização do Ministério do Planejamento". Insiste V. Exa. que "de não menor importância será o aperfeiçoamento de nosso sistema de informações estatísticas, o qual foi virtualmente conduzido ao colapso pelas administrações anteriores à revolução".

Ao reconhecimento dessas verdades falta, ***data venia****, apenas acrescentar que o "programa" adotado é retórico e não está sendo cumprido, entre outras razões, porque não pode ser cumprido.*

Rogo a V. Exa., pelo seu patriotismo e pela sua responsabilidade, leia o trabalho ao qual dediquei dias de esforço e que é para mim, sem exagero, um caso de consciência.

Considero muito grave a situação econômica do país. Mais grave, hoje, do que na véspera da revolução. Pois então todos tinham certeza de que aquela situação ia acabar. Hoje, sabemos que ou se acaba com esse "plano" ou esse "plano" acaba com a revolução e coloca o país num dilema insuportável: restauração ou ditadura. Ela merece mais do que a atenção dos técnicos, pois precisa da reflexão dos homens de Estado.

V. Exa. verá que não proponho "plano" nenhum, mas proponho uma alternativa à idéia de "planificar" sem estatísticas e sem ditadura – condições mínimas para aplicar um planejamento ou programação econômica global.

V. Exa. encontrará, à hora que quiser, as alternativas quando ouvir as vozes autorizadas que se levantam em todo o país e às quais eu faço eco junto a V. Exa. Elas vêm de todos os setores.

As indicações que aí vão são gerais e básicas. Não são retóricas. Não improvisam "planejamento" onde ele não pode, não precisa e não deve existir. Estarei como sempre à disposição de V. Exa. para qualquer esclarecimento ou sugestão.

Permita que, para esclarecer confusões armadas pela maciça campanha dirigida todos estes dias contra a minha colaboração ao seu governo, eu divulgue junto com o estudo esta carta, que conclui por um voto de confiança na sua isenção e inspirações do seu patriotismo; pois foi com os mesmos sentimentos que a escrevi.

Carlos Lacerda

> *Redigi de modo mais impessoal possível essa crítica.*

1965 –Ao presidente Castello Branco em 25 de maio[35]

Rio de Janeiro, 25 de maio de 1965
Senhor presidente,

No dia 17, acompanhado de uma carta, enviei a Vossa Excelência uma análise da política econômica que o governo vem seguindo e uma sugestão, ou "alternativa". Para isto, depois de estudar o assunto durante meses e ouvir as mais reputadas autoridades na matéria, louvei-me na sua freqüente declaração de que precisa de alternativa para examinar as críticas.

Redigi de modo mais impessoal possível essa crítica e, de modo mais construtivo, a sugestão. Citei exemplos, uns graves, outros pitorescos, colhidos no texto oficial, para mostrar a inanidade do "plano" que não é plano. Fiquei certo de que Vossa Excelência ia estudar o assunto e dar resposta, após o exame, conforme declarou ao chefe da minha Casa Civil.

[35] Ibidem, p. 149-164. Utilizamos o texto revisto por Carlos Lacerda e publicado em: LACERDA, 1965. Esse livro corresponde a três cartas: duas ao presidente da República e uma ao deputado Herbert Levy, presidente da UDN, em 1965.

Antes disso, porém, o Ministério da Justiça requisitou uma cadeia nacional de rádio e TV e nela o ministro do Planejamento desenvolveu um longo raciocínio com três aspectos fundamentais:

1. Resposta agressiva, repleta de falsidades e novas promessas, à análise da política econômica do governo.

2. Repulsa, com desprezo e com sofismas, à sugestão que fiz. Nenhum esforço sério para comparar a alternativa que propus com a situação real do país.

3. Desaforos e infâmias contra mim e contra o meu governo. Combate político à minha candidatura à Presidência da República, encarada como se fosse uma afronta, pelo Ministério do Planejamento.

Sobre o primeiro aspecto dessa exposição, há muito que dizer. O ministro do Planejamento provou, perante o público, que nem ele mesmo toma a sério o "Programa de Ação" que fez Vossa Excelência adotar. Anotei cuidadosamente suas palavras e estou em condições de demonstrar que ele está agravando a crise que o governo encontrou, com outra que ele está fabricando. Daí, talvez, a sua indignação ao ver que exibi a realidade do pseudoprograma.

A repulsa do plano, feita entre pretensões a ironia, e um soberbo desdém pela ignorância do "governo da Guanabara" e do público em geral comprovam que não se queria alternativa. Pois, mesmo ignorante, sei aprender com quem sabe. E conheço a situação do país e as repercussões dessa política melhor do que os que, tendo servido aos governos mais díspares, conseguiram conciliar o inconciliável.

O que se queria era "impor" uma determinada e obstinada política econômica. A alternativa ofende, precisamente, porque cria para o responsável imediato a desagradável situação de ter de dar uma explicação para uma política que não tem explicação.

Quanto às pretensas ironias, aos desaforos e infâmias, com que o ministro quis ferir-me, não passam de repetição de tudo quanto foi dito contra a minha atuação na vida pública por dignos correligionários, ex-colegas e ex-chefes do sr. Roberto Campos antes que ele se tornasse ministro da revolução em vez de eleger-se senador pelo PTB de Mato Grosso.

O truque de dividir a carga tributária na Guanabara pelo número de habitantes e, assim, apresentá-la como excessiva foi usado, antes, pelo ex-deputado Saldanha Coelho.[36] *A mentira de apresentar como estatísticas empresas estaduais totalmente dedicadas a fomentar a iniciativa privada, como a Copeg,*[37] *ou empresas de serviços públicos impostas pela circunstância de se ter tornado anacrônica a concessionária, como os casos da Cetel*[38] *e da CTC*[39]*, tudo isto são ardis de propagandistas do absurdo e defesa do indefensável, recorrendo à mentira pela impossibilidade de justificar a injustiça.*

A idéia de incluir como "ajuda" à Guanabara o pagamento do funcionalismo federal transferido ao Estado, quando da sua criação, por lei do Congresso, e lançar isto como argumento contra o meu estudo, visando a desmoralizar a proposta que encaminhei a Vossa Excelência e não a ele, não é do ministro de Vossa Excelência, é do ex-ministro do sr. João Goulart, Abelardo Jurema,[40] *que a usou muito em programas idênticos na televisão.*

A idéia de me atribuir o crime de ter contribuído para a queda e suicídio de Getúlio Vargas é a habitual covardia de muitos que, não podendo acusar as Forças Armadas desse suposto "crime", atribuem-no a mim, transformando-me em vítima expiatória de longas omissões e súbitas conversões.

A idéia de me atribuir a renúncia do sr. Jânio Quadros e outras faz-me – pela primeira vez nos últimos anos – ficar pasmo.

---

[36] Saldanha Coelho (1926). Deputado estadual pelo Estado da Guanabara, cassado pela revolução de 1964.

[37] Companhia Progresso do Estado da Guanabara.

[38] Companhia Estadual de Telefone.

[39] Companhia de Transporte Coletivo.

[40] Abelardo Jurema (1918-1999). Senador e deputado federal pelo Estado da Paraíba. Desse Carlos Lacerda escreveu: "Chamava-se Abelardo Jurema, irmão de Aderbal. Abelardo está hoje no Peru, como cassado, ex-ministro da Justiça do governo Goulart. Não desejo lembrar o que ele fez ou disse, enquanto não for reconhecido o seu direito de defesa ou simplesmente lhe forem perdoados os erros, que em outros foram premiados" (2001, p. 225).

Como pode, quem tem essas opiniões, ser praticamente o orientador do governo da revolução no setor principal, que é o do "planejamento"?

Quanto à oposição que liderei contra o governo Kubitschek, se foi odiosa e sistemática, por que cassou Vossa Excelência os direitos políticos desse benemérito presidente, cujo único erro foi afastar do BNDE o grande ministro da revolução em que está metamorfoseado o sr. Roberto Campos?

O ministro do Planejamento procurou ironizar o que honestamente chamei de uma política de oportunismo econômico. Para me ofender, e ver se me irrita, atribuiu-me a prática de oportunismo político. A estupidez já não me irrita. Mas a mentira, sim. De todos os ataques, só esse é inédito.

Não pode provocar nenhum escândalo pregar um certo oportunismo econômico. Isto significa que a política econômica deve adaptar-se às circunstâncias, ser essencialmente pragmática, isto é, ser mantida ou alterada de acordo com os resultados efetivamente obtidos, sofrendo as adaptações necessárias.

A política econômica é por natureza contingente, por isso mesmo que é uma política. Só os tecnocratas presumem o contrário, enfatuados na infalibilidade da sua pseudociência.

A economia lida com o destino de um povo, de uma nação, por isso mesmo se chama "economia política", porque não pode ser dissociada da política. Só o marxismo alimentou a presunção de criar uma economia rigorosamente científica, baseada em dogmas, a que a política e tudo o mais deveria subordinar-se, rígida e inflexivelmente. Mas a experiência desmoralizou essa presunção. E na Rússia é a política que comanda a economia: quando a produção agrícola cai, elimina-se do governo o Kruchev.[41]

[41] Nikita Kruchev (1894-1971). Primeiro secretário do Partido Comunista da URSS em 1958 e sucessor de Joseph Stalin neste mesmo ano. Celebrizou-se pelo combate ao culto da personalidade de Stalin. Morreu politicamente quando foi substituído, em 1964, sem maiores explicações, por Leonid Brejnev.

A economia política, ciência de certeza absoluta, de teorias inflexíveis, é apenas uma "falácia", como gosta de dizer o dr. Roberto Campos. Só os tecnocratas, para se valorizar, pretendem transformá-la em alguma coisa de esotérico ou escatológico. E assim submetem um povo e uma nação às experiências mais temerárias.

Uma política econômica há de ser necessariamente empírica, contingente e flexível, tendo em conta as circunstâncias complexas e variáveis que se verificam em cada povo ou nação, as contingências do momento, a conjuntura, as reações produzidas. Porque o seu alvo e o seu suporte é o povo, no seu conjunto; fator decisivo do seu êxito ou do seu malogro são as reações psicológicas do próprio povo, sem cuja adesão não poderá ser feito. E por aí se vê por que uma política econômica não pode ser científica, mas há de ser essencialmente "política", isto é, pragmática, circunstancial, contingente, oportunista.

O motivo essencial por que, depois de um ano, não tem logrado êxito a política do dr. Roberto Campos é que ela não se impôs à confiança da nação, isto é, não conseguiu criar a convicção de que ela ia dar certo, compensando com os resultados os tremendos sacrifícios impostos. Isto apesar do prestígio moral desfrutado pelo presidente Castello Branco e das esperanças que a revolução despertou.

Os dirigentes da política econômica começaram, repetidamente, a anunciar resultados efetivos com datas. E o que se viu até agora foram as sucessivas transferências de datas para o surgimento dos resultados anunciados.

Uma política econômica se julga pelos resultados concretos. Quem a julga é o homem da rua, é a dona de casa, ao fazer as suas compras nas feiras. Quando, depois de 14 meses, é preciso ainda apresentar "gráficos" para explicar porque os resultados concretos não vieram, isto não é de molde a fazer ressurgir a confiança perdida.

Até agora, o conselho dado era o de não comprar, para que os preços baixassem, pela estagnação do movimento do comércio e da indústria. De repente, houve uma mudança radical: agora se aconselha a compra para reanimar os negócios paralisados. Não será isso "oportunismo econômico"?

Exemplos mais significativos de empirismo e pragmatismo na ação de combate a crises econômicas se encontram nos líderes que enfrentaram as duas maiores crises econômicas do século: o dr. Schacht[42] e Roosevelt.[43] A imaginação do primeiro, inventando fórmulas mágicas, é que livrou a Alemanha da inflação que a desagregara (e ele conta a proeza no livro que se chama significativamente ***Memórias de um mágico****). E o* ***New Deal*** *foi essencialmente uma política empírica, oportunista, improvisada – conduzida genialmente por Roosevelt para reerguer os Estados Unidos do fundo do abismo da depressão.*

O próprio dr. Campos reconhece na folha 8 do seu livro ***Economia, planejamento e nacionalismo****, que há entre o céu e a terra mais coisas do que sonha a sua vã filosofia, e que os fatos teimosos se encarregam de destruir teorias e preconceitos, quando a experiência passa do laboratório para o meio social.*

A importância dominadora da política entra pelos olhos: se a revolução perder a batalha política, perderá todas as outras, inclusive a da inflação, pois devolvendo o poder ao PTB e ao PSD será reinstaurado o reino da demagogia, com a desordem administrativa.

Ao fim de duas horas e meia de ataques do sr. Roberto Campos, ficou de pé o tema central de minha análise. Por isso continua a campanha contra o estudo e a proposta que fiz a Vossa Excelência de uma alternativa para a política econômica.

O tema central de minha crítica, fundamento da alternativa que propus, era este:

---

42 Hjalma Schacht (1876-1970). Ministro da Economia do III Reich. Saiu livre no julgamento de Nuremberg.

43 Franklin Delano Roosevelt (1882-1945). Presidente americano idealizador do programa *New Deal* (Um Novo Pacto), que tirou os Estados Unidos da América da crise de 1929. Um dos comandantes da Segunda Grande Guerra, cabendo-lhe tirar os Estados Unidos da América do isolacionismo e colocar toda a ajuda em homens e recursos para, com a Inglaterra e a Rússia, derrotar a Alemanha nazista e a idolatria japonesa.

1. O setor mais inflacionário da economia é o estatal.

2. Este não pode ser reduzido, nem a sua eficiência aumentada, em pouco tempo. Nem em 13 meses nem em 2 anos nem, talvez, num quatriênio.

3. Logo, não se deve contar com o fim da inflação tão cedo; pois o setor maior e mais inflacionário – o da economia estatizada – não pode ser recuperado.

4. O que não convém é, mantendo a área estatal inflacionária, esvaziar a área da economia privada para custear a estatal.

5. Por isto, contando como inevitável certo grau de inflação durante certo número de anos, concentrar nossos esforços em provocar a baixa progressiva, racional e cautelosa, da taxa inflacionária; e, ao mesmo tempo, desencadear a produção.

6. Para isto, convêm dotar a iniciativa privada de meios para ajudar o país a sair da inflação, com produção. E ativar urgentemente a administração pública, melhorando a sua produtividade por providências audaciosas. Pois a área estatizada, abrangendo mais da metade da economia nacional, é a grande área do desperdício e da exigência de recursos, até aqui retirados da iniciativa privada – como antes eram retirados da emissão de papel-moeda.

7. Para isto, ainda, é essencial uma política de fé, de mobilização do povo, de atenção para com os seus problemas e motivações.

Eis o que o seu ministro toma como um insulto a um governo que, pela sua voz, aceita o debate mas se ofende com ele, pede alternativas mas as repele quando são oferecidas – e que oficialmente me atribui crimes sem os quais o seu governo não existiria.

Não me faltam, como é fácil supor, argumentos nem palavras para repelir e destruir a argumentação do ministro, quer nas contradições consigo mesmo, quer nos aspectos políticos de sua exposição.

Em nome do seu planejamento, a Constituição está sendo violada para proteger os interesses de grupos como o do sr. Roberto Marinho, associado a interesses do rádio e televisão norte-americanos no Brasil, em frontal violação das leis e do Código de Telecomu-

nicações. Ninguém me há de pôr a pecha de antiamericano, como antes a de americanófilo. Não se trata de ser pró ou contra terceiros, e sim de exigir o cumprimento da lei, que não permite tais associações, menos ainda por via oblíqua e por meio de subterfúgios. Tais favores se pagam em insultos e intrigas contra mim e lisonjas aos que passam a mão pela cabeça desses instrumentos de manobras escusas.

Mas, senhor presidente, meu estudo – que não é só meu, mas de gente que entende do assunto mais do que o sr. Roberto Campos, porque conhece o Brasil, que ele desconhece – foi endereçado a Vossa Excelência. Levei-o ao conhecimento do povo, para que ele não ficasse no desconhecimento das minhas razões e à mercê da máquina de deformação das informações e corrupção da opinião pública, que está sendo montada. A soberbia e a campanha política do ministro do Planejamento não constituem, pois, uma resposta e sim, apenas, desculpas de mau pagador.

Dizer que estou impedindo a vinda de capital estrangeiro, para explicar a não-vinda do capital anunciado; que estou destruindo a fé dos brasileiros na política econômica quando incluo a confiança do governo ***no*** *povo (e não apenas* ***do*** *povo no governo) como condição de êxito de uma política de reconstrução; que estou escorchando de impostos o povo carioca; que vivemos, na Guanabara, da "ajuda" federal, aliás muito mais prometida do que recebida; que derrubei governos – sem cuja derrubada, feita pelas Forças Armadas com a minha modesta colaboração, não é resposta adequada. O seu ataque deveria ser feito às Forças Armadas, em última análise, a Vossa Excelência, que privou de direitos políticos esses grandes estadistas aos quais me opus, com escândalo e revolta do ministro do Planejamento.*

Dizer que o plano não é plano, que as projeções são "inocentes exercícios estatísticos", não é razão suficiente embora baste como confissão de que nem o ministro toma a sério o "Programa de Ação" que impingiu ao governo.

Em defesa do meu nome e do meu governo, vou responder ao ministro na TV, embora sem as facilidades da requisição oficial para a cadeia de insultos contra o governo do Estado e contra o candidato à Presidência – encarado como um ambicioso impertinente porque ousa, depois da revolução, ser o que já era antes: candidato a governar o Brasil pelo voto do povo.

Mas não é isto o que mais interessa ao país e a mim, e certamente também a Vossa Excelência.

O que interessa mais é um exame superior, objetivo, sereno, dos resultados da aplicação da política econômica que Vossa Excelência adotou nos primeiros dias do governo e que pode, sem desdouro, ser modificada para melhor; e a possibilidade de válidas alternativas que, sem perder de vista o combate à inflação, sejam suficientemente realistas para não criar uma crise sobre a outra, deflagrando crise social, política e conseqüentemente militar de trágicas proporções.

A luta contra a inflação e a necessidade de sacrifícios para vencê-la são pontos sobre os quais todos estão de acordo. Não é, pois, aludindo a esses pontos que se consegue demonstrar o acerto da política adotada. Pois esta provoca uma crise social para a qual a nação não está preparada e, portanto, resultados opostos aos visados com o combate à inflação. Por outras palavras, "diminuir a produção é provocar, mais e não menos, as emissões de papel-moeda". Provocar o desemprego e a ansiedade não é criar condições para a produção e sim para o ódio do povo contra ela e a conseqüente reabilitação daqueles que ela derrubou.

A linguagem, os argumentos, a orientação dada pelo ministro do Planejamento à sua polêmica demonstram que será inútil discutir com ele em termos de saber qual a política que mais convém à revolução. Ele nada tem com ela e é contra ela, na medida em que ela derrubou aqueles aos quais antes servia – como servirá amanhã a quem quer que, sucedendo a Vossa Excelência, queira utilizar-se de seus serviços.

Meu objetivo é diferente. Minha linguagem é outra. Justamente o meu maior defeito é não saber ser oportunista, e às vezes não ser sequer oportuno.

Considero do meu dever pedir a Vossa Excelência que examine, de espírito aberto e sem prevenções, os argumentos que lhe apresentei e a alternativa que formulei como o líder ao qual confiamos a chefia do governo de uma revolução, que não pode levar o país para trás. Não ponho em dúvida a sinceridade e a honestidade de propósitos de Vossa Excelência. Igualmente sei que Vossa Excelência, ao contrário do ministro, não tem dúvida quanto a idênticos sentimentos de minha parte.

Conviria, pois, examinar os resultados e perspectivas da política econômica com os responsáveis pela revolução, não com os seus inimigos, estejam estes ou não ocupando postos eminentes no governo.

Continuo à disposição de Vossa Excelência para participar do exame do assunto, à luz da alternativa que ofereci ou de outra que Vossa Excelência admita ao seu exame. Não considero satisfatória a resposta do sr. Roberto Campos. Uma análise dessa resposta bastará para mostrar os sofismas em que ele se especializou, pelo que vejo a única bagagem que ele trouxe da lógica que aprendeu no Seminário.

Não enderecei a Vossa Excelência o estudo e a carta que o acompanhou apenas para uma polêmica e sim para ter uma base sobre a qual pudéssemos colaborar com Vossa Excelência para uma política adequada à consecução de seus objetivos.

Senhor presidente: faço-lhe um apelo, à inteligência e à sensibilidade, para que abra seu espírito ao exame desapaixonado da política econômica, tão ligada à situação geral e ao destino da revolução.

Coloco à sua disposição, sem pretensões pessoais ou secreto desígnio, os trinta anos que tenho de "ave agourenta", como diz o seu ministro; o meu agouro consistiu em prever, por intuição e por experiência de quem aprendeu à própria custa a avaliar o resultado de erros de boa ou má-fé, a sorte do país. Creio estar em condições de prever, sem precisar de adivinhação planejante, o que vai acontecer ao país se a dureza de uma política econômica sem flexibilidade persistir sem contraste e sem crítica válida.

Já estou vendo alguma coisa mudar, disfarçadamente, depois que as críticas se acentuaram. Vejo, portanto, que as críticas não são de todo inúteis... Já se trata de suspender a cobrança de impostos da indústria têxtil, cujos trabalhadores estão sendo postos na rua ou não recebem – como no caso de uma grande fábrica do Rio – há dois meses. Vejo, assim, que a crítica, apesar de repelida com desprezo e ódio, provoca paliativos – pelo menos para não dar o braço a torcer. Mas isso não resolve. O que resolve é um exame sério da crise para a adoção de uma política econômica realista – repito, um oportunismo econômico que, de olho aberto na inflação, não feche os olhos à produção.

A máquina de propaganda e de corrupção da opinião pública já montada e funcionando vai eliminar, dentro em pouco, as fontes da crítica. Vossa Excelência só ouvirá o coro das louvações. Mas o país pode estourar no meio dos foguetes da lisonja. Creio, senhor presidente, que tenho alguma experiência da vida nacional. Foi assim que se perderam várias revoluções.

Minha aflição é real, minha preocupação é sincera. Vossa Excelência é testemunha do meu desinteresse pessoal, da sinceridade dos meus propósitos, que nem os meus adversários mais ferrenhos negaram, a não ser alguns mais odientos – e agora, o ministro do Planejamento do seu governo, que se alistou na escola dos ministros do sr. João Goulart e lhes repete, servilmente, os argumentos; mesmo porque não tenho, com quem quer que seja, problema pessoal acima do interesse público. Talvez seja isto o que ele chama a minha incoerência, pois um carreirista nunca pode entender esse modo de encarar tais assuntos.

O ódio desse ministro não constitui resposta adequada ao que escrevia a Vossa Excelência. Nem bastam os seus sofismas para destruir o que está à vista de toda a nação e, ainda há dias, era resumido pelo governador de Minas[44] *nestas palavras: "O programa econômico do governo já fracassou". E pelo secretário da Fazenda de*

[44] O governador do Estado de Minas Gerais na ocasião (1960 a 1965) era José de Magalhães Pinto.

São Paulo, nestas: "Está ocorrendo um fenômeno assustador no Brasil, principalmente em São Paulo, qual seja a redução dos dias de trabalho na indústria. (...) O país continua em pleno processo inflacionário, embora o governo esteja empenhado em conter o ritmo da inflação".

Quando embaixador do governo Goulart, o sr. Campos sustentou algo bem parecido com o que agora digo e tanta repulsa e soberbo desdém lhe provoca. Vossa Excelência tenha a bondade de ler o que a seguir transcrevo.

A 19 de agosto de 1962, num banquete da Sociedade Panamericana, em Nova York, foi dito o seguinte: "O ano de 1962 vai ser testemunha de um ressurgimento na produção do Brasil". E mais: a inflação é ruim, mas não é "mera exibição de desídia moral", e sim um fato sociológico.

Foi dito ainda:

"O trabalho de uma sociedade, tanto em tempo de glória como de contrariedade, deve ser julgado com base nos diversos índices de natureza política, e social, e econômica. No recente caso brasileiro, uma obsessiva concentração de atenção (da crítica) no impulso inflacionário levou muitos analistas a descartarem progressos significativos em outras áreas".

Com a aparição de uma profunda crise constitucional provocada pela renúncia do presidente Quadros, a nação esteve perante certo número de objetivos sociais preferentes.

O primeiro e principal foi a manutenção da trama de uma sociedade abertamente democrática. O segundo foi a preservação do elevado índice de desenvolvimento econômico. O terceiro foi a consecução de maior medida de autonomia das decisões que levam ao progresso. E o quarto foi a manutenção de razoável grau de estabilidade de preços.

O primeiro objetivo parece ter sido conseguido substancialmente diante das grandes tensões internas. O Brasil está a se aproximar do fim da indecisão e em 6 de janeiro irá decidir sobre a restauração do regime presidencialista ou a continuação do regime parlamentarista. Preservou-se uma sociedade aberta e de debate livre, não manchada por golpe militar algum [o grifo é meu], nem pela suspensão de direitos constitucionais e nem imposição de controle autoritários."

A seguir foi dito ainda:

"...Em segundo lugar, está o critério de que os países com inflação estão forçosamente infringindo o princípio do esforço próprio. Isto poderia ser exato se a inflação não fosse acompanhada de crescimento e estivesse consumindo grandes recursos de moeda estrangeira com gastos excessivos de importação, circunstâncias que certamente não são as características da inflação brasileira, na qual se manteve o crescimento e a dieta das importações".

Isto, senhor presidente, é muito mais do que eu disse. É muito mais do que diria qualquer pessoa de bom senso: a inflação acompanhada de crescimento, eis o que o embaixador Roberto Campos elogiava no governo Goulart.

Sua principal conclusão foi esta: "perdem lamentavelmente de vista o ponto fundamental os que não se dão conta de que um risco ainda maior [do que a inflação] é a estagnação econômica".

Estas são as palavras do seu ministro do Planejamento, em plena inflação do governo João Goulart. A política mudou, mas a economia não.

Estas palavras, publicadas nos jornais do Rio a 21 de dezembro de 1962, foram pronunciadas pelo atual ministro da revolução Roberto Campos, quando embaixador do governo Goulart em Washington. (Junto a fotocópia do jornal que transcreveu tal discurso.)

Vê Vossa Excelência, por esse singelo exemplo, que ele encontra justificação para qualquer política, sempre servindo-se do mesmo jargão econômico. Quando em palavras mais simples disse algo semelhante ao que ele dissera, com a fundamental diferença de não confundir inflação com crescimento, sou por ele insultado e chamado – "Santo Deus!", como ele diz a cada passo – de oportunista político, de candidato messiânico, de destruidor, etc.

Não tem, pois, autoridade para dar resposta a uma crítica objetiva e rejeitar, de plano, uma alternativa que Vossa Excelência reclamava. A alternativa está baseada em pressupostos que o sr. Roberto Campos não destruiu, antes confirmou:

1. Não se pode marcar prazo para acabar a inflação.

2. A maior área inflacionária é a de atividade econômica estatizada.

3. Essa área estatizada da economia (mais de 50%) não pode ser custeada pelo esvaziamento da área da economia privada, porque esta é que produz mais para o país. Não se destrói o que é razoavelmente bom para salvar o que é razoavelmente ruim.

4. Também não pode ser esvaziada a própria área estatizada, porque há um núcleo de atividades econômicas, pioneiras e fundamentais que tem de permanecer com o Estado e outras que, mesmo erradas e até ruinosas, não podem ser rapidamente regularizadas pelo governo. Mesmo as que podem ser descartadas não o são com pouco tempo nem com facilidade.

5. A conclusão lógica, inevitável, é que teremos de conviver com a inflação por algum tempo e devemos limitá-la, reduzi-la, mas na certeza de que não podemos destruí-la a prazo fixo.

6. Por isto, ainda, o aumento da produção deve ser um objetivo imediato.

7. Por isto, ainda, a mobilização do povo, o "investimento de confiança no Brasil", tem de ser a meta principal, imediata, do governo.

Não é sem certa melancolia, senhor presidente, que vejo repetidos por um ministro do seu governo os argumentos contra mim proferidos por aqueles que Vossa Excelência derrubou do poder, com a minha desvaliosa mas leal ajuda. A custo venço a repugnância de ver a desenvoltura com que os aproveitadores da revolução cobrem Vossa Excelência de lisonjas para melhor insultarem os seus companheiros que têm, no êxito do seu governo e da revolução, um interesse maior do que simplesmente o de defender o cargo.

Mas há muito me habituei a sofrer essas incompreensões e injustiças para não perder de vista o meu objetivo, que é o de servir ao Brasil.

Nunca disse que a alternativa que propus fosse a melhor, nem a definitiva. Mas que a política econômica que o sr. Campos recomendou ao governo da revolução não é a melhor e não deve ser a definitiva, não tenho dúvidas. Depois da sua arenga, ainda mais me convenci – pois praticamente ele confessou que não leva a sério o "Programa de Ação" para o qual obteve a aprovação de Vossa Excelência.

E por isso advirto, e por isso disponho-me a sofrer, de novo, de membros de seu governo, o que já sofri daqueles que a revolução e Vossa Excelência privaram de direitos políticos.

Lamento perturbar a euforia dos pretensos resultados da política econômica do governo com estas palavras. Elas não produzem mágoas, que sei esquecer, nem suscetibilidades, que não importam diante do que é mais importante do que todos nós, o interesse do país a que servimos.

Tenho silenciado, talvez demais, cedi a erros evidentes, como a prorrogação do seu mandato – não por Vossa Excelência, mas pelo princípio, que foi errado – e o pretexto, que era falso mas enganou a muitos de boa-fé. Cedi deixando de responder ao ministro Roberto Campos quando de sua primeira onda de sofismas e de intrigas. Escrevi a Vossa Excelência uma carta que é a maior prova da minha confiança e do apoio que eu lhe poderia dar e que, naquele exato momento, deixou sem resposta o ministro para não parecer que atingia o seu governo.

Cedi quando, durante todo esse tempo, contendo as minhas apreensões, vejo a política tomar conta das atividades principais do governo, enquanto a atividade econômica fica entregue a um setor especializado, que não tem com a revolução qualquer afinidade e serve a qualquer senhor, portanto, não serve realmente a nenhum.

Agora, não é mais possível silenciar sem faltar gravemente aos meus deveres de cidadão. Só espero que Vossa Excelência se disponha a ouvir quem deseja o seu bem e o do país.

Senhor presidente, embora tratado como oportunista, um demagogo e um ignorante, um importuno e um mentiroso, pelo ministro que me acusa de ter derrubado os governos que Vossa Excelência e o Exército derrubaram, e sem cuja derrubada Vossa Excelência não seria presidente – embora ele pudesse ser ministro de qualquer desses governos, que o tocaram para fora –, não me envergonho de insistir com a Vossa Excelência. Porque o nosso amor ao Brasil deve ser maior do que o amor-próprio.

Por isto, insisto. Requeiro a Vossa Excelência o direito elementar de ver examinada a minha crítica e a minha proposta com seriedade e com objetividade, não com verdadeiro ódio e falsa zombaria. O pedantismo nunca me impressionou; nem a insolência me intimida.

Criou-se um tabu que convém aos charlatães da economia; o de que não pode falar de economia política quem não foi economista. Isto é falso, como tantas outras noções que se enraizaram nas pessoas desprevenidas. O fato de não saber misturar os temperos na panela não nos impede de julgar se a comida está ou não bem-temperada. Não é preciso ser cozinheiro para saber se a comida é boa.

Estão em causa coisas mais sérias do que a vaidade e a lisonja. Estão em causa o destino da revolução, o do governo que ajudamos a formar quando – numa demonstração de confiança – levamos o nome de Vossa Excelência ao general Costa e Silva e pedi ao presidente em exercício, sr. Mazzilli, que encurtasse o seu mandato para tornar possível a ascensão de Vossa Excelência à Presidência da República. Assim se construiu o governo da revolução, que não foi eleito pelo povo, mas praticamente imposto pelas armas com as cautelas apenas necessárias para salvar as aparências e não interromper a continuidade do processo de ascensão do Brasil à democracia.

Bem sei que Vossa Excelência pode dispensar o meu apoio para governar. Mas, peço-lhe que despreze a alegação – com a qual se procura inutilizar o meu esforço – de que falo como candidato, em função de uma ambição política. A mediocridade dominante na política brasileira desde o seu esvaziamento pela ditadura tende sempre a atribuir miseráveis ambições a quem tem altas aspirações. Permita dizer-lhe, presidente, que ao lado de muitos erros que não escondo, e dos quais sempre procuro corrigir-me, tenho dado exemplos de desambição que me autorizam a, nesta matéria, dar e não receber lições de quem quer que seja. Não preciso e não quero, como candidato, criticar o seu governo nem pôr em dúvida sua autoridade. Como candidato, meu interesse talvez seja o oposto disto. O que me leva a propor uma alternativa para a política econômica atual é precisamente o interesse que tenho no êxito da revolução e do seu governo, ao qual está ligado não apenas o meu destino político mas a minha vida e a dos meus. Pois, senhor presidente, permita lembrar, já que membros do seu governo não sabem, eu não arrisquei uma Embaixada para ser ministro, eu arrisquei a minha vida para que Vossa Excelência pudesse chefiar uma revolução que, sem a nossa resistência, não se teria realizado a tempo de evitar a guerra civil ou a tirania.

É tempo de reunir os companheiros da revolução e examinar com eles, de alma aberta, o que está errado e o que está certo. O que não é possível para nos destruir, mas para destruir o país com a mesma desenvoltura com que colaboraram na situação que forçou o Brasil a fazer uma revolução para se defender de tais salvadores.

Eis o que, por dever de consciência, e tendo sempre a minha parcela de responsabilidade no destino da revolução e do país, menos na qualidade, de que não abro mão, de candidato à sucessão presidencial do que na de governador de Estado e companheiro de Revolução, julgo-me no direito de dizer a Vossa Excelência, a propósito do estudo que lhe enviei.

Já tive ocasião de dizer a Vossa Excelência e quero repetir de público: o que se conseguiu de positivo na política econômica, até agora, não foi resultado de "programa" nenhum; foi efeito puro e simples da própria revolução.

É tempo de reconhecer isto e tirar desse reconhecimento as necessárias conclusões.

Sei que Vossa Excelência não tem tempo para debates acadêmicos. Estou convencido, também, de que esse assunto merece mais *tempo do que intermináveis questões políticas cujas soluções, afinal, nada resolvem para o país – cuja sorte está presa aos rumos da política econômica que lhe foi imposta.*

Ouça Vossa Excelência os entendidos, os que têm experiência desses assuntos. As críticas não visam a ferir ninguém nem a defender outro interesse que não seja o do Brasil. As insinuações do seu ministro, neste particular, são cusparadas para o ar e não me atingem, como Vossa Excelência bem sabe. Outros mais qualificados já pretenderam desmoralizar-me, enquanto silenciavam os tímidos e compravam aplausos por favores indevidos – e isso nada adiantou ao Brasil.

O que nos ofende, senhor presidente, é ver como somos equiparados a quem não tem condições nem sequer morais para essa equiparação. O que nos preocupa é ver a sorte da revolução dependente de quem tem sobre ela opiniões tão diversas da nossa, que nos acusam, como se fosse crime, de ter contribuído para que ela fosse, afinal, realizada.

Responderei aos sofismas e às acusações do ministro Campos, como é do meu direito, em razão dos reflexos que o meu silêncio, como da vez passada, teria sobre a opinião pública. Mas o que interessa ao país, penso, é a renovação do apelo, que constantemente formulo, para que Vossa Excelência examine a alternativa que propus, e inclua a reforma do Ministério como instrumento de ampliação do crédito ao governo, de base popular para ele para permitir que os sacrifícios necessários tenham a adesão do povo e não precisem da corrupção para tentar convencer o povo de que o estão salvando quando lhe tomam o emprego e lhe destroem a esperança.

Finalmente, permitirá que eu cite, contra a atual política econômica, um distinto autor, o economista Roberto Campos.

Veja Vossa Excelência:

"Fala quem sabe – (...) O importante é escolher o método correto. Quem procura combater a alta de preços, cortando apenas o crédito bancário e deixando que se ampliem lascivamente os gastos

do governo, estará prejudicando o desenvolvimento sem, na realidade, conter o custo de vida. Quem, ao disciplinar as despesas do governo, só comprimir as de investimento, sem conter as de custeio, não estará fazendo nem estabilização nem desenvolvimento. Estará apenas fazendo besteira.[45]

Elogio da incoerência e crítica ao Programa do Partido Democrático. (...) Com a quota de incoerência que é o privilégio dos homens inteligentes, das mulheres bonitas e dos governos realistas, a plataforma democrática prometeu ao mesmo tempo maior esforço armamentista, maiores despesas públicas e maior auxílio às nações subdesenvolvidas".[46]

"...Se o Gabinete ontem eleito, que conta com personalidades de alto calibre intelectual e ampla experiência administrativa, puser a máquina administrativa a serviço de um planejamento de longo prazo, que sobreviva ao entrechoque parlamentar, terá feito vingar, em condições difíceis, um nobre experimento." O sr. Roberto Campos disse que rompeu com o presidente Juscelino Kubitschek. A verdade é outra. Ela se encontra no discurso de despedida do sr. Campos, "servidor público", que ocupou cargos em todos os governos que a revolução derrubou e hoje é o principal ministro civil da revolução – pois comanda a economia. Eis o que ele dizia do sr. Kubitschek, ao sair posto fora do BNDE:

"... A minha palavra final é de agradecimento ao presidente Juscelino Kubitschek, que sempre me distinguiu com sua amizade e confiança, designando-me presidente do Banco e secretário-geral do Conselho do Desenvolvimento. Sua obra de governo já é importante e ganhará mais vulto e significado quando vista na moldura da História. A Sua Excelência auguro, para o bem comum, uma gestão serena e profícua".[47]

---

[45] CAMPOS, p. 33.

[46] CAMPOS, p. 159.

[47] Ibidem, p. 262.

Saindo dessas alturas, cabe citar um livro de divulgação, muito útil, que tem o significativo título ***L'Economie des mandarins****:*

"A política econômica é uma questão de circunstâncias. Na hora em que escrevo este ensaio, os dados da política econômica no nosso país já se modificaram. Na hora em que chegarem aos seus leitores, terão, mais uma vez, se modificado. Não se pode aplicar a mesma política em um país em recessão ou em expansão, em um país novo ou em país antigo. Toda política econômica deve ser pragmática. Não existem problemas de base ou problemas de circunstância; não deve nunca perder de vista os problemas a longo prazo".[48]

"Mas lá termina o seu domínio. Creio na planificação para a escolha das grandes massas e a determinação dos grandes objetivos. Mas desde o momento que procure ultrapassar esse estado, desde o momento em que procure tornar-se totalitária, ela só pode fracassar. Com efeito, o instrumento não existe. Apesar de programas reais, mas muito insuficientes, a administração, o instrumento que permite definir as necessidades, fixar as escolhas, dividir as produções, supervisionar a aplicação, fazer face aos imprevistos, tudo em um tempo razoável, não existe."[49]

A escolha dos responsáveis:

"...Quais as qualidades que será preciso encontrar nesses homens, nesses responsáveis? Principalmente qualidade de coração. Para comandar os homens é preciso amá-los, ter uma visão generosa das coisas, é preciso incentivar o entusiasmo daqueles que não têm oportunidade para poderem realizar por eles mesmos. É preciso saber se fazer amar. Quer dizer, obter adesões pessoais à sua obra, é preciso saber colocar os outros na frente, suportar, às vezes, colaboradores que vos são superiores, saber pagar-lhes.

É preciso também ter caráter, vontade de realizar, de vencer, de conquistar. Ora, essas qualidades têm crescentes dificuldades em

[48] BURGAUD, p. 198.

[49] CAMPOS, p. 201-202.

espalhar-se nas nossas sociedades industriais concentradas, onde se exige que as pessoas sejam bons mecanismos, bons parafusos, tão perto quanto possível do tipo **organization man**.

Enfim, é preciso ser tecnicamente capaz, mas esta qualidade deve ser suficiente simplesmente para conhecer os problemas, combatê-los, saber que os técnicos existem. A tônica deve ser indiscutivelmente colocada numa espécie de plano superior na visão das coisas, o sentido da perspectiva, o realismo na ação.

Mas, quaisquer que sejam as motivações, é preciso muita coragem e obstinação, pois não existe nada mais complicado, mais difícil, mais ingrato do que modificar estruturas e 'movimentar' organizações consideráveis. É preciso verdadeiramente uma fé cavilhada no corpo e ter gosto da realização por ela mesma, gosto da 'obra', ainda que esta palavra tenha sido tomada em um sentido pretensioso, que talvez o nosso hábito do medíocre lhe tenha dado".

Senhor presidente: Vossa Excelência sempre pediu uma alternativa. Quando uma lhe é oferecida, por que se há de repeli-la com quatro pedras na mão?

Como candidato, o meu interesse é calar e esperar. Se der certo, associar-me ao êxito. Se der errado, cobrar a minha advertência. Não é, pois, por ser candidato que lhe faço apelos. Nem por orgulho, pois tenho sofrido suficientes humilhações e não me importam nada. É por amor a este país e à convicção de que podemos ajudá-lo melhor juntos do que intrigados e separados.

> *...começou a sua carreira no Congresso ao lado de empregados da Panair do Brasil que entraram em greve em meados de janeiro de 1955 (J. W. Foster Dulles, obra citada, 1º volume, página 207).*

1965 – Carta-ofício do brigadeiro Eduardo Gomes[50]

O relacionamento de Carlos Lacerda com o brigadeiro Eduardo Gomes, um dos ícones da UDN, duas vezes candidato à Presidência da República pela oposição, foi sempre de maior respeito. Foi até uma ousadia do jornalista equiparar-se a ele, o herói de 1922[51] quando se lembrou da fama de conspiradores que ambos sempre carregaram. Dois golpistas que confessadamente nunca conspiraram:

> Quanto a essa minha fama toda de derrubador de governos, de ter sido sempre meio conspirador, exagerando um pouco, posso dizer como o Brigadeiro Eduardo Gomes, que me contou nunca ter conspirado na vida. E por incrível que pareça, é verdade: ele participou das coisas, tomou a frente das coisas, mas conspiração no sentido de conjuração e de reunir secretamente, não fazia, não era o seu gênero absolutamente. Ele era o chefe que tomava a frente na hora. Mas no meu caso

[50] "Eduardo Gomes que até hoje é símbolo de dignidade na discrição e na firmeza com que sustenta, sem nunca renegá-los, os ideais daqueles dias distantes; basta saber, como um dia se saberá amplamente, da atuação que tem tido para conter desatinos e violências, covardias e barbaridades que desonrariam instituições inteiras, não fora a sua ação tutelar e inabalável força moral" (LACERDA, 1975, p. 39).

[51] Revolta conhecida como a dos 18 do Forte, quando oficiais e soldados se insurgiram e saíram do Forte de Copacabana para enfrentar as tropas fiéis ao governo em 1922 em um ato de reconhecida bravura, mas de pouca eficácia. Ficou na história como exemplo de heroísmo.

> era muito difícil conspirar porque eu era vigiadíssimo. E os próprios militares não queriam muito contato direto comigo, porque ficava evidente demais.[52]

A carta do ministro da Aeronáutica do governo Castello Branco a Carlos Lacerda em 1965 sugere alguns comentários para trazer à baila outros episódios correlatos e pouco divulgados.

Como deputado federal, Carlos Lacerda colocou-se ao lado de grevistas, funcionários da Panair, na paralisação dos aviadores dessa companhia ocorrida em 1955. Essa greve tomou tal vulto que se criou uma Comissão Parlamentar de Inquérito para apurar as causas, que eram atribuídas à má gestão da companhia. Entidade não governamental, mas fortemente subsidiada pelo governo.

Carlos Lacerda foi quem requereu a CPI, e o brigadeiro Eduardo Gomes, ministro da Aeronáutica do governo Café Filho, foi quem conseguiu o acordo em março daquele ano pelo qual 140, dos 152 grevistas, voltaram ao trabalho sem represália da empresa. A gratidão dos aviadores ao jornalista e político carioca Carlos Lacerda perdurou no curso do tempo e essa greve teve repercussão na sua carreira política. Durante o processo parlamentar, Carlos Lacerda acusou o diretor-presidente da Panair Paulo Sampaio[53] de ter aliciado jornalistas, ofertando-lhes passagens para Europa, com estadia paga em Paris. Na chefia do grupo de jornalistas beneficiados pela mordomia oferecida pela empresa aérea, estava o famoso cronista e compositor Antonio Maria,[54] que, revidando

[52] LACERDA, 1977, p. 277.

[53] Presidente da Panair do Brasil S.A., na época, a principal companhia de aviação do país.

[54] Antônio Maria (1921-1964). Cronista e autor de *Ninguém me ama* (1952), *Manhã de carnaval* e outras bem-sucedidas canções.

à denúncia, deu início a uma série de artigos contra Carlos Lacerda cravando nas lacerdistas o apelido de "mal-amadas". Essa campanha teve o apoio de outros jornalistas ligados à *Última Hora* e prosperou em outras folhas para ressurgir em todas as lutas políticas que se seguiram. Desde então, não houve uma campanha eleitoral sequer de Carlos Lacerda que o *slogan* não viesse à tona para intimidar ou ridicularizar o eleitorado feminino.[55]

O documento que se publica revela a vinculação de Carlos Lacerda com o pessoal da Panair, nascida na greve de 1955 e revivida na intervenção governamental sofrida por essa companhia em 1965.

Rio de Janeiro, 23 de fevereiro de 1965
Ao excelentíssimo senhor
Carlos Werneck de Lacerda
DD Governador do Estado da Guanabara
Senhor governador,

Ao acusar o recebimento do seu Ofício GGG nº 150, devo agradecer a V. Exa. a cooperação que se dignou prestar ao estudo e à solução dos efeitos de recente ato do governo, relativos aos funcionários da Panair.

O empenho de V. Exa., como o que nos inspirou e continua a inspirar, é o de preservarmos os legítimos interesses de uma plêiade de excelentes servidores da Aviação Civil, reserva da Força Aérea Brasileira.

Determinei, desde logo, o meticuloso exame das sugestões apresentadas por V. Exa. É certo que a fórmula adotada pelo governo, como a única preocupação de atender às superiores necessidades

[55] DULLES, 1992, p. 209.

da administração pública, não se afastou, em princípio, dos altos propósitos manifestados por V. Exa. quanto ao amparo do pessoal da empresa, ou seja, de 4.600 funcionários.

As empresas que, de uma forma ou de outra, fossem beneficiadas com as linhas remanescentes da Panair absorveriam cerca de 2.300 funcionários (sendo 2.000 na Varig e 300 na Cruzeiro do Sul) com o tempo integral de serviço e a garantia de todos os direitos conferidos pelas leis trabalhistas.

De igual modo, se previu a cerca de 500 funcionários pertinentes ao serviço de radiocomunicação o seu aproveitamento na Sata. É de levar em conta que o excessivo número de empregados concorreu para agravar a situação da Panair, mas, daquele quadro, mil e 400 já estavam em condições legais de aposentar-se, e, em proteção de seus direitos e da prioridade que merecem os seus requerimentos, diligenciei, como cumpria, junto ao respectivo Instituto.

Ao analisarem o generoso alvitre de V. Exa., os órgãos deste Ministério concluíram por sua impraticabilidade nas presentes circunstâncias, inclusive pelo vulto dos débitos contraídos com a União Federal, no montante já apurado de 100,5 bilhões de cruzeiros, excluídos os relativos à Previdência Social.

Realmente:

Os créditos privilegiados dos empregados são de, aproximadamente, 30 bilhões de cruzeiros. Os da União Federal, Banco do Brasil e Institutos de Previdência Social são superiores a 100 bilhões de cruzeiros.

Além desses créditos privilegiados, existem os créditos quirografários de diversos, no montante já apurado de 30 bilhões de cruzeiros.

A proposta de V. Exa. importaria:

a) Em receberem os empregados, como pagamento dos seus créditos, determinados bens do patrimônio da Panair.

b) Em receberem a União Federal, o Banco do Brasil e os Institutos de Previdência Social, como pagamento dos seus créditos, todos os bens restantes do mencionado patrimônio.

c) Na incorporação, pelos empregados, ao capital da nova sociedade ou fundação, dos bens por eles recebidos, ficando com ações ordinárias da nova sociedade, no montante de 30 bilhões de cruzeiros.

d) Na incorporação, pela União Federal, Banco do Brasil e Institutos de Previdência Social, dos bens por eles recebidos, ficando com ações preferenciais da nova sociedade, no montante de 100 bilhões de cruzeiros.

Para concretização destas medidas, tornar-se-ia necessário:

a) Que todos os atuais acionistas da Panair concordassem em transferir todo o patrimônio da Panair para os seus credores privilegiados, ficando com a responsabilidade pelo pagamento de todas as outras dívidas, inclusive aquelas avalizadas pelos seus maiores acionistas.

b) Que todos os credores, sem preferência, concordassem com a transferência de todo o patrimônio para terceiros (credores preferenciais), renunciando eles a qualquer direito creditício contra a Panair.

Ao ver dos mesmos órgãos a proposta encaminhada por V. Exa., em face de a lei de sociedade anônimas não permitir que uma companhia tenha mais ações preferenciais que ordinárias, exigiria, ainda, que a nova empresa tivesse capital nunca inferior a 200 bilhões de cruzeiros, sendo certo que a receita bruta prevista para 1965, em termos otimistas, não excede 15% daquele valor.

Creia V. Exa. que não só acolhemos com o maior apreço a colaboração que V. Exa. nos prestou, como reafirmamos a constante disposição de acautelar, da melhor maneira possível, os interesses de antigos e componentes servidores da aviação nacional.

Receba V. Exa. os protestos da minha elevada consideração.

Brigadeiro Eduardo Gomes,
ministro da Aeronáutica

1965 – Carta para Magalhães Pinto em 1º de setembro

Carlos Lacerda e Magalhães Pinto, ambos udenistas, eram candidatos potenciais à Presidência da República em 1965. O fato de os dois terem sido governadores de importantes estados conferia-lhes um cacife respeitável para tal pleito.

A carta de Carlos Lacerda aceitando uma reunião, mas condicionando os temas a serem tratados, era uma tentativa de barrar a ditadura que já ia adiantada em seus propósitos continuistas.

A carta de 1º de setembro de 1965 foi uma das últimas tentativas de Carlos Lacerda para chamar à razão companheiros de outras jornadas para um esforço conjunto contra o avanço do inimigo comum. Ao que tudo indica, Magalhães Pinto a essa altura já estava mais próximo do governo, como ficou evidenciado pela sua nomeação para ministro do Exterior do governo do marechal Costa e Silva.

Diante do fracasso dessa tentativa com os companheiros udenistas, Carlos Lacerda apelou para a "Frente Ampla", convocando os antigos adversários para uma união na luta pela democratização do país. O que ele recusara em 1959, quando Juracy Magalhães se propunha a ser candidato da UDN com o apoio de Juscelino Kubitschek e João Goulart, Carlos Lacerda veio a propor em 1967 em condições muito menos favoráveis. Mais tarde ele procurou esclarecer os motivos que o levaram a repelir a proposta de Juracy Magalhães em 1959 e aceitar como aliados os mesmos adversários repelidos antes:

> Um dia, de surpresa, Juracy visitou-me em Petrópolis e disse: Tenho o apoio de Juscelino e Jango; se você me apoiar na

UDN ganharei a eleição. Ante o meu espanto, ele acrescentou: você bem sabe que será o que quiser no meu governo. E acredito que seria verdade, por que não?! A Frente Ampla prematura seria a perpetuação, com Juracy, da oligarquia e dos seus erros e vícios. A vitória da UDN em tais condições, naquela fase, com aquela relação de forças, seria a derrota de tudo o que eu considerava necessário ao Brasil.[56]

Trata-se de evitar que nos atirem uns contra os outros.

Rio de Janeiro, 1º de setembro de 1965
Excelentíssimo senhor
Governador Magalhães Pinto
E/M
Caro governador,

Estou de acordo com a sua idéia de uma reunião para exame e balanço da revolução após quase dois anos de sua vitória pelas armas. A política adotada está pulverizando as forças da revolução. É preciso, portanto, revê-la. Por assim dizer, refazer politicamente a revolução.

Trata-se de evitar que nos atirem uns contra os outros para assegurar propósitos que visam a impor ao povo um presidente que o povo não escolheria.

Supor que o presidente da República deixe de consultar os co-responsáveis pela revolução para entregar uma "reforma de regime" a articuladores que são inimigos dela é escarnecer da inteligência alheia. Seria como promover a contra-revolução sob o comando do presidente Castello Branco, o que é, mais do que absurdo, mons-

[56] LACERDA, 2001, p. 275.

truoso. Por isso, impõe-se não a simples surdina nesse movimento anti-revolucionário e usurpador, e sim a pura e simples cessação dessas manobras dos que não sabem o que fazer da revolução – única no mundo em que os revolucionários não foram para o Poder senão por dois ou três dos seus líderes –, empenhados, quase todos, em pedir desculpas por terem feito uma revolução.

Alguns intrigantes alegam, tal como se alegava no tempo do sr. João Goulart, que vale tudo contra a minha candidatura. Basta isto para mostrar quanto ela é necessária.

A luta no seio do governo federal contra a minha candidatura – agora se vê claramente – não é pessoal, embora os ataques sejam pessoais e cada dia mais sórdidos. Ela é como o preconceito de raça. Não é um determinado candidato que eles não querem, como não é um determinado preto ou judeu que o racista detesta. O que ele detesta é tudo quanto é preto, tudo quanto é judeu. Assim, também esses que alegam detestar a minha candidatura não querem nada que se pareça com ela.

Não querem a minha porque posso ganhar, não querem a de outros como eu porque podem perder. O que não querem é eleições com o povo votando. Querem eleições com os anti-revolucionários decidindo quem deve ser eleito, quem pode ou não governar o Brasil. Todos os da nossa raça política, isto é, os que querem uma verdadeira revolução no Brasil, um novo estilo de administrar, um novo modo de encarar os problemas brasileiros, uma política realmente democrática porque antidemagógica e anti-reacionária, uma política de afirmação e de confiança na capacidade nacional, de colaboração e entendimento mas não de subserviência com os Estados Unidos – sobretudo não confundindo os Estados Unidos com certos interesses conluiados com certos assessores – estão "jurados", estão condenados pelo grupo que se apossou dos setores econômicos e administrativos da revolução, no governo Castello Branco.

Quanto ao setor político, está-se deixando dominar pelo imediatismo, pela frustração e pelo ressentimento. A carência de idéias e a ignorância dos problemas levaram uma parte desse setor a ressus-

citar no Brasil, em nome da revolução, o "chaleirismo" e a falsa valentia, que consiste em insultar a quem diz a verdade para agradar a quem distribui os empregos.

O marechal encampou a ação e as maquinações desse grupo; ainda acredito, porém, que sem consciência nítida da gravidade de tais maquinações. Ele, que falava, um pouco apressadamente, em "reforma da estrutura da empresa", está fazendo um governo de proteção a interesses de concessionários de serviços públicos, nem todos legítimos.

Em cada Estado do Brasil em que há eleições, o governo assopra a candidatura de um inimigo da revolução. Na Guanabara, faz o governo federal todo o necessário para tentar a vitória dos adversários da revolução.

Conheço o que se está fazendo também em Minas Gerais. Aliás, o governador sabe melhor do que eu que as eleições deste ano só foram "permitidas" pelo marechal Castello Branco quando o grupo de conspiradores dentro do seu governo se convenceu de que era a melhor forma de nos derrotar para evitar eleições em 1966. Por isso, o próprio presidente estimulou o governador de Minas a aceitar a prorrogação do seu mandato de governador, como uma forma de tentar marginalizá-lo, depois a mim – depois, senão antes, os ministros que resistirem à escamoteação do voto direto do povo.

Tudo isso e muito mais pode ser discutido construtivamente em torno de uma mesa, sob a presidência do próprio chefe do governo. Se ele discute com o sr. Oliveira Brito,[57] *o sr. Afonso Arinos*[58] *e outros próceres políticos de seu governo, se ele consegue chamar de "Bloco Revolucionário" o sr. Manoel Novaes,*[59] *o sr. Muniz Falcão*[60] *e*

---

[57] Antonio Ferreira de Oliveira Brito (1908-1997). Político baiano e deputado federal em diversas legislaturas. Ministro da Educação (1961-1963) e das Minas e Energia (1963-1964).

[58] Afonso Arinos de Mello Franco Sobrinho (1905-1990). Político mineiro com ação política efetiva na Guanabara.

[59] Manuel Novaes (1908-1992). Político baiano.

[60] Muniz Falcão (1915-1966). Político alagoano.

outros representantes da situação que a revolução depôs, não vejo por que ter resistência ou escrúpulos em convocar os que fizeram a revolução para deles ouvir sugestões e lhes transmitir seu pensamento.

Não estou disposto – nem creio que o esteja a nação – a voltar ao tempo das frases sibilinas e dos exegetas do pensamento presidencial. A técnica política do despistamento acabou com o seu maior intérprete. Não queremos imitações, que já custaram tão caro ao país.

Não creio que convenha à nação depender de boateiros e de porta-vozes, que por acaso almoçaram ou tomaram o cafezinho com o presidente, para saber que rumos vão dar a este país de 70 milhões. O Brasil é importante demais para ser, a esta altura, conduzido pela intriga, pela adulação e pelos alegados ressentimentos e vaidades de cada qual.

Talvez seja difícil definir o que seja um líder revolucionário. Mas fácil, porém, é saber o que não é um líder revolucionário. Se pegarmos, por exemplo, o Ministério do governo Castello Branco, dificilmente se encontrará algum líder revolucionário entre eles.

Esta é uma contradição que o tempo agrava: o governo da revolução não é revolucionário. Por isto, obtém apoio para continuar, para "enfrentar" o povo, para fazer democracia sem povo, exatamente na medida em que renega a revolução. Obtém apoio de **O Globo**, *por exemplo, exatamente na medida em que permite que o seu dono viole a Constituição e sirva impunemente a interesses contrários às leis do país.*

A tragédia de tais equívocos consiste precisamente em que a imagem que o povo faz da revolução é esse minuto cediço, essa dancinha monótona em que se converteu, sem flama, sem fé, sem estímulo, sem confiança na capacidade do povo, burocratizado, amesquinhado, aquele momento de grandeza que foi o milagre político da revolução de março.

O governo do marechal Castello Branco, tal como tem funcionado até agora, está jogando fora a derradeira oportunidade de resolver por processo democrático, com uma rápida e patriótica ajuda militar, a crise brasileira.

Por isto é que permaneço candidato, cada vez mais, exatamente na medida em que a minha candidatura significa a garantia da implantação, pelo voto, de uma revolução que, feita pelas armas, foi escamoteada pelo governo que ela implantou e que se entregou à politicagem.

Dizem-me, por isto, ambicioso. Mais vale ser ambicioso com votos do que sem votos. Esses ambiciosos se elegeram à custa da nossa ambição. À nossa custa se fantasiaram até de líderes. Já não me ferem sequer. Porque são expressões de uma espécie de necrotério político. Seus conceitos são peças anatômicas, em ***galantine****. O único perigo que me fazem correr é o de tétano. Porque seus insultos são matéria morta, em decomposição política. Ninguém nunca fez nada, em Política, sem ambição. Apenas a minha ambição é a de servir, a de dar à minha vida alguma utilidade para todos e não apenas para a minha vaidade.*

Do Ministério que não devia ter sido assim formado, e foi, diz-se agora que será reformado. Para torná-lo mais atuante? Ao contrário. Trata-se apenas de tirar dele os que são contra as manobras para suprimir o voto direto e os que pretendem que a revolução... seja revolucionária.

O simples fato de convocar uma reunião como a que você propõe seria um sinal de compreensão e de boa-fé. Desarmaria os espíritos justamente prevenidos contra tanta intriga e tanta suspeição. A autocrítica da revolução, o balanço de seus pontos positivos e negativos, viria reforçá-la com o povo, daria a medida da sinceridade e da boa-fé dos revolucionários. Longe de enfraquecê-la, tal gesto a consolidaria.

Por isto, aplaudo a sua sugestão que visa a evitar as divisões, cujo resultado será a inexorável condenação da revolução perante o povo e o malogro de tantas esperanças. O regulamento do adversário está à vista. Que faz o governo? Roído pela intriga, infiltrado pela politicagem, procura lançar-nos à margem – como se isso fosse possível. E na medida em que trata de nos ignorar, depender de oportunistas, adesistas e outros aventureiros. O resultado é fácil de prever.

Agora entendo muitas coisas e sobretudo essa obstinação do governo em ser impopular com o povo, ao mesmo tempo estimado e aclamado pelos inimigos da revolução. É ali que está o eleitorado que interessa aos conselheiros do marechal Castello Branco. No povo, o eleitorado que interessa é a democracia. No próprio Congresso, os que serviram à revolução são preteridos, ou, quando recebem consideração verbal, são, na prática, postos à margem em benefício de um conjunto de falsos intérpretes da "reforma do regime". Somados, estes não têm no Brasil a votação que o Zarur[61] *pode ter na Guanabara.*

Dou-lhe, pois, o meu apoio à sua proposta. Mas, devo lhe dizer que sofri muito nestes meses para aprender que o amor próprio em certos homens supera até o seu amor à Pátria. Duvido, por isto, que tal reunião seja convocada.

Queira Deus que não tenha razão. O que não aceito é esse confessionário das conversas dois a dois, nas quais o presidente comunica a cada um de nós um fato consumado. Os pecados da revolução, que muda de confessores mas não muda de pecados. Tem sido essa a sua conduta em relação a nós, durante todos esses meses.

Aumentam dia a dia, com razão, comprovadas por palavras e atos, inclusive por graves omissões, as razões para desconfiar. Desencadeia o governo – tal qual o seu antecessor – crises políticas sucessivas; talvez por não saber o que fazer além desse esporte dos governos incapazes. Falhou o capital americano, no qual depositou demasiadas esperanças. E falhou exatamente pelo excesso de subserviência. Agora recorre o governo, tal qual o seu antecessor, à arma do costume: a ameaça de pedir dinheiro à Rússia. Até parece que em vez de uma revolução quer o governo mostrar que João Goulart tinha razão.

Não aceito fatos consumados. Levantar-me-ia, nem que fosse sozinho, contra a usurpação e a mistificação. Mas não estou só. Sua

[61] Alziro Zarur (1914-1979). Locutor de rádio de grande sucesso e chefe de uma corrente do espiritismo no Rio de Janeiro que fundou a "Legião da Boa Vontade", difundida por todo Brasil. Candidato derrotado a governador do Estado da Guanabara em 1960.

iniciativa o demonstra. Não estamos sós. No Congresso já se levantaram vozes autênticas contra a corrupção do próprio Congresso por esses conspiradores da lisonja e da complacência. Nas Forças Armadas, em cujo nome abusivamente falaram os intrigantes, não tem apoio a idéia de incumbir os inimigos da revolução de formular a "reforma do regime".

A reunião para o exame e revisão dos rumos do governo, de modo a que ele sirva à revolução em vez de servir-se dela, seria um caminho. O outro é ter paciência, lutar todos os dias, pela eleição direta, com o povo. Qualquer dos dois me serve, já estou no segundo há muito tempo. Você propõe o primeiro. Se o quiserem, também me serve. Senão, convido-o a tomar o segundo – pelo qual se há de conseguir transformar democraticamente este país.

Cordialmente,
Carlos Lacerda

CARTA DE CARLOS LACERDA PARA JURACY MAGALHÃES EM 1965

Na carta de 1964, que ficou inserida na primeira parte deste segundo capítulo, Juracy testemunha a sua preocupação com a iminente implantação da República sindicalista no Brasil sob o comando ou a inspiração do presidente da República João Goulart. Nela o missivista estimula o governador da Guanabara a continuar a sua campanha e vacinar-se contra as intrigas.

A principal revelação dessa carta está na notícia de que um novo adversário, por sinal muito poderoso, surgira no cenário político brasileiro para barrar a pretensão de Carlos Lacerda à Presidência da República. Além dos militares e da cúpula udenista, haveria de se enfrentar o senhor das Organizações Globo.

A guerra travada por Carlos Lacerda contra Roberto Marinho vai descrita em minúcias no ofício do governador da Guanabara ao procurador da República Gildo Ferraz, publicado mais adiante.[62]

Os pósteros - que conviveram com o crescimento e o predomínio da TV Globo - puderam compreender as razões pelas quais Carlos Lacerda em 1967 dirigiu sua metralhadora giratória contra Roberto Marinho e suas empresas. Ele teve a percepção exata do que representaria para o país o crescimento incontrolado do grupo que se preparava para monopolizar a comunicação no Brasil.

Os que viveram nas décadas seguintes ao contrato da TV Globo com o grupo Time-Life tiveram a oportunidade de testemunhar o que representou o poderio da Rede Globo nas eleições que se sucederam.

18 de julho de 1965
Meu caro Juracy,[63]

De volta de Belém-Brasília, soube pelo Borges da intriga de ***O Globo*** *e da carta que ele lhe fez para esclarecê-lo. Não lhe preciso dizer que o Roberto Marinho*[64] *está mergulhado num vale tudo no*

[62] Ofício de 15/2/1966, de Gildo Corrêa Ferraz, procurador da República.

[63] Carta manuscrita em duas laudas. Pregado a essa carta está um bilhete incompleto, no qual se pode ler: "Aqui a candidatura do Flexa vai indo, apesar do esforço do presidente para me derrotar. E o próprio presidente, levado por três ou mais influências de família, foi jantar com o casal Mr. Ortenblad (cuja esposa é irmã da mulher do Walter Moreira Sales), com o dito e Roberto Manhães, Ricardo Jafet, em suma, a fina flor".

[64] Ver, neste livro, ofício ao procurador Gildo Ferraz, no qual a denúncia é feita por Carlos Lacerda sobre o "arranjo" Roberto Marinho e o *Time-Life*, objeto de verificação por Comissão Parlamentar de Inquérito.

qual toda torpeza tem lugar. Nada a ver que o assunto não permitiria que o Eliezer pudesse ser usado por qualquer manobra e você bem sabe de que data e de que coisa esse cafajeste é capaz.

O mais duro na vida pública brasileira, hoje, não é o de enfrentar, como antes, os adversários. É livrar-se da intriga e conviver com ela. Deus me dê saúde para aturá-la, lucidez para desfazê-la sempre – e amigos capazes de neutralizar essa campanha que, em última análise, consiste em atirar uns contra os outros, aqueles que ainda podem levar o Brasil para diante.

Estive há dias com o Jutahy, em Salvador. Dê muitas lembranças à Dona Lavínia e receba um abraço de Carlos.

1965 – DE CARLOS LACERDA PARA O JORNAL *O ESTADO DE S. PAULO* EM 6 DE SETEMBRO

Carlos Lacerda em suas campanhas não enfrentou apenas adversários tradicionais, mas tradicionais companheiros também. O jornal *O Estado de S. Paulo*, de tanto prestígio, sempre esteve ao lado do político carioca em momentos críticos. Existiram algumas divergências, como, por exemplo a questão do ensino público gratuito e universal estatizado. Outra discordância entre eles, dessa vez política, surgiu quando Carlos Lacerda se empolgou e tentou levar avante a “Frente Ampla” em 6 de setembro de 1967, unindo-se aos seus adversários tradicionais. Somente mais de vinte anos depois, o tradicional jornal paulista engajou-se, como as demais publicações, na campanha das “Diretas Já”, que trouxe ao plano político a idéia da união preconizada naquela época para pôr cobro à ditadura.

A carta de setembro de 1967 volta a enfocar a política econômica do governo federal e o capital estrangeiro, objeto de outras cartas com outros interlocutores.[65]

Cabe aqui repetir o que Carlos Lacerda sempre disse em livros e repetiu nesta carta: *"O que se está fazendo, meu caro diretor, é simplesmente esquecer que a economia política é política e constitui uma técnica cujo êxito depende de condições políticas dominantes"*.

Bem mais tarde, em 1976, afastado de qualquer atividade política, ele volta coerentemente ao tema da cega ortodoxia econômica presente em todos os contratos de financiamentos internacionais oficiais ou oficiosos:

> A defesa da moeda, e outros tabus conservadores, culminou na retenção do desenvolvimento do país, conforme se retrata no famoso documento em que o presidente eleito Campos Salles, dirigindo-se aos credores estrangeiros numa carta minutada pelos banqueiros Rotschild & Sons, em troca da consolidação da dívida, prometia não fazer gastos desses hoje chamados de investimentos. Retardou assim a industrialização do Brasil. Foi preciso esperar a Primeira Guerra Mundial e a cessação forçada das importações para tentar, com a indústria têxtil, a de construção e outras, impor estabelecimentos industriais que a rotina imperial repeliu, com sua permanente desconfiança contra Mauá, e a ditadura militar condenou, ao tolerar, senão forçar, a saída de Ruy Barbosa do Ministério da Fazenda.[66]

É o que se discutia então e hoje, ainda se discute.

[65] CAMPOS, 2000, p. 199.

[66] LACERDA, 1975, p. 29.

Abordo a política econômica com paixão.

Rio de Janeiro, 6 de setembro de 1965
*Ao diretor de **O Estado de S. Paulo***[67]
Prezado diretor,

A eleição na Guanabara tem o seu resultado ameaçado unicamente pela conjugação das forças do adversário com algumas forças intimamente ligadas ao governo federal, inclusive ministros de Estado empenhados, por incrível que pareça, em dificultar a vitória do candidato Flexa Ribeiro, nesse "vale-tudo" contra nós.

Por isto, é natural que eu não esteja sempre em dia com assuntos laterais, no momento, por mais importantes que sejam, dado que a vitória na Guanabara é essencial e a hipótese de uma derrota seria o melhor argumento para os que promovem o continuísmo ou uma eleição indireta que equivale à usurpação do poder por meio de corrupção política e traição aos compromissos da revolução para com o povo.

Por isto, ainda, somente agora li o tópico intitulado: "O sr. Lacerda e o capital estrangeiro", publicado nesse grande jornal.

*O fato de ser **O Estado de S. Paulo** quem é faz que uma injustiça por ele cometida fira muito mais do que aquelas a que já me habituei. Ainda mais quando, dada a notória posição de **O Estado**, os interessados pressurosamente transcrevem suas opiniões na imprensa do Rio, como matéria paga.*

Preciso analisar impropriedades, em matéria de fato, contidas no referido tópico.

1. Abordo a política econômica com paixão. A não ser que a palavra paixão já tenha outro sentido, creio que as críticas que fiz, acompanhadas de sugestões objetivas, foram respondidas pelo ministro Roberto Campos com acusações apaixonadas, tais como a de que sou responsável pela morte de Vargas, só faço derrubar presidentes,

[67] Essa carta foi publicada na íntegra no livro de Cláudio Lacerda de Paiva (1998, p. 187).

sou uma ave agourenta, etc. Isto se chamava, antigamente, paixão. Agora, talvez se chame ciência econômica.

É sempre bom não confundir paixão com firmeza, pois neste caso, como seria qualificada a firmeza de ***O Estado de S. Paulo*** *na defesa dos seus pontos de vista?*

2. Em conseqüência da paixão, não me mostro capacitado para julgar a política econômica com a necessária serenidade e seriedade.

Já basta o fato do lugar-comum com que os nossos adversários procuram justificar, ao mesmo tempo, o horror que têm ao combate que lhes dou e o seu apreço pela mediocridade e pelo conformismo.

Quem não trata com seriedade um assunto não é sério. E exatamente o que tenho feito é tratar com seriedade esse e outros assuntos. Não creio que ***O Estado de S. Paulo*** *pudesse, ainda que quisesse, demonstrar o contrário. Muito menos creio que me quisesse pôr a pecha de pouco sério, só porque procuro falar uma língua que todos possam entender, ou seja, a língua portuguesa, sem os chavões da nova retórica e do "economês".*

3. Ao dizer que os Estados Unidos não mandaram e não mandarão recursos, estou esquecido de que os da Aliança para o Progresso têm vindo, inclusive, para a "admirável obra" que estou realizando na Guanabara.

A falta de informação, neste ponto, é completa. A obra que estamos realizando na Guanabara só recebeu financiamento da Aliança para o Progresso concedido antes da revolução, com a exceção única de um reforço de 12 milhões de dólares para o financiamento da obra da água, negociado desde antes da revolução. Há, portanto, engano do informante do Estado nesta. Posso dar a ***O Estado*** *todos os algarismos e informações a respeito, tão logo a sua sucursal do Rio se digne a me procurar, como faz com tão desvanecedora atenção a matriz em São Paulo.*

Mas o ponto mais importante não é esse. O mais sério é que também está errada a informação de que têm vindo os recursos esperados. Basta ver no chamado programa econômico do atual governo o papel exageradamente ali reservado a vinda de capitais estrangeiros, públicos e privados, para concluir que esses capitais não têm vindo.

Há mais, porém: nem o capital privado, nem o capital público, isto é, estatal. E quando digo que não virá, digo porque sei. Se não soubesse, ficaria sabendo ao ver como se pretende atribuir-me a responsabilidade pela não-vinda de capitais estrangeiros, como fez o ministro Roberto Campos e agora parece ter feito até o ministro da Fazenda.

O que ele não disse é que está sendo obrigado a comprar dólares e a acumulá-los para que o dólar não caia de preço por causa da pouca procura, já que, praticamente cessadas as importações, também não há interesse em investimentos novos. O que ele não informou a São Paulo é que já tem cerca de 300 milhões de dólares acumulados, não como um sintoma de vitalidade, mas, ao contrário, como um sintoma de apatia.

*Se **O Estado** der uma vista d'olhos nas recentes apreciações internacionais sobre a política econômica brasileira, verá que precisa atualizar as suas informações, pois nem a propaganda tão bem mantida pelo sr. Roberto Campos consegue mais iludir a opinião internacional, fora das declarações protocolares e dos elogios oficiais.*

A vinda da comissão do Senado americano ao Brasil não teve razão senão a de ver de perto o que há de errado. Ou melhor, o que há de parecido com o que se fez na Argentina nisso que se está fazendo no Brasil.

Quanto ao elogio do Fundo Monetário Internacional, é natural, e não prova senão em favor de nossa tese.

*4. Atribui-me o tópico de **O Estado** grande parte de responsabilidade na não-vinda de capitais estrangeiros pelo fato de ter escolhido para tema da minha campanha de candidato a crítica da política econômica do governo Castello. Afinal, vem ou não vem o dinheiro? Se vem, é por causa da política econômica. Se não vem é por minha causa? Não estarão valorizando demais a minha crítica, para arranjar uma vítima expiatória do malogro da política econômica?*

Julgo não ter descumprido o meu dever focalizando a política econômica. Acho que falta, para usar a linguagem do comentarista, a "necessária serenidade e seriedade" quando se procura atribuir o malogro da atual política econômica à minha crítica. Quer dizer: o aplauso do FMI, os elogios do presidente Johnson,[68] *o prestígio do presidente Castello Branco, a ciência do sr. Roberto Campos, o apoio incondicional do* ***O Estado de S. Paulo*** *a essa política, as estatísticas da Sunab,*[69] *a organização de propaganda mantida com programa de televisão, rádio e informações dirigidas, nos jornais, o amordaçamento de parte da indústria e do comércio condicionando os créditos aos aplausos, tudo isto cai por terra só porque um candidato à Presidência, falto de serenidade, faz crítica a esse monumento de sabedoria, a essa obra-prima de técnica científica...*

O absurdo é evidente demais e se destrói a si mesmo.

5. O financista alemão Hermann Abbs[70] *pode ter dito tudo o que o seu redator Frederico Heller*[71] *fez publicar. Mas não creio que o seu Frederico Heller tenha perguntado o que eu perguntei ao sr. Abbs, que, entre outras funções, figura no Conselho Diretor da Brazilian Traction. Perguntei ao sr. Abbs qual é a situação das estradas de ferro alemãs, que ele também preside. Eis o que ele informou: elas são estatais, deficitárias e contêm absurdos tamanhos que um ex-operário que tenha passado a funcionário, ao se aposentar recebe como operário e como funcionário, chegando a receber mais na inatividade do que na ativa. Perguntei-lhe o que fizera para acabar com tais anomalias e ele respondeu que, desde o fim da guerra, tem procurado acabar com elas, mas devagar e com muito cuidado, pois "esse é o preço político a pagar para a paz social, que é o alicerce da*

[68] Lindon Johnson (1908-1969). Presidente do Estados Unidos da América que sucedeu a J. F. Kennedy em 1963.

[69] Superintendência Nacional de Abastecimento.

[70] Não identificado.

[71] Falecido em 1991. Brilhante analista econômico do jornal *O Estado de S. Paulo*, segundo Roberto Campos (p. 767).

prosperidade alemã". Assim fala quem sabe que economia política é política, e que a adesão do povo é essencial ao êxito de uma política econômica, a não ser em ditaduras ferozes, que todas acabam colhendo resultados ainda piores do que a inflação.

O que se está fazendo, meu caro diretor, é simplesmente esquecer que a economia política é política e constitui uma técnica cujo êxito depende de condições políticas dominantes.

6. Repisando a técnica que, sei, vai ser a desculpa oficial para o fracasso da política econômica, **O Estado** *como que se antecipa a ela, atribuindo-me "declarações apaixonadas no que respeita, por exemplo, ao grupo Hanna, à Bethlem Steel*[72] *e à Light.*[73]

Um jornal bem-informado, como **O Estado**, *não tem o direito de se mostrar mal-informado assim, misturando alhos com bugalhos.*

A crítica que faço à Hanna baseia-se num inquérito do Senado americano sobre os processos corruptores desse grupo no seu próprio país; nos processos de corrupção igualmente adotados no Brasil; na mudança sub-reptícia da política de minérios do Brasil sob a proteção indevida da revolução, portanto de todos nós. Nos propósitos monopolistas da Hanna. Na estultice de promover três embarcadores de minérios na mesma baía; e assim por diante.

Nem **O Estado**, *nem ninguém tem o direito de deformar a minha posição para criticá-la. Para criticá-la, tem de primeiro conhecê-la com exatidão.*

No caso da Light, não sou contra nem a favor dessa companhia, não tenho prevenções nem amores por ela. Reconheço o extraordinário papel que ela exerceu, no passado, não só em São Paulo como em outras áreas. Mas também reconheço que esse papel se está esgotando, no caso da Guanabara já se esgotou. A simples remuneração do capital e, ainda mais, qualquer pretensão de lucro não encontram

---

[72] Empresa norte-americana que se associou ao brasileiro Augusto Trajano de Azevedo para a exploração do manganês no antigo território do Amapá.

[73] Light & Power, firma canadense de capital americano que dominou a produção e distribuição de energia elétrica no Brasil durante muito tempo.

lugar nos investimentos necessários à expansão da indústria de energia. Não se trata de hostilidade, mas de realismo, como posso demonstrar, mesmo vencendo as dificuldades que me são criadas pela barreira de corrupção, que, tradicionalmente, a Light armou no Brasil e que levanta agora contra mim, procurando confundir-se com o capital estrangeiro e identificar como contrária ao capital estrangeiro toda posição de crítica à esclerose dessa concessionária de serviços públicos. Basta ver o que acontece com o gás...

Não confundo a concessão de serviços públicos com a livre iniciativa nem a livre iniciativa com o monopólio. E fico pasmo de ver o ministro de Minas e Energia confundir monopólio com ***privilégio de zona****.*

7. O que se está fazendo, sr. diretor, com a Chevap,[74] *sem me preocupar com julgamentos de ordem moral sobre os autores dessa política, objetivamente, é um crime contra o desenvolvimento do Estado que governo, do Vale do Paraíba paulista e do sul fluminense. Nunca fui ouvido sobre isto por* ***O Estado****, que toma como a palavra do Evangelho as opiniões, discutíveis, de pessoas respeitáveis que acenam com os serviços outrora prestados pela Light para negar aos brasileiros o direito de adotar uma solução prática, que não seja exclusivamente a do monopólio por uma companhia de serviços públicos que é como bananeira que já deu cacho.*

Essa luta, sr. diretor, é antiga e não é só do Brasil. Foi começada, nos Estados Unidos, por Theodore Roosevelt[75]*, continuada por homens como Wilson,*[76] *Franklin Roosevelt e John*

[74] Companhia Hidroelétrica do Vale do Paraíba.

[75] Theodore Roosevelt (1858-1919). Presidente dos Estados Unidos da América por dois mandatos. Elegeu Taft como seu sucessor e abriu cisão no partido no entender que seu sucessor era muito reacionário. Criador da política internacional da *Big Stick*: "Quero, posso e mando". Esteve no Brasil visitando a Amazônia e o Mato Grosso na companhia do general Rondon com o propósito de descobrir o Rio da Dúvida, que hoje tem o seu nome.

[76] Woodrow Wilson (1856-1924). Presidente dos Estados Unidos da América que promoveu a Liga das Nações e depois de um período completamente desmemoriado morreu sem ser oficialmente substituído.

Kennedy.[77] *Não creio que **O Estado** atribuísse a esses homens falta de serenidade e seriedade pelo fato de se insurgirem contra o modo pelo qual concessionárias de serviço público tendem, com freqüência, a converter-se em Estados dentro do Estado.*

*8. Mas chega-se a me acusar de ser contra a Bethlen Steel junto com a Light e a Hanna. Sr. diretor, a falta de informações do comentarista do **O Estado**, nesse ponto, não honra esse grande jornal. Conheço a obra da Icomi, no Amapá,*[78] *desde os começos. As críticas que inicialmente fiz ao contrato, como jornalista, foram atendidas em parte e, noutras partes, esclarecidas. Recentemente voltei a visitá-la. Tenho o maior entusiasmo por essa empresa, entregue à capacidade e à integridade de um ilustre brasileiro. Nunca fiz segredo disto. A propaganda da Hanna, inclusive por meio de seus porta-vozes em assembléia e na imprensa, procura dizer que combato as pretensões da Hanna porque favoreço as da Bethlen Steel... Eis aí como **O Estado** vem sendo mal informado a respeito da minha posição. Creio que, mesmo bem informado, discordaremos quanto a certos pontos. Mas, já basta disto. Não é possível assistir sem estranhar, a um processo de envenenamento de **O Estado** contra a minha posição pela deturpação de fatos como, por exemplo, nesse caso concreto.*

*Na realidade, a Hanna quer o monopólio da exportação de minério de Minas Gerais, não deixando, em troca, qualquer indústria pesada no país, ao contrário da Bethlen Steel, que inclusive não quer o monopólio. Nada tenho com uma nem com outra, mas fico pasmo de ver a que ponto chega a paixão e a falta de informação adequada para justificar um comentário num jornal com a responsabilidade de **O Estado**.*

[77] John F. Kennedy (1917-1962).

[78] Augusto Trajano de Azevedo Antunes (1906-1996). Fundador da Indústria e Comércio de Minérios (Icomi), sócio da empresa americana Bethlem Steel. Empresário brasileiro que se destacou no setor de mineração do manganês e do ferro em Minas e no Território do Amapá. Com a desistência da Hanna de continuar no Brasil, ficou com o seu patrimônio e a empresa passou a ser conhecida pela sigla MBR. "Amigo do banqueiro David Rockfeller", conforme Elio Gaspari (p. 155).

A falta de atendimento dos contratos pela Rio-Light seria unicamente culpa de uma política tarifária demagógica, tanto assim que, agora, "com a corajosa política adotada", a Rio-Light anuncia um programa de 210 bilhões, em cinco anos, exatamente no setor de distribuição.

Sr. diretor, que dizer?

Primeiro, tentemos resumir as objeções a essa enormidade.

A política tarifária demagógica não impediu que a Light distribuísse dividendos. Tanto é demagógico negar tarifas à concessionária quanto lhe dar tarifas sem saber quanto custa o serviço que ela vende. Até hoje, o governo não sabe qual o custo do KW que a Light gera e distribui. Isto mesmo me foi confessado quer pelo dr. Marcondes Ferraz[79] *– e está registrado na ata da Chevap –, quer pelo ministro de Minas e Energia. Fixaram eles a tarifa que a Light*[80] *deseja a título provisório. E a Light aí está embolsando sem que o governo saiba quanto custa a energia cujo preço de venda é assim fixado.*

Cumpre lembrar, uma vez mais, que se trata de um serviço público concedido e não da simples iniciativa particular. E ainda mais: trata-se de uma atividade-meio, a energia, que condiciona a atividade-fim, o desenvolvimento geral da indústria, da agricultura e o conforto dos lares.

A Light – ou, conforme a sua distinção – a Rio-Light, com essas tarifas novas, quer distribuir energia nas áreas em que já tem clientela densa, como Copacabana, e não se interessa pela atividade pioneira, da zona centro e oeste do Estado, que ela abandonou e continuará abandonada. Segue-se, portanto, que, ao atraso causado pela famigerada tarifa demagógica, se sucede outro atraso, pelo mero interesse de lucro da companhia.

Não sou contra o lucro, como é a política econômica do governo atual, que ***O Estado*** *aplaude. Sou a favor do lucro. Mas nos serviços públicos o lucro é apenas uma parte e não a mais importante da*

[79] Otávio Marcondes Ferraz (1896-1981). Engenheiro.

[80] Cf. nota 73.

prestação de tais serviços. Pode-se deixar de ter camisas, ou comprar camisas de outro fabricante, se ele nos quiser impor um lucro exagerado. Mas não se pode deixar de ter telefones ou luz elétrica. E não se pode impor ao povo um tributo (o chamado "autofinanciamento") para aumentar o patrimônio dos ***atuais*** *acionistas, que assim vendem serviço sem investir nem arriscar um vintém. Eis a diferença.*

Assim como a greve não é permitida nos serviços considerados essenciais, é claro que também o lucro não deve ser o único fator a considerar na prestação de tais serviços essenciais.

Quanto à questão da Chevap, é lamentável que ***O Estado*** *se tenha informado unilateralmente e já na manhã seguinte à exaustiva assembléia da Companhia Hidrelétrica do Vale do Paraíba, ora destruída, tenha reproduzido exatamente, como comentário seu, os termos de um bilhete que o dr. Marcondes Ferraz mandou a um dos seus assessores durante a assembléia.*

Estou certo de que ***O Estado*** *dará ao seu amigo e leitor o direito que não nega aos adversários que mais bravamente combate: o direito de expor os seus pontos de vista antes de ser julgado.*

Ora, estou sendo julgado antes que o próprio ***Estado*** *conheça os meus pontos de vista e, ainda menos, os conheçam os seus leitores. Pior: estou sendo julgado à base de informações truncadas. Respeito qualquer divergência fundada no conhecimento dos fatos e das posições sobre eles assumidas.*

Sr. diretor, a minha posição anticomunista não significa a minha submissão aos interesses de certos grupos, que não se confunde com o princípio da liberdade de iniciativa, que defendo, nem com a utilidade do capital privado que conheço e aplaudo. Por trás do processo de corrupção do Brasil, cujos efeitos ***O Estado*** *combate, por trás dessa mediocridade, por trás do próprio e crescente malogro da revolução, na medida em que a revolução não se realiza porque o jovem não é revolucionário, é precisamente essa opção que se quer forçar, na qual se quer aprisionar a solução dos problemas brasileiros: o estatismo crescente, ou a livre iniciativa tomada como uma espécie de religião.*

Minha posição é muito clara. Consiste em não me deixar dominar por uma nem por outra supertição. Há problemas que exigem a ação pioneira ou saneadora do Estado, por exemplo, quando se trata de assegurar a prestação de serviços essenciais. Há problemas que exigem a capacidade de iniciativa e a respectiva liberdade dos cidadãos, com base na sua legítima ambição, no propósito de lucrar, de melhorar de vida, etc. E há, em muitos problemas, soluções que são resultantes desses dois, como é o caso das cooperativas para eletrificação rural, nos Estados Unidos; das empresas que vão surgindo no próprio Brasil, pela iniciativa da população local; das empresas que, por toda parte do mundo democrático, surgem como propriedades dos seus usuários.

9. Quando se comprou a Amforp, negócio vergonhoso sob muitos aspectos, o pretexto foi a eliminação de uma área de atrito, isto é, retirar, de uma concessão de serviços públicos, capital não interessado na prestação de tais serviços senão unicamente na medida em que isso dê lucro. Pois bem, agora, com a destruição da Chevap, cria-se área de atrito. A Eletrobrás era excessivamente estatista. A pretexto de corrigir essa deformação, pratica-se a não menos grave destruição, que consiste em transformar a Eletrobrás em mera agenciadora de recursos financeiros para grupos de concessionários incapazes de levantar dinheiro por si sós.

10. Sr. diretor, pode **O Estado** *não estar de acordo com esse meu ponto de vista. Para andarmos juntos, não é obrigatório estarmos de acordo em todos os pontos. Mas não creio que, por não estar de acordo, ele pretenda julgar-me sem me ouvir. Asseguro-lhe que o sr. Frederico Heller, pessoa que jamais trocou uma palavra comigo, não é o melhor intérprete das minhas opiniões. Nem mesmo o meu eminente amigo Octávio Marcondes Ferraz, para o qual a política será eternamente um mistério indecifrável e que tem, por espírito público, mas também, por ingenuidade, a estranha sina de ser um fanático da iniciativa privada, cuja maior realização foi exatamente no setor estatal: Paulo Afonso.*

Respeito profundamente a técnica e os técnicos. Creio ter dado disto exemplos concretos. Mas, tal como advertia Rui Barbosa,[81] na "Oração aos Moços": "não delibereis conselheiros ou assessores".

Nada há mais perigoso do que uma política conduzida pelos assessores através de homens de Estado que se convertem em meros executores, e, portanto, deixam de ser estadistas para serem porta-vozes dos seus assessores.

É preciso cuidado para não dar razão aos que confundem a condução dos negócios do Estado com a gerência de uma casa comercial. O melhor economista, o melhor construtor de barragens, só por isso, não dá o melhor estadista.

Não desejo fazer uma polêmica com ***O Estado****. Infelizmente, não me posso permitir esse deleite. Tenho uma dura eleição pela frente, na Guanabara, dificultada pela ação sub-reptícia e venenosa dos que procuram ajudar o adversário, convencidos de que o mais importante é a minha destruição.*

Mas, de tal modo me fere a injustiça e tão perigosa ela é, nesta conjuntura, que me desculpo por lhe tomar o tempo e o espaço, mas penso ter direito a não ser tratado como um leviano ou um demagogo.

Posso estar errado, mas nem a minha seriedade, nem a minha sinceridade estão em causa, pois estas nem ***O Estado de S. Paulo*** *teria autoridade para negar.*

É com a maior estima e respeito que lhe envio estas linhas, a fim de evitar a repetição da injustiça e, sobretudo, injustiça consigo mesmo, que é a inexatidão.

Cordialmente, seu leitor, amigo e admirador,

Carlos Lacerda

---

[81] O político brasileiro mais admirado por Carlos Lacerda foi, sem dúvida, Rui Barbosa, a quem creditava a criação no Brasil de uma opinião pública com a sua memorável campanha civilista. "O povo não participava do processo, senão como figura de retórica. A Rui ficou-se devendo o serviço de criar, por assim dizer, uma opinião pública atuante. Através de estados de sítio e *habeas corpus*, de peregrinações cívicas, palmas e perigos, ele começou a mobilizar a consciência coletiva. E se o acusam de tê-la inventado, ainda é maior o seu mérito. Pois o homenzinho valeu, sozinho, por toda uma comunidade incapacitada para o uso da razão" (LACERDA, 1975, p. 30).

1965 - Carta a Herbet Levy

Rio de Janeiro, 3 de junho de 1965.[82]

O velho conflito entre os desenvolvimentistas e monetaristas é o tema básico da carta. O monetarista da época, alvo da ira dos desenvolvimentistas, era Roberto Campos. Esse, em suas memórias, se refere com ironia a essas infindáveis discussões:

> O debate econômico brasileiro sofre de uma insuportável mesmice. (...) Despido de floreios gongóricos, o monetarista, um chato, que acha que o governo não deve gastar mais do que arrecada. O desenvolvimentista acha que o governo é o "motor do crescimento", podendo gastar mais do que arrecada desde que promova o emprego e o crescimento. (...) O falso conflito entre "monetarista" e "desenvolvimentista" é um encontro na esquina da irracionalidade. Parece que, como os bêbados, querendo usar o poste da esquina para apoio e não para iluminação.[83]

Reza a lenda divulgada pelo próprio economista que Carlos Lacerda teria confessado a alguém que Roberto Campos seria o seu preferido ministro da Fazenda, pois "ele sabe tudo que eu não sei em economia e eu sei tudo que ele não sabe de política".[84]

Otávio Mangabeira[85] dizia que não receava ter em seu secretariado homens mais capazes do que ele, pois, sem modéstia, acreditava que tinha inteligência suficiente para

[82] Essa carta foi publicada na íntegra no livro de Carlos Lacerda *O Brasil entre a verdade e a mentira.*

[83] CAMPOS, 2000, p. 199.

[84] CAMPOS, 1994, p. 201.

[85] Otávio Mangabeira (1886-1960). Político baiano, exilado em 1930. Governador e senador pelo seu Estado.

discernir o que eles diziam, adotando o que lhe parecesse mais certo. Carlos Lacerda gostava de repetir esse pensamento do político baiano. Daí não ser absurda a possibilidade de Roberto Campos vir a ser ministro em seu governo. Por outro lado, defendendo-se da acusação do próprio Lacerda de que ele sempre fora um serviçal de todos os governos anteriores ao de Castello Branco, Roberto Campos se confessava não político, mas um funcionário público requisitado pelo Estado para cumprir missões impostas pelos eventuais detentores do poder.[86]

A carta a Herbert Levy é uma continuação da repetitiva divergência entre monetaristas e desenvolvimentistas. Por isso mesmo, ainda atual.

Carta a Herbert Levy

Rio de Janeiro, 3 de junho de 1965
Excelentíssimo senhor
Deputado Herbert Levy[87]
Câmara dos Deputados
Brasília-DF.

Meu caro amigo deputado Herbert Levy,

Peço-lhe receber e transmitir ao deputado Afrânio de Oliveira[88] *e a todos quantos participaram dos debates com o ministro do*

[86] CAMPOS, 1994, p. 188.

[87] Herbert Levy (1911-2003).

[88] Afrânio de Oliveira (1919-). Deputado por São Paulo, embora nascido em Uberaba, Minas Gerais, um seguidor de Jânio Quadros desde o início da carreira política deste. Foi na companhia desse deputado que Carlos Lacerda acompanhou Levy-Straus (Claude Levy-Straus) na visita a uma taba indígena na Amazônia e ouviu: "Do interior daquela cabana tabu, onde nenhum estranho poderia entrar, ali naquele santuário em que se processam ritos milenares do homem primitivo, sai a exclamação do selvagem: Okêy". (LACERDA, 1977, p. 13).

Planejamento os meus agradecimentos pela solidariedade demonstrada e, mais do que isso, as minhas felicitações pela coragem de dizer a verdade, num momento em que tantos homens de bem, mais uma vez, fazem questão de se deixar iludir.

A insolência e o pernosticismo desse inimigo da revolução, ao qual a revolução entregou o posto, não previsto, de primeiro-ministro, não bastam para esconder o fato concreto. Desarvorado, pilhado em flagrante de impostura, ele está apenas procurando fazer, do debate, uma plataforma política. O plano tático desse inimigo da revolução, infiltrado no governo, está agora desmascarado. Sabendo que nem as suas idéias nem o seu passado lhe dão condições para competir aos postos eletivos na medida de suas ambições e dos verdadeiros amos aos quais serve, pois não tem condições de popularização, ele se esconde atrás da autoridade do presidente da República e usa o cargo para forçar o debate com o candidato à Presidência da República.

Não tendo os nossos adversários, até agora, possibilidade de coordenar uma candidatura contra a nossa, espera o sr. Roberto Campos que, por exclusão e sendo ele o único a enfrentar-me, venha a ser, por falta de coisa melhor, o candidato da oposição. Para isto, levará no enxoval dois grandes serviços: a demonstração de fraqueza de uma revolução que põe os seus adversários em postos-chave e o resultado da política econômica que, por sua culpa, o governo adotou.

O objetivo está assim bem claro. O presidente, que afirmara desde o primeiro dia não permitir candidato ou pessoas ligadas a candidatos no seu ministério, tem nele diversos e tem até o candidato a candidato da oposição. Tal como aconteceu a mim, os que perto de nós dizem não fazer questão de ser candidatos são os mais irredutíveis e os mais ambiciosos.

Daí as provocações desse aspirante a polarizador de ódios e prevenções. Daí o exagero do revide e a "idéia fixa". Daí atribuir-me os crimes de ter derrubado presidentes cujo apoio ele procura requestar. Não lhe importa saber que, desse mesmo "crime", teria de acusar também o presidente Castello Branco e, em geral, as Forças

Armadas. No momento oportuno, ele conta desembaraçar-se da pasta do Planejamento e passar para a oposição, como já fez nos últimos dias do governo Goulart, quando passou de seu defensor a ministro da revolução. Esse tipo de carreirismo é característico dos "défroqués" e dos homens que, misturando a inteligência com a astúcia, julgam possível enganar uma nação inteira só porque conseguem iludir alguns de seus melhores homens.

Mas os fatos, na sua brutal evidência, estão demonstrando o que a máquina de corrupção e propaganda mantida pelo ministro Roberto Campos conseguira, até aqui, esconder. Nem nos áureos dias de Estado Novo se corrompeu tanto quanto no Ministério do Planejamento, que paga a dinheiro os textos infiltrados nos programas de rádio, televisão e na imprensa, depois de cozinhados nos laboratórios de corrupção mantidos no seu gabinete. Mais de dez jornalistas estão ali empregados com o fim exclusivo de montar a imagem do salvador da pátria, primeiro à custa da revolução e depois contra ela, quando chegar o momento de explorar a impopularidade provocada por esse mesmo ministro com o programa até aqui adotado.

Como sempre, haverá quem duvide perguntando: Como poderá passar para a oposição o principal responsável pela política econômica do governo? É simples, para um cínico. É fácil, para um homem sem escrúpulos. Ele já teve o cuidado de se desresponsabilizar pela política econômica, desde que o presidente da República assumiu integral responsabilidade por ela. Ele dirá, a certa altura, que a política fracassou porque não foi integralmente respeitada e seguida. Já me atribuiu, a mim – imagine! –, a responsabilidade por não terem vindo os capitais estrangeiros, cuja vinda ele prometeu ao ser feito ministro. Ele dirá que a nossa pressão obrigou o governo a abrir brechas no programa rígido que ele havia traçado. Assim, mais uma vez na história contemporânea do Brasil, veremos alguém se aproveitar, em seu próprio benefício, dos males que desencadeia com suas próprias mãos.

Tinha resolvido não voltar ao assunto. Estou farto de ser acusado quando defendo; e de ser mal julgado por companheiros pelo crime de ver, antes de alguns, o que todos acabam vendo comigo. Mas está tão clara a manobra que não posso silenciar sobre ela.

Teremos no sr. Roberto Campos a versão paisana do marechal Lott, com as bênçãos do monetarismo internacional, que é o principal responsável pela sua participação no governo da revolução. O que faltava dizer deve ser dito agora. O governo da revolução, no empenho de restaurar o crédito do Brasil e de obter o reescalonamento de suas dívidas, procurou infundir confiança à orientação monetarista que domina os órgãos internacionais de crédito. Para isto, nada melhor do que a ida do sr. Roberto Campos para o governo... Esta foi uma das razões da sua indicação, o que foi um erro, pois em vez de nos convencermos de que devemos parar o Brasil para salvá-lo, é preciso convencer as autoridades internacionais que nós podemos salvar o Brasil à nossa moda, e não de acordo com o seu figurino. O que não se percebeu é que a orientação ortodoxa, rigidamente seguida, é um erro mortal para o Brasil. E não adianta restaurar o crédito internacional por via da moeda, se mergulhar o país na convulsão social por via da estagnação, do desemprego e do desespero.

Se não fosse tão séria a situação, eu lhe mandaria um sorriso por correspondência, pois vejo que, negando de pés juntos, qualquer fundamento nas alternativas que propus, começa a adotá-las. Mas, adota-se mal. Uma das providências que estão sendo tomadas, por mera coincidência depois que se aguçaram as nossas críticas, é simplesmente asnática. Constitui um paliativo demagógico e de conseqüências também imprevisíveis. Refiro-me ao financiamento da compra de automóveis e televisões pela Caixa Econômica, mediante empréstimo para compra desses artigos a juros inferiores ao custo do dinheiro que o povo deposita nas Caixas Econômicas – e sem correção monetária. Teremos, com as filas das Caixas, espetáculo semelhante ao que o sr. Roberto Campos conseguiu com a tal Cooperativa de Habitação, que ele fomentou visando a desmoralizar a atuação de d. Sandra Cavalcanti, que ele atraíra para o Banco Nacional de Habitação com o propósito de destruir a minha candidatura, desacredi-

tando a justa reputação de competência e popularidade que ela havia obtido ao longo de uma brilhante e devotada vida pública. No dia em que d. Sandra resolver falar, creio que não estará ninguém iludido sobre as intenções e os métodos do sr. Roberto Campos.

A sua atuação no debate na Câmara, como a do deputado Afrânio de Oliveira e outros valorosos representantes, foi, com todo seu vigor, apenas o começo do que se deve fazer. Há que salvar a revolução mesmo contra a sua vontade. Há que livrá-la desse inimigo ao qual foi entregue o setor vital do seu êxito.

Depois das desculpas esfarrapadas, vieram as insolências intimidadoras. Agora, porém, é a adoção de paliativos disfarçados. Embora não resolvam o problema, eles são extremamente úteis na medida em que denunciam que, neste momento, muito mais do que eu, muito mais do que nós, é o governo que está convencido do fracasso do programa econômico que adotou. Estamos ouvindo um concerto de assobios no escuro.

Afeta-se segurança, quando se tem a certeza da insegurança. Procura-se tapar brechas no setor econômico que desmorona, em vez de reforçar os alicerces, mudando o conceito do esforço antiinflacionário.

Quanto mais se analisa, se discute e se argumenta, mais evidente fica que a luta contra a inflação só terá êxito se for feita com senso de realidade, reforçando o setor livre da economia para dar tempo a que o atual e o futuro governo corrijam as distorções e desperdícios do setor estatizado, que é precisamente o mais inflacionário.

Depois de repelir indignado, tomado de falsa fúria dos fariseus, e citando autores com a volubilidade dos novos ricos da cultura, dos pernósticos da erudição, o primeiro-ministro – pois o Brasil tem no Planejamento um primeiro-ministro – aderiu publicamente, através de atos, ao ***oportunismo econômico*** *que recomendamos como a atitude adequada à solução da crise brasileira.*

As medidas que está tomando, aquela anunciada pelo ministro da Fazenda, a tentativa de suspender por dois meses o imposto de renda para as firmas que aplicarem esse dinheiro na compra de máquinas, e todos as mais que, sucessivamente, atropelando-se, em catadupas, têm que vir, são a confissão do oportunismo e, ao mesmo tempo, o reconhecimento na prática de que o programa econômico, com a extinção da inflação a prazo fixo, fracassou.

Nos países em que os postos de governo exigem autoridade moral, a esta altura já o ministro do Planejamento deveria ter pedido demissão. No Brasil, isto não se usa há muito tempo. Pelo contrário, ele está mais forte agora, porque é preciso "não dar o braço a torcer". Salvar a face passa a ser mais importante do que salvar o Brasil.

Quem serviu na escola desses últimos governos aprendeu a técnica que usa – esta, sim, com grande eficiência. Esconde-se sob a autoridade do presidente. Corre para o "pique" presidencial e o presidente assume em nosso nome, em nome da revolução que não foi consultada, a responsabilidade total por uma política econômica que resulta apenas de uma má escolha, uma dessas más escolhas a que todo governante está sujeito. E muito mais o honrado presidente da República que não teve tempo sequer para fazer escolhas, que não pode confrontar o seu programa com os seus companheiros, que não foi sequer eleito depois de uma campanha com programa, porque foi, na verdade, imposto por todos nós e, no Congresso, por vocês, sob o impacto da revolução.

Espero com paciência atravessar o mar de injúrias, todas graciosas, mas algumas pagas, que uma vez mais me transformam na vítima expiatória dos erros de uns, da omissão de outros e da perplexidade de muitos. Deus há de perdoar aos que não sabem o que dizem – porque não sabem o que fazer...

A revolução, por esse caminho, vai ser derrotada. O resultado inexorável do erro que comete será a ditadura militar com ou sem o marechal Castello Branco, ou, se este resistir conosco e se ninguém lhe quiser tomar o posto, será afinal a entrega do poder, de volta, aos que foram mal derrubados e deixaram plantada, no governo da revolução, a semente da restauração contra ela.

Em face dessa perspectiva, não adianta deblaterar. Todos me dizem que o presidente, cheio de virtudes e qualidades, tem, no entanto, como eu, o defeito da obstinação. Tanto quanto me conheço, sei que a minha alegada obstinação não é tão grande, pois também se alega contra mim a incoerência, que não é senão o defeito de não ser obstinado, de reconhecer erros, de rever posições, tendo sempre como único padrão de coerência o interesse público e não o amor próprio. Por isto, faço justiça ao presidente, penso, considerando que as suas virtudes sejam maiores do que o defeito da obstinação. O que temo é que a sua revisão seja tardia. Ele que não se iluda com os paliativos que visam a corrigir as desgraças desencadeadas pela panacéia econômica que ele adotou. Se o intuito fosse o de condenar a revolução a perder eleições com o propósito real de, com isto, evitá-las, acenando com essa ameaça como pretexto para que não houvesse mais eleições no país, a política econômica estaria rigorosamente certa. Não seria certa do ponto de vista da economia, mas sim do ponto de vista do maquiavelismo. Mas, para pôr o povo ao lado da revolução, para mobilizá-lo para a produção, para infundir não só respeito mas confiança à população, a política econômica é um desastre político e uma impostura econômica. Bem ajam, pois, os que, como você, mais uma vez, bravamente se colocam a serviço do futuro contra os erros do presente e assumem todos os riscos, inclusive o de errar – para não cometer o crime da omissão.

Congratulo-me com você, que deu voz a essa imensa gama de opiniões, que vão desde as restrições ligeiras até as condenações severas. Não há neste país, hoje, uma só pessoa de responsabilidade que não condene, de uma forma ou de outra, o programa econômico tal qual está sendo seguido. No Rio Grande, os que aplaudem dizem que há uma discriminação contra o Rio Grande. Em São Paulo, os que o aplaudem dizem que há uma discriminação contra São Paulo. No Nordeste, os que aplaudem dizem que há uma discriminação contra o Nordeste. No Norte, os que aplaudem dizem que há uma discriminação contra o Norte. Eu, que não o aplaudo, digo que há uma discriminação contra a Guanabara. Afinal, se se fizesse um congresso de partidários do programa econômico do governo, ver-se-ia que as "pequenas restrições" de cada um constituem uma condenação mais forte do que a nossa condenação formal e categórica. É que todo o sistema repousa em pressupostos falsos e se sustenta apenas nos esteios da Nova Retórica, dessa retórica cabeluda, literata, enxundiosa, falsamente superfina, sofisticada, feita para impressionar os que se impressionam com medalhões e chavões de que constitui excelente exemplo, numa futura antologia da impostura, o discurso do primeiro ministro, agora recitado perante a Câmara dos Deputados.

Meu caro deputado. Deus lhe dê forças para prosseguir. Era melhor não termos ganho a revolução do que perdê-la depois da vitória começada. Era melhor não sermos responsáveis pela desgraça do povo brasileiro do que sermos por ela responsabilizados, por não termos podido convencer os nossos companheiros de que a revolução está sendo traída desde o dia em que adotou uma política econômica que gera, nos operários, a justa revolta contra a revolução, na classe média, a frustração e, nas classes empresariais, o desânimo.

Qualquer programa, em qualquer setor, que tais resultados gera está errado. Espero que, agora, ninguém mais me condene por dizer tais coisas de público. Pois é de público que o ministro do Planejamento me insulta. Pois é de público que ele faz, da destruição da minha candidatura, o tema central de seu processo de corrupção da opinião pública. Pois é de público que ele se apresenta como ministro da revolução para destruí-la.

Eis que se aproxima o momento em que o governo acabará tendo que escolher entre o apoio dos seus companheiros e a companhia momentânea que o vão destruir, fingindo que lhe servem, e o vão trair, enquanto nos destroem.

Um abraço do Carlos Lacerda

João Agripino, setembro de 1965

João Agripino foi um companheiro estimado por Carlos Lacerda, mas não tinha a sua admiração, como mostra a crítica que fez ao Ministério de Jânio Quadros:

> Por exemplo, isto posso citar, para o Ministério de Minas e Energia, ele foi buscar o João Agripino, advogado do interior da Paraíba, que a vida inteira foi político da Paraíba, um bom deputado, trabalhador, etc., mas não entendia absolutamente nada daquele assunto. Nunca tinha ouvido falar nem em minas, nem em energia.[89]

João Agripino, por sua vez, participou do grupo udenista que trabalhou pela prorrogação do mandato do presidente Castello Branco e liquidou as pretensões de Lacerda candidatar-se à Presidência da República em 1965. As restrições que passou a fazer a Carlos Lacerda nasceram da divergência deste com Jânio Quadros, de cujo governo, como se viu, João Agripino fazia parte. Estiveram unidos, porém, nas campanhas presidenciais disputadas pelo brigadeiro Eduardo Gomes (1945 e 1950) e pelo general Juarez Távora (1955). Ainda juntos estiveram na campanha eleitoral para a eleição de Jânio Quadros (1960).

Em setembro, Carlos Lacerda já sabia da participação de João Agripino na articulação da prorrogação do mandato de Castello Branco, marco divisor dos que queriam a continuidade da ditadura disfarçada e dos que ansiavam por uma liderança civil para recolocar o Brasil na estrada da democracia. João Agripino fizera a opção pela primeira, mas disputava com sucesso um pleito direto na Paraíba. A sua inclinação

[89] LACERDA, 1977, p. 240.

para ficar com os poderosos do dia se materializou com a sua filiação à Aliança Libertadora Nacional (Arena) – partido de sustentação do governo militar. Aliás, o seu nome chegou a ser cogitado até para vice-presidente do marechal Costa e Silva.[90]

João Agripino elegeu-se governador do Estado da Paraíba e o candidato de Carlos Lacerda na Guanabara foi derrotado.

...ditadura declarada ou ditadura disfarçada.

Carta de Carlos Lacerda a João Agripino

Rio de Janeiro, 8 de setembro de 1965
Exmo. sr.

Senador João Agripino[91]
João Pessoa – Paraíba
Meu caro senador e amigo,

Já tive ocasião de lhe explicar por que não poderia ir à Paraíba agora. O cerco contra nós, na Guanabara, não é tão grave por parte do adversário declarado. Muito mais perigoso é o duplo prejuízo que certos grupos que detêm o controle de setores do governo federal procuram nos causar aqui: de um lado, uma política federal impopular, o que não é saudável para um candidato ganhar a eleição; de outro lado, o mesmo governo a fomentar a união do adversário contra nós e a criar dificuldades, cada dia renovadas, contra a provável vitória eleitoral do nosso candidato Flexa Ribeiro.

---

[90] Cf. sua biografia no *Dicionário histórico biográfico brasileiro.*

[91] João Agripino Filho (1914-1988). Político paraibano. Ministro das Minas e Energia (1961). Constituinte em 1946. Deputado e senador pelo Estado da Paraíba. Nome completo: João Agripino Vasconcelos Maia Filho. Governador da Paraíba (1966-1971).

Tenho quase a certeza de que Flexa Ribeiro vai ganhar, mas não posso ausentar-me um minuto, pois estamos enfrentando uma frente única não confessada, mas real, que abrange desde a Light ao Partido Comunista. Somente esta razão me impediria de estar ao seu lado, participando do esforço dos nossos companheiros paraibanos para levá-lo ao governo do Estado.

Conhecendo, como conheço, a sua integridade e a sua firmeza, estou certo de que o eleitorado da Paraíba não hesitará em lhe dar o seu voto, quaisquer que sejam, aí como aqui, as dificuldades criadas pelos que preferem destruir a revolução por dentro a vê-la encaminhar-se na direção que o povo deseja e que convém à nação. Essa revolução verdadeira está por fazer e o povo poderá fazê-la, levando-o ao governo da Paraíba como indispensável ato de sabedoria política, além do mais preparatório da eleição direta em 1966. E a eleição presidencial pelo voto do povo em 1966 só será alcançada na medida em que não nos conseguirem derrotar este ano.

Por outras palavras, se queremos evitar que o Brasil fique no dilema – ditadura declarada ou ditadura disfarçada – tratemos de obter, aí e aqui, governos que, eleitos pelo povo, não sejam capazes de trair o povo tirando-lhes a possibilidade de escolher o presidente da República, como vai escolher o governador.

Lamento não poder ter dois títulos eleitorais: um para votar em Flexa, na Guanabara, e outro na Paraíba, para votar no senador João Agripino.

Um abraço do Carlos Lacerda

1965 – General Golbery do Couto e Silva

Em agosto de 1965, Lacerda escreve ao general Golbery do Couto e Silva[92] com a sua habitual ironia, e não menor contundência, para desmentir boatos supostamente plantados pelo Ministério chefiado pelo general. A mágoa de Carlos Lacerda com o chefe do SNI[93] era antiga e ao que parece recíproca. Vinha desde o governo Jânio Quadros. O general Golbery foi o mentor das medidas discricionárias decretadas pelo governo federal em 1961 e que ficaram a cargo do governador praticar no Estado da Guanabara.

O general Golbery nunca se apresentou como admirador de Carlos Lacerda, não obstante os seus colegas da Escola Superior de Guerra, da qual o general foi secretário, revelassem entusiasmo pela atuação do jornalista e político. Ao contrário, há comprovação de sua malquerença[94] ou mesmo ódio declarado e confessado.[95]

[92] Golbery do Couto e Silva (1911-1987). Um dos articuladores do golpe de 1964 e que legou um precioso arquivo aproveitado em livros memoráveis por Elio Gaspari, mais de uma vez fonte citada.

[93] Serviço Nacional de Informação.

[94] "A malquerença de Golbery com Lacerda tinha um aspecto emocional, mas era também a projeção de uma luta pelo poder. A marca da atividade política do general estava na sua essência antieleitoral. Ele manobrou contra o pleito de 1965, da mesma forma como manobraria contra a eleição presidencial de 1966. Não se tratava de questão doutrinária, em que Golbery tivesse preferência pelo sistema indireto de preenchimento de cargos executivos, mas de uma trapaça política destinada a manter no poder pessoas que o voto quase certamente defenestraria (...) Entre Costa e Lacerda, fico muitíssimo mais com Costa e Silva disse ele" (GASPARI, p. 173-174 e 177).

[95] Elio Gaspari revela que realmente havia ódio no coração e mente de Golbery em relação a Carlos Lacerda (CL): "Numa folha manuscrita de Golbery, sem data, resumindo e analisando uma conversa de automóvel com Carlos Lacerda: O mais sério adversário de CL em 1966 será o próprio Presidente, ao qual parece abrir-se a possibilidade legal de uma reeleição" (Ibidem, p. 171). "Para Golbery a vitória da prorrogação cumpria dois objetivos: num congelaria Lacerda, noutro postergaria uma eleição que poderia levar ao julgamento do regime" (Ibidem, p. 172).

O ofício em estilo formal não esconde a prevenção do missivista para com o destinatário. Carlos Lacerda considerava o general Golbery como detentor de um pensamento algo fascista:[96]

> Por ter revelado os propósitos de Jânio, tornei-me alvo do ódio[97] de homens como o general Golbery do Couto e Silva, janista impenitente, sincero adepto de um neofascismo subdesenvolvido, diretor da espionagem e provocação interna no triênio do marechal Castello. Golbery era secretário do Conselho de Segurança. Foi ele quem, na saída de Jânio, pediu ao general Siseno Sarmento, então meu secretário de Segurança, que instaurasse censura à imprensa. O governo do Estado, atendendo ao pedido do Conselho de Segurança, deu cobertura à ação deste. Por isso o *Jornal do Brasil*, em editorial, reclamou a minha expulsão da Sociedade Interamericana de Imprensa. E o *Correio da Manhã*, pela mão do seu então redator, de nome Bahia,[98] que passou a me odiar desde que recuperei judicialmente uma propriedade do Estado explorada por sua família – a Pedra da Moreninha, em Paquetá –, chegou a todos os extremos.[99]

Golbery pertencia ao grupo de coronéis que levou o Exército a diversas interferências na política brasileira. O manifesto que teria contribuído para a exoneração de João

[96] Elio Gaspari resume o pensamento fascista de Golbery: "Seu prelúdio é a visão pessimista de uma democracia 'exangue de forças de vontade', de uma civilização ocidental próxima do aniquilamento e de um mundo atado pela 'subversão cósmica de valores e de conceitos'. Cético em relação à ordem internacional, Golbery dizia que 'não se sabe já distinguir onde finda a paz e onde começa a guerra', 'de guerra total a guerra global' (...) e por que não reconhecê-la, permanente" (Ibidem, p. 129).

[97] Elio Gaspari revela ainda que realmente, dito por ele, Golbery tinha ódio de Carlos Lacerda: "Com este homem não falo mais" (Ibidem, p. 171).

[98] Luiz Alberto Bahia, jornalista.

[99] LACERDA, 2001, p. 286.

Goulart do Ministério do Trabalho do governo Getúlio Vargas em 1953 teve comprovadamente a sua redação, tal como o discurso do coronel Mamede[100] no enterro do general Canrobert Pereira da Costa.[101] Foi esse discurso que desencadeou a crise que culminou na derrubada do presidente Carlos Luz e no impedimento do vice-presidente Café Filho, em 1955, imposto pelas Forças Armadas.

Curiosamente, depois que perdeu o poder no governo Jânio Quadros e o readquiriu no governo Geisel, o antigo militante passou a condenar acremente os oficiais intervencionistas.[102]

Um dos ofícios do governador da Guanabara destinava-se a desmentir notícia infundada que Carlos Lacerda achava que tinha sido plantada pelo próprio SNI; o outro foi para cobrar a devolução de documentos, por sinal relacionados com o pagamento da dívida do jornal *Última Hora* com dinheiro vindo do exterior sem a identificação correta de quem era o seu proprietário. Matéria da velha implicância de Carlos Lacerda com Samuel Wainer e não esquecida em 1965.

[100] Jurandir Bizarria Mamede (1906-1998). Coronel do Exército que proferiu discurso à beira do túmulo do general Canrobert Pereira da Costa e não foi punido pelo presidente Carlos Luz, o que levou o ministro da Guerra a desfechar o golpe que o depôs, desdobrando-se com o impedimento "manu militari" do vice-presidente Café Filho.

[101] General Canrobert Pereira da Costa (1985-1955). Ministro da Guerra do governo do marechal Dutra. Durante os seus funerais, o então coronel Jurandir Mamede proferiu um discurso que foi considerado um incitamento à indisciplina.

[102] GASPARI, 2002, p. 24: "Na ativa Golbery não passara de coronel. Combatia a interferência militar na política e desdenhava os oficiais que nela se envolviam".

Carta de Carlos Lacerda ao general Golbery do Couto e Silva

Senhor general RI

Informou V. Exa. às altas autoridades do país que o governador da Guanabara visitou o colega de V. Exa., general R1 Henrique Lott, com o qual combinou uma determinada conduta política. O seu "informe" é rigorosamente falso. Tão falso quanto outro há mais tempo posto a circular por V. Exa., segundo o qual o dr. Lutero Vargas[103] *teria dito ao seu partido que o governador da Guanabara o teria "convidado" para dirigir um hospital neste Estado.*

Diante de minha reclamação contra esse processo desleal e mesquinho de oficializar a infâmia e a peta, disse-me o presidente da República que V. Exa. não tinha responsabilidade na circulação dessa mentira nos Estados-Maiores, porque estava nos Estados Unidos quando esta patranha foi posta em circulação. Agora, porém, V. Exa. está aqui.

Convém que V. Exa. veja quem o está enganando à custa do dinheiro público, assim malbaratado em fuxicos e lorotas. Saudações verdadeiras.

1965 – Carta de Carlos Lacerda a Golbery do Couto e Silva

OFÍCIO GGG Nº 151
Em 18 de fevereiro de 1965
Senhor ministro Golbery do Couto e Silva,

Venho pedir as suas providências para o que a seguir lhe exponho. Em maio do ano passado, pouco depois da vitória da revolu-

[103] Lutero Vargas (1912-1989). Filho mais velho de Getúlio Vargas. Médico e político.

ção, por ordem minha, o dr. Sérgio Lacerda entregou-lhe um jogo de fotocópias de documentos oficiais que comprovam a transferência de dinheiros públicos, vindos da Suíça por meio de um banco em Nova York, para a empresa jornalística ***Última Hora****, que, com esse dinheiro, pagou sua dívida ao Banco do Brasil no momento em que o inquérito parlamentar sobre essa empresa ia produzir resultados saneadores em 1954.*

Na ocasião da entrega, feita no pressuposto de que essa prova seria devidamente utilizada, notadamente para apurar a origem do dinheiro, se brasileiro, mediante fundos ilicitamente transferidos para o exterior; se estrangeiro, violando a Constituição no que se refere à sua influência sobre órgãos de informação, Vossa Excelência comprometeu-se a nos devolver esses documentos, caso não chegasse a utilizá-los. Decorridos cerca de 10 meses dessa entrega e desse compromisso, estou certo de que Vossa Excelência não precisa mais dos documentos e não terá dúvida em no-los devolver.

Preciso desses documentos para meu arquivo, senhor ministro, e assim rogo o obséquio de fazê-los chegar às minhas mãos.

À sua disposição para qualquer esclarecimento,

Atenciosas saudações,

Carlos Lacerda

Governador

1965 – Carta circular aos diretores de jornais

Quando o governo Castello Branco perdeu as rédeas na condução de sua própria sucessão, surgiram muitos boatos, alguns com o claro propósito de desnortear os opositores do governo. A carta de Carlos Lacerda de 13 de outubro de 1965 a dois importantes órgãos da imprensa é uma evidência da desinformação predominante nos meios de comunicação que ele naquele momento procurava pôr cobro. Desinformação tolerada pelos donos de jornal e até por jornalistas no dizer dele. E qual novo Jeremias, Carlos Lacerda destaca nessa nota o engodo da revolução que não se fizera e a profunda pena que tinha pelo povo brasileiro que ficara sem lideranças legítimas.

Carlos Lacerda, prevendo os seus próximos passos, procura chamar a atenção para a única liderança visível sobrevivente, a de Juscelino Kubitschek de Oliveira, condenado no passado por ele e seus correligionários,[104] mas que ressurgia em 1967 como um possível aliado para impedir o recrudescimento do poder autoritário.

A carta circular soa como o último apelo de um general civil já apeado do cavalo e despojado de suas dragonas, restando-lhe como arma apenas a sua palavra e a esperança de que os amedrontados jornais reproduzissem o seu discurso. Sua palavra, porém, não tinha o poder de outrora e os meios de comunicação estavam preferindo acomodar-se com nova situação que caminhava a passos largos para a ditadura.

[104] "A dificuldade maior de se opor a Juscelino Kubitschek de Oliveira foi a de esquecer – por dever público e fidelidade a princípios da envolvente simpatia e capacidade de compreensão de sua extraordinária personalidade. A primeira vez que nos encontramos ele era prefeito e eu conspirava. Quando nos vimos a última vez, éramos amigos e descobrimos que a nossa amizade latente sobrevivera a todas as lutas. Depois de muitas, o que restou foi a recíproca intenção de servir ao país pelo qual nos desentendemos, pelo que afinal nos entendemos" (Seleção da revista *Manchete*, publicada em 06 de junho de 1977).

1965 – Carta circular de Carlos Lacerda aos diretores do *Diário de Notícias* e de *O Estado de S. Paulo*

Tenho uma profunda pena do povo brasileiro, que está sem liderança e caminha para uma opção terrível.

Rio de Janeiro, 13 de outubro de 1965

*Srs. diretores do **Diário de Notícias** e de **O Estado de S. Paulo**,*

Peço-lhes o obséquio de divulgar esta carta, a fim de tornar de uma vez por todas clara a minha posição. O que há de mais difícil, hoje, no Brasil, é convencer os que informam a opinião pública de que os homens públicos não são todos iguais, isto é, todos igualmente simuladores e desprezíveis.

Enojado com o que se está passando no Brasil, traído pelos que se tornaram responsáveis pela revolução e pelos que a ela aderiram – e traído desde o primeiro dia – desejo, perante o partido que levantou a minha candidatura à Presidência da República, explicar os motivos que me levam a devolver-lhe a candidatura de cuja defesa ele me incumbiu. Por isto pedi uma convenção nacional da UDN o mais cedo possível.

Se a UDN não me quiser dar sequer essa prova de consideração, é problema dela. Mas não creio que tenhamos descido tanto. Espero, pois, confiante nessa oportunidade de falar aos que me conferiram a honra de os representar perante a nação.

Em 5 de dezembro deixo o governo do Estado da Guanabara, no cumprimento exato e até o fim do mandato que recebi do povo. Nessa mesma data começarei a trabalhar em várias empresas que estou fundando para ganhar a minha vida.

Não é uma renúncia – pois não tenho a que renunciar. É uma decisão que exige coragem – e que nem todos ousam tomar a tempo.

Não quero nenhuma parcela de responsabilidade no que se vai passar neste país, pois não aceito responsabilidade sem autoridade. Não fui ouvido e sou traído todos os dias, desde que cometi o erro fatal de concordar em levar, ao ministro da Guerra, o nome do marechal Castello Branco para presidente da República.

Tenho uma profunda pena do povo brasileiro, que está sem liderança e caminha para uma opção terrível. O povo está justamente convencido de que o governo da revolução é contra ele. Votou em geral naqueles que podem contribuir para destruir a revolução – e vão destruí-la, qualquer que seja a bazófia dos que asseguram, da boca para fora, e cada vez com menos convicção, que ela é "irreversível". Chega a ser uma piada sinistra, essa "irreversibilidade" de uma revolução que não existe. E o pior é que, à vista do que tem sido a política e a administração do governo que a revolução entronizou, o povo tem razão.

Sobra, neste país, uma única liderança – a do sr. Juscelino Kubitschek. Do outro lado, do que eu costumava chamar o "nosso lado", não há liderança alguma, embora haja elementos de valor, o que não é a mesma coisa.

O presidente da República é um homem despreparado para presidi-la. Seus assessores são movidos por ressentimentos, invejas, intrigas e toda sorte de sentimentos, menos aqueles generosos e nobres sem os quais a vida pública se converte num jogo de mesquinharias, agravado pela mediocridade. Não digo tais coisas para insultar ninguém, mas sim, apenas, para retratar uma situação que a propaganda esconde, mas o povo precisa conhecer.

Nunca como neste momento o país precisou tanto de grandeza. Muita gente ainda não percebeu que a crise atual é muito mais grave do que aquela que levou ao golpe militar do ano passado. Pois, ali, as forças armadas estavam com seu prestígio intacto. Agora, isto já não acontece. A unidade das forças armadas já está comprometida e destruída pelo aparecimento, dento de pouco tempo, da corrente que sob a capa do "legalismo" defenderá – na prática – a restauração dos decaídos, já iniciada pela mão do sr. Castello Branco – que é hoje um instrumento do PSD e de alguns cacos da UDN.

No ano passado, a defesa da eleição direta e da Constituição foi um tema para a derrubada do governo João Goulart. Agora, a Constituição é uma portaria referendada pelo Congresso, e o sr. Castello Branco, sabotando por toda parte a eleição com o governinho que está fazendo, conseguiu demonstrar a sua tese obsessiva contra a eleição direta. Antes do golpe militar do ano passado, nós tínhamos uma eleição vitoriosa à vista. Hoje, com o governo Castello Branco, perderemos qualquer eleição – menos a indireta, que é uma farsa na qual colaboram todos os que procuram se esconder de sua própria consciência. Ali, começava uma revolução. Agora, a revolução acabou antes de ter começado.

O divórcio entre o povo e a revolução é, nas condições atuais, irremediável. A eleição indireta, que é uma das obsessões do presidente da República, só fará agravar esse divórcio. A pretexto de evitar uma ditadura contra o Congresso, o presidente quer uma ditadura com o Congresso contra o povo. Para isto, abriu as portas do governo aos inimigos da revolução. Eles já estão dentro do palácio. Imobilizam a administração e aguçam o governo contra mim, todos os dias, desde aquele em que o sr. Castello Branco tomou posse.

Não tenho mais condições para lutar sozinho como no passado – segundo tantas vezes reconheceu o sr. Castello Branco, sem no entanto, tirar nunca desse reconhecimento qualquer conclusão útil. Até o ano passado ainda pude lutar quase sozinho, até que as forças armadas despertassem e os políticos reconhecessem a necessidade de uma liderança democrática no país. Lutamos, uns poucos, muito poucos.

Agora, não. Não tenho ânimo para organizar uma oposição ao sr. Castello Branco, mesmo porque essa oposição será chefiada pelo sr. Juscelino Kubitschek, se este tiver possibilidade de se impor ao PSD, o que não parece fácil.

A opinião pública se sente desmoralizada, porque o governo Castello Branco a fez perder a fé, amesquinhou tudo, abestalhou a própria revolução transformando-a numa coisinha mofina.

Não posso me unir a uma esquerda que está colonizada pelo Partido Comunista. Não posso apoiar um governo que tem os seus mentores fora do Brasil, pois os centros vitais das suas decisões não são aqui sediados. Não tenho, pois, nenhuma posição, nem no governo, nem na oposição, na qual possa situar-me. E não desejo pactuar, por omissão, com o processo de desagregação da vida pública brasileira empreendido por homens que a desprezam e sofrido por homens que não a merecem.

Pensava já ter dito tudo o que era preciso alguém dizer. Mas até o último dia, parece, não me será poupada a tristeza de ver a mediocridade de mãos dadas com a mesquinharia, tentando engrandecer esses anões à custa da intriga e da insídia contra mim.

Rogo-lhes, pois, a divulgação desta linhas, que lhes escrevo como homenagem à posição que têm tomado e que profundamente respeito.

No dia 5 de dezembro, deixo o governo da Guanabara e a vida pública. Se a UDN quiser, explicarei, na sua convenção, as razões dessa decisão. Não desejo ser fator de agravação da crise, já por si gravíssima, em que o Brasil novamente mergulhou e da qual o sr. Castello Branco não o poderá tirar, pois depende de uma grandeza que ele não possui e de um preparo que ele não tem para o exercício da liderança política.

Se a UDN não me quiser ouvir, sairei na mesma. Ninguém me poderá acusar de desistência ou deserção. Terei dado ao meu país muito mais do que esperava. Nunca supus tivesse forças para suportar o que tenho sofrido. Muito menos pela mão do adversário do que pela traição dos aliados. O que ainda me faz não considerar perdidos estes vinte anos de luta é a amizade de tanta gente que compensa, em muito, a mesquinharia, a inveja, o ressentimento e o ódio. Não o dos inimigos, que não temo.[105] *Mas o dos que se serviram de mim e me traíram – a começar pelo presidente da República.*

[105] "Coleciono inimigos também. Sempre pronto a me livrar deles, transformando-os em amigos" (LACERDA, 2001, p. 56).

Mais do que tudo, o que me enoja é a infinita pequenez, a proporção microscópica dos homens que estão dirigindo o Brasil na fase mais grave e, ao mesmo tempo, mais radiosa da sua história.

Faço um apelo aos colunistas políticos e mundanos para que me esqueçam. Peço encarecidamente ao marechal Castello Branco que recomende esse esquecimento aos seus serviços de propaganda disfarçada, que funcionam por meio de ministérios cuja única função é a intriga.

Espero, ao menos, ganhar a minha vida em paz. Desejo a todos os que governam o Brasil um milagre de Deus capaz de inspirar-lhes um pouco de grandeza para poderem, ao menos, enfrentar com dignidade a crise que não souberam e não poderão evitar.

Grato pela sua atenção, renovo-lhes os meus sentimentos de apreço e de uma velha amizade.

Com um cordial abraço,

Carlos Lacerda

1965 – Ernani Sátiro

Ernani Sátiro foi um singular político do Nordeste. Deputado, senador e governador do Estado da Paraíba (1971-1975). Contumaz combatente da corrupção e do comunismo. Discursou corajosamente contra o golpe militar em novembro de 1955, solidário com os presidentes depostos, Café Filho e Carlos Luz. Foi o último presidente da UDN, eleito dentro de uma composição de forças que aglutinava lacerdistas e anti-lacerdistas. Cultivava as boas letras. Escreveu os romances *Quadro negro* e *Mariana.*

Não apenas a candidatura de Carlos Lacerda resvalava para o improvável em 1965, o destino da democracia brasileira é que estava a perigo e de fato acabou se esfacelando por completo em 1968, e muito antes isto já poderia ser percebido.[106]

Rio de Janeiro, 07 de outubro de 1965[107]
Senhor presidente,

Entendo necessário devolver ao meu partido a candidatura presidencial que ele me entregou para pleitear, perante o povo, a transformação do Brasil numa democracia.

A derrota que sofremos nestas eleições foi da UDN, batida em quase todos os estados, e da revolução, enterrada por aqueles que em nome da dita revolução se apossaram do país. Lutamos contra cinco presidentes da República, o Partido Comunista e outras forças e tivemos 41% da votação. Não pudemos fazer mais do que fizemos, porque o governo da revolução foi condenado pelo povo.

A UDN não poderia continuar a apoiar, ao mesmo tempo, Castello Branco e a minha candidatura. Pois o senhor Castello Branco não admite a minha candidatura e tudo fez para condenar o país à escamoteação da "eleição indireta". O senhor Castello Branco foi vítima da sua obsessão de evitar a minha candidatura e o voto do povo.

Não desejo perder tempo com acusações e retaliações. Preciso, apenas, ressalvar minha responsabilidade. Penso ter o direito de comparecer a uma convenção nacional do partido para explicar as razões pelas quais entendo não ter mais sentido a minha candidatura. E deixar o partido livre para tomar, com o PSD e PTB, em torno do senhor Castello Branco, o da "eleição indireta", e da destruição da

[106] Ibidem, p. 298: "Quando, ao chegar de viagem – vi que estava tramada e decidida a prorrogação do mandato do Marechal Castelo Branco – e assim dado o primeiro passo para descumprir o compromisso das Forças Armadas para: eleição livre e honesta e ouvi da mais alta autoridade militar esta pergunta: "O senhor pode nos garantir que ganha esta eleição?".

[107] Ernani Aires Sátiro e Sousa (1911-1986). Carta publicada na íntegra no *Diário de Notícias* de 8 de outubro de 1965.

Federação, em suma deste Estado Novo manso, o rumo que quiser. Não pretendo participar desta escamoteação de uma revolução que, traída e levada a trair o povo, acaba de ser, pelo povo, derrotada – precisamente por não ser uma verdadeira revolução.

Requeiro uma Convenção Nacional da UDN para que eu possa, agradecendo a confiança que os udenistas depositaram em mim, depor perante eles.

Quero agradecer a sua lealdade e a de milhares de companheiros que nunca me faltaram e cuja amizade pessoal desejo preservar, como suficiente recompensa por tantos anos de sacrifícios.

Agradeceria ainda se o caro amigo convocasse para quanto antes esta convenção. Desejo devolver esta candidatura com a mesma dignidade com que a aceitei e sem que ninguém me possa acusar de deserção ou queixar de ter sido abandonado por mim.

Carlos Lacerda

Adoto novas posições mas não mudo de princípios.

1967 – CORONEL FERDINANDO DE CARVALHO

Esta carta do coronel Ferdinando de Carvalho,[108] ao que tudo indica, teria sido a que provocou a "Carta a um amigo soldado", divulgada por Carlos Lacerda no seu livro *Crítica e autocrítica* com a seguinte abertura: *Você saiu do quartel em 1964 para garantir a realização de eleições livres e diretas, a existência de um Congresso sem coação e o funcionamento de um governo representativo, sem ditadura. Hoje não temos eleições diretas e livres. E agora estamos em plena ditadura. (...) No momento o que é*

[108] Nascido em 1918. Expoente dos militares jovens que acompanhavam o jornalista Carlos Lacerda na sua luta para alcançar a Presidência da República. Um dos decepcionados com a aproximação do seu líder a João Goulart.

que você esta combatendo no Brasil? A que serve o mais estúpido ato de força mais ofensivo e afrontoso do que necessário e limpo, no qual o grupo que controla o poder compromete a sua dignidade e o seu nome?[109]

Poucos aceitaram a aproximação de Carlos Lacerda a Juscelino Kubitschek e João Goulart, políticos que aquele sempre indiciou como os verdadeiros culpados pela inflação e pela corrupção predominantes nos quadros dos governos que ele combatia.

A revolução de 31 de março viera para acabar de uma vez por todas com a herança getulista. E os herdeiros notórios da Era Vargas eram exatamente Juscelino e Jango, como Carlos Lacerda continuou proclamando nos dias que se seguiram a 31 de março de 1964.

O desvio da finalidade do movimento revolucionário levou Carlos Lacerda a rever a sua posição. Em 1965, a ditadura implantada vinha demonstrando estar com o gosto de "quero mais" depois da prorrogação do mandato que tinha prazo determinado na Constituição.

Voltou-se então Carlos Lacerda para quem parecia ter a confiança de parcelas da população. Eliminadas as lideranças civis pela cassação ou pela adesão espontânea ou forçada de muitos políticos, fechado estava o horizonte político para impedir a caminhada do governo militar para uma ditadura. Somente com a "anistia de fato" aos líderes cassados se poderia construir um contingente civil forte para enfrentar a luta contra o continuísmo militar. E a "Frente Ampla", preconizada por ele, com apoio de Juscelino e Jango, significava exatamente isto: anistia já e para todos.

Como nas guerras, as divergências menores e maiores teriam de desaparecer para que um único objetivo fosse alcan-

[109] LACERDA, 1966, p. 41.

çado: o retorno à democracia.[110] O que parecia incongruência mostrou ser mais tarde o que era certo.

A mudança de opinião e de atos de Carlos Lacerda conforme as circunstâncias vem justificada por ele na carta que escreveu ao jornalista David Nasser:[111]

> *Se mudam as soluções para levar à prática os princípios que defendo, adoto as novas soluções e não mudo os princípios. Seria incoerente mudar de princípios para servir a soluções diversas que se impõem a uma consciência verdadeiramente livre, aberta às retificações de tempo e de experiência. É isto, no meu entender, a coerência. O que às vezes se chama de coerência é apenas teimosia, amor próprio, mediocridade. Às vezes até simples covardia.*[112]

A eloqüência da argumentação de Carlos Lacerda não serviu para impedir a sua degola, consumada com o Ato Adicional nº 5, que mergulhou o Brasil na prolongada ditadura militar.

A carta que se publica é o anúncio da debandada dos militares lacerdistas.

...só insurreição tivemos, e não Revolução.

1966 – Carta de Ferdinando de Carvalho a Carlos Lacerda

Rio de Janeiro, 25 de setembro de 1966
Meu caro amigo Carlos Lacerda,

[110] "Há momentos em que se unir para lutar por todos é a única forma de ser coerente", do Manifesto à Nação propugnando pela "Frente ampla".

[111] David Nasser (1917-1980). Repórter de grande nome dos *Diários Associados*.

[112] Carta a David Nasser publicada em *Palavras e Ação*, p. 100.

Creio que muitos já lhe devem ter criticado a tese da "frente única" e o aconselhado a não efetivá-la. Eu, que em política sou mais expectador do que aprendiz, nem vou criticá-lo, nem aconselhá-lo. Prefiro apenas opinar, com toda humildade. E se o faço por escrito não é para formalizar-me, mas principalmente para melhor encadear minha reflexão, livre de seus argumentos que sei ponderáveis e brilhantes. E também porque não aprendi a dar conselhos. Não me atrevo a dá-los nem a meus filhos. A estes prefiro dar o exemplo. Além disso, como otimista, imagino que todas as coisas, inclusive as desgraças, têm sempre o lado positivo.

Eu compreendo as suas idéias, pode estar certo. Sou-lhes sensível, porque tenho confiança em sua sinceridade, em seu espírito de decisão e em seu patriotismo. E quem conserva essas qualidades, durante tantos anos de luta, árdua e arriscada, experimentando os ataque mais vigorosos e as incompreensões mais decepcionantes, mantendo aceso o seu ideal e a sua energia, merece o nosso respeito e a nossa tolerância. Temos que tentar decifrá-lo, antes de julgá-lo. Não sou dos que fazem de um gesto seu o pretexto para esquecer os seus serviços, dos que fazem de uma palavra sua a razão para desprezar as suas obras. Sou, pelo contrário, dos que consideram em tudo isso motivos para apreciá-lo, nesta sua inquietude indomesticável, neste seu modo de caminhar olhando para o alto desatento aos tropeços da estrada.

Devo também dizer-lhe que não tendo recebido qualquer benefício de Jango ou Juscelino, não lhes tenho aquele ódio implacável dos que os traíram. Para ser-lhe franco, não tenho raiva de ninguém. Nunca tive. Nunca elevei a minha voz senão para responder à opressão. Diante dos adversários, procuro analisá-los humanamente, para vencê-los humanamente. Não guardo pois ressentimentos e não vou condenar a sua "frente única" por terem sido Jango ou Juscelino os nossos inimigos de ontem. Vou discordar dela por outras razões.

Considero a sua estratégia valiosa e inteligente, em essência. A mobilização do povo em torno de verdadeiros líderes para abalar o império dos que desprezaram o povo parece-me agora a fórmula mais adequada para curar o Brasil desse reumatismo deformante que lhe foi imposto. A estratégia, repito, é a mais sensata e feliz.

Na tática que o sr. preconiza é onde ponho as minhas dúvidas. Não se me afigura que sejam, nas circunstâncias atuais, Jango e Juscelino líderes prestigiosos em condições morais de ombrearem-se com o sr. numa campanha de mobilização de massas para uma tarefa construtiva no rumo de metas reconhecíveis e indiscutíveis. Eles sempre foram prestidigitadores políticos, na realidade "figuras-de-proa", "testas-de-ferro" de grupos de aventureiros e aproveitadores, presidentes de honra de sociedades parasitárias que, em comum acordo, como um verdadeiro truste, exploravam o país.

Existe, além disso, a necessidade de renovar as lideranças, inclusive o próprio conceito de liderança, permitindo a emersão de um nova mentalidade. Se esta gente decaída sair de seus esconderijos, espanar a poeira da roupa e retornar ao cenário, então Castello Branco terá completado a sua obra em uma revolução que só durou dois dias.

Temos de encontrar uma outra solução para o problema. Raciocinemos. Deixemos aos mortos desenterrar os seus mortos. O atual governo, por ser apenas capaz de ser incapaz, tornou-se paradoxal. Todos sabem que ninguém governa sem apoio do povo mais de uma semana. Até os ditadores não o ignoram. Pois este governo começou com o povo e acabou sem ele. É anti-sociológico, anti-racional. Vai-se afundando aos poucos, como uma Torre de Pisa. Não há cidadão de bom-senso neste país que não perceba isto.

Portanto para se combater o governo não se precisa atacá-lo. Basta que se defenda o povo. Esta é a melhor situação para o surto das lideranças autênticas. O governo é tão primário, tão anacrônico, tão incompetente que não apenas é incapaz de evitar este surgimento, como só pode reforçá-lo em suas reações impopulares.

Colocado no poder por uma insurreição armada (que só insurreição tivemos, e não revolução), mostrou-se oco, destituído de seiva revolucionária, estreito de visão, rotinado de métodos e princípios, hierarquizado ao ponto da atrofia, tão medíocre que contaminou de mediocridade a nação inteira. A reforma que ensaiou conseguiu apenas balançar a árvore, de sorte que os urubus de baixo foram pousar em cima, enquanto os de cima vieram para baixo. Simples troca de galhos entre os mesmos urubus. Muitas aves espertas nem mudaram de posição...

Embora abuse do qualificativo revolucionário, é um governo essencialmente burocrático: "um tigre de papel". Todas as suas grandes realizações, os seus rasgos de energia e até de raiva são expressos na base da papelada. Afoga-se na documentação. Admite e demite, nomeia e exonera, transfere e efetiva, rebaixa e promove, cassa e empossa, tudo assinando papéis. Dêem-lhe uma caneta esferográfica, e ele submeterá o mundo. Nada cria, porém. Falta-lhe alma, escasseia-lhe imaginação, não possui ideologia, é um organismo enquistado no país, como um corpo estranho.

Ninguém pode ficar satisfeito de servi-lo, de aturá-lo diariamente em suas mesquinharias, em sua politiquice caprichosa, em seu espírito desnacionalizante e atarracado, em sua vaidade vingativa e doentia. Mas não vale uma revolução. Não vale uma conspiração, conquanto aspire esse mérito. Não vale nem uma frente única. O Brasil inteiro hoje está parado, aguardando que Castello desocupe.

Para felicidade nossa, julgo eu, o ambiente de insatisfação que se engendrou no país ainda não afetou a convicção democrática do povo. As lideranças que caíram eram realmente falsas. As verdadeiras, estas mantêm-se, mesmo latentes, porque o país inteiro hoje está esperando. É a maior espera que a história presenciou, longa, aborrecida, conformada, idiota.

Se lhe cassaram, ao sr. por finória vingança, ficou o direito de disputar, em pleito livre e leal, a Presidência da República, nem por isso lhe puderam tirar o prestígio, a capacidade de reunir multidões compreensíveis. As verdadeiras lideranças estão aí, no ar que se respira. Não precisam de quem as ressuscite.

A "Frente Ampla", segundo penso, nos termos em que está lançada, dará apenas uma distração aos seus inimigos, que, durante dias e dias, terão assuntos para suas falas normalmente vazias, e terão argumento para seus ataques, deturpações e gestos de perversidade premeditada.

O que é mais importante e objetivo no momento é, porém, a luta contra a oligarquia internacionalista e apatriota que sustenta esse governo para se esconder atrás dele e que vive tentando, para durar no poder, a chantagem do consentimento da posse do novo governo. Isto é que é fundamental. E para essa luta Jango e Juscelino não servem.

Mais lógica seria a convocação de novas lideranças em sua frente democrática autêntica, de afirmação nacionalista, que servisse de base a um novo partido político, capaz de congregar elementos de todas as classes desejosos de lutar por um ideal de emancipação e aperfeiçoamento social, econômico e político. Esta, sim, seria a grande "Frente Ampla".

A idéia de estender a mão franca e generosa aos adversários de outrora, desde que honrados e honestos, é natural, justa e louvável. Não julgo, porém, que deva chegar a ponto de retirar do lodo as pessoas que nele se atolaram por seus próprios erros. Se fugiram apavoradas, foi principalmente com medo de suas próprias sombras. Assim como eles, há de fugir também Castello Branco, se um dia liberar-se das adulações e meditar sobre o que fez. Então será capaz de lançar fora os trinta dinheiros e enforcar-se em uma figueira brava à beira do caminho.

A revolução deve ser magnânima com os que foram ludibriados, pois nós, os revolucionários, também o fomos, e temos de compreendê-los. Mas os usurpadores e os impostores que ajustem contas com a história. Entre eles incluo os que transformaram o movimento de 31 de março numa peça inútil e descabida porque aí estão o comunismo e a corrupção mais perigosos do que antes; que incompatibilizaram as Forças Armadas com a opinião pública responsabilizando-as por seus desatinos; que tornaram nossa estrutura política em um aglomerado confuso de incongruências; que arrancaram um a um os direitos do povo ao invés de aperfeiçoá-los; que entregaram nossa economia a um internacionalismo arruinante e impiedoso; que instalaram sistemas de corrupção inéditos em nossa história como o que temos neste Estado da Guanabara.

Concito-o, pois, como bravo lutador que é, como incansável combatente da democracia, adversário intransigente dos corrompidos e dos viciados, a reformular a sua "Frente Ampla", dispensando o concurso dos Juscelinos e dos Jangos, que só o procuram para explorá-lo, mas levá-la ao encontro do povo, convocando e valorizando novos líderes, em todas as classes e em todos os recantos do país, num movimento unificador da opinião pública em torno de uma plataforma política inspirada na evolução revolucionária que a própria revolução não conseguiu concretizar.

Um forte e sincero aperto de mão,

Ferdinando de Carvalho

1967 – João Goulart

O momento mais tenso da formação da "Frente Ampla" foi sem dúvida quando Carlos Lacerda procurou João Goulart.[113] Juscelino Kubitschek manifestou ao seu companheiro o temor pela provável reação violenta ao terceiro nome do trio. O próprio presidente do partido de oposição, Movimento Democrático Brasileiro (MDB), Oscar Passos,[114] de onde

[113] Carlos Heitor Cony imagina como teria sido o encontro: "Tecnicamente, assistia a um encontro histórico com absoluta exclusividade. Contava pontos para a minha carreira profissional. (...) Mas justamente a cordialidade que não me pareceu forçada nem falsa, me dava a sensação de que aqueles dois homens que haviam empolgado o povo brasileiro com as suas causas antagônicas, estavam desafiando o destino, o Deus da chuva e da morte" (CONY, 2003, p. 31).

[114] Oscar Passos (1902-1994). Militar, nascido na Bahia. Interventor no Acre (1941-1942). Deputado e senador pelo Acre.

se esperava o maior contingente de políticos para a "Frente Ampla", foi taxativo em condenar essa união.

Mas não ficaram perplexos apenas os oposicionistas ligados a Juscelino e Jango, mas acentuadamente os correligionários do próprio Carlos Lacerda. Aliás, é interessante acentuar que as críticas mais fortes vinham do fato de Carlos Lacerda se aproximar de seus adversários e não de estes aceitarem a aliança. Críticos do governo que acompanhavam as acusações do jornalistas não entenderam no primeiro momento essa aproximação.

Dentro do episódio do encontro de Carlos Lacerda com João Goulart, cercado de cautela, receios e expectativas pelo imprevisto, ocorreu um fato curioso que vale a pena ser contado para frisar a insegurança com que Carlos Lacerda abraçou o seu antigo adversário. É dele o que se segue:

> Nessa altura, quando estávamos começando a conversa, ouço assim, do lado da cozinha – o apartamento era pequeno, com sala unida à sala de jantar – ouço uma voz de mulher dizendo assim: "Isso não! Absolutamente! Não, essa não! Isso é demais! Não admito e tal..." Pensei: É a dona Maria Tereza e agora vai encrencar tudo, vai botar água na fervura. Aí vi o negócio perdido. Se ela chega aqui e me desfeiteia e cria um problema, o Jango será obrigado a ficar solidário com ela, e aí vou ser obrigado a ir embora; então fiz tudo isso em vão. Vai ser um problema. Aí entra dona Maria Tereza, que estava voltando do futebol com João Vicente, e parece que o garoto depois do jogo ainda queria ir ao cinema, então ela estava dando a maior bronca no menino. A bronca era com o garoto, não era comigo. Tudo se passou num segundo. Quando ela entrou e parou (evidentemente já estava avisada de que eu estava lá), o Jango disse: "O senhor conhece a minha mulher?", "Não, não tenho essa honra". Ela foi amabilíssima comigo.[115]

[115] LACERDA, 1977, p. 384-385.

Outra curiosidade que revela bem a independência de Carlos Lacerda está no depoimento que prestou na prisão ao responder ao interrogatório no Inquérito Policial Militar no dia 19 de dezembro de 1968:

> Tal a anterior [reunião com Juscelino Kubitschek], de forma pública, sem nenhum subterfúgio ou mistério, dirigiu-se o declarante ao Uruguai, onde encontrou-se com o seu grande adversário, o ex-presidente Jango [assim escreveu o escrivão] e teve com ele uma conversa que honra a ambos, pois não trataram de questões pessoais, nem mesmo de compromissos políticos envolvendo ambições pessoais. Trataram de assuntos que foram objeto de nota conjunta, então divulgada, pela qual se verifica que o ex-presidente Goulart reconheceu o caráter irreversível do movimento de 1964, afirmou o seu propósito de não alimentar ódios, de revanche, e proclamou o seu desejo de encontrar uma solução pacífica para assegurar ao Brasil uma convivência democrática (...) Finalmente [relendo o documento tal qual datilografado pelo escrivão], deseja retificar a expressão "Jango", substituindo-a por sr. João Goulart, pois não tinha com o ex-presidente intimidade para chamá-lo assim.[116]

A verdade é que o movimento não prosperou e foi abortado por atos de força do governo militar.

A "Frente Ampla" só ressurgiu em 1984, no empolgante movimento das "Diretas Já" e já com o poderoso Partido do Movimento Democrático Brasileiro (PMDB)[117] constituído antes. Os partícipes da "Frente Ampla" faleceram antes da reabertura da democracia, mas deixaram o seu aceno em 1967.

---

[116] Depoimento de Carlos Lacerda no Quartel de Cavalaria do Rio de Janeiro em 19 de dezembro de 1968, na presença de dois coronéis do SNI (*Jornal de Brasília*, 8 de setembro de 1999).

[117] Partido do Movimento Democrático Brasileiro, fundado em 1980 pela fusão do MDB e do PP.

O espaço entre a morte do primeiro (João Goulart, em setembro de 1976) e do último (Carlos Lacerda, em maio de 1977) foi de meses, nove por sinal, tempo emblemático para gestação de novos tempos e muitas versões. A versão verdadeira é a realização da "Frente Ampla" imaginada na década de 1960, tardiamente realizada com poucos sobreviventes na década de 1980.

As razões que levaram Carlos Lacerda a se entender com João Goulart estão na nota entregue a um amigo para divulgá-la em momento oportuno. É o que se publica em seguida.

Eis o que me leva a Montevidéu. Se algo me acontecer que me impeça de divulgar a verdade, rogo que divulguem estas palavras.

Encontro com João Goulart[118]

Decidi hoje, ir a Montevidéu para amanhã encontrar-me com João Goulart. As razões da "Frente Ampla" todos já sabem ou pensam saber.

As do encontro em Montevidéu visam aos seguintes pontos:

1. Através do herdeiro político de Vargas, convencer os trabalhadores de que não somos seus inimigos e sim apenas adversários dos métodos demagógicos postos em prática para conquistar o apoio dos trabalhadores.

[118] Eis o resumo da opinião de Carlos Lacerda sobre João Goulart após o seu encontro em Montevidéu: "A impressão que Jango me deixou na ocasião foi muito curiosa: a de um homem que não tinha vontade, como o mestre dele, o Getúlio, com quem ele aprendeu muito truque político, mas ele não tinha, como Getúlio – vamos dizer – a vontade do poder no sentido nietzschiniano do termo. O poder para ele era um pouco a faculdade de ajudar os amigos, chatear os inimigos, mas não o exercício do poder, como tudo que significa como trabalho, preocupação. Isto o chateava profundamente" (LACERDA, 1977, p. 388).

2. Completar a frente com o setor mais numeroso, que Goulart não representa sozinho – longe disso –, mas representa mais que todos os antigos líderes da UDN hoje deitados no regaço duro do governo militar: os trabalhadores.

3. Apressar a transformação do governo militar em governo democrático, sem por isto perder os objetivos da revolução brasileira, que o governo militar traiu ou não conseguiu atingir: democracia e desenvolvimento.

4. Pelo menos fazer provar que sou capaz de unir um país dividido. Pelo menos, fazer um esforço nesse sentido, que justifica todo sacrifício.

Eis o que me leva a Montevidéu. Se algo me acontecer que me impeça de divulgar a verdade, rogo que divulguem estas palavras. Quanto ao resto, está devidamente providenciado, no que se refere a meus assuntos particulares.

No que se refere ao Brasil, só desejo que o mais cedo possível afastem o perigo permanente que é o governo militar e formem um governo civil competente, capaz de resistir às forças dos grupos econômicos americanos e seus agentes nacionais, que nos condenaram a ser por eles ou pelos comunistas. E nós não devemos querer nem uns nem outros. Espero do patriotismo dos militares que eles reconheçam a impossibilidade de tutelar o Brasil e saiam do poder o quanto antes, cumprindo o compromisso que assumiram e que seus chefes traíram: que dêem segurança a um governo eleito pelo povo.

Rio, 22/9/1967 – Carlos Lacerda[119]

[119] Na cópia, a seguinte observação manuscrita: "Escrita na biblioteca de minha casa, esta foi entregue num envelope fechado a meu amigo Joaquim Silveira".

Nota do encontro com João Goulart[120]

25 de setembro de 1967

Tivemos, o dr. João Goulart e eu, convencidos da necessidade inadiável de promover o processo de redemocratização do Brasil, a iniciativa de nos reunirmos em Montevidéu. Sabemos o que significam as privações e frustrações do povo, especialmente os trabalhadores, os que mais sofrem as conseqüências da privação da liberdade democrática. Sabemos o que quer dizer o silêncio de reprovação dos trabalhadores, submetidos à permanente ameaça de serem presos e privados do direito de reivindicar os seus direitos. É preciso que se transforme, corajosa e democraticamente, a estrutura de instituições arcaicas que não mais atendem aos anseios de desenvolvimento do país. É preciso assegurar aos brasileiros o aproveitamento das riquezas nacionais em favor do seu povo e não de grupos internos e externos que sangram e exploram o seu trabalho. Ninguém tem o direito de suprimir pela mistificação, pela usurpação total do dever civil, ou pelo ódio, as esperanças do país revolucionar, pacificamente, os grandes problemas dos nossos tempos.

Pensamos que é um dever usar todos os recursos ao nosso alcance em busca de soluções pacíficas para a crise brasileira, sem cultivar ressentimentos pessoais e sem propósitos revanchistas. Não nos entendemos para promover a desordem, mas sim para assegurar o estabelecimento da verdadeira ordem democrática, que não é a do silêncio e da submissão. Um salário mais justo, mais do que nunca é uma exigência do trabalhador, esmagado pela pobreza, e de todo país para expansão do mercado interno brasileiro.

A retomada do processo democrático pela eleição direta é essencial para combinar, ao mesmo tempo, o direito de decisão que pertence ao povo e a pacificação nacional, instrumento de mobilização

[120] O texto reproduzido está em LACERDA, 1977, p. 459.

do Brasil para o esforço do desenvolvimento com justiça social e autonomia nacional.

Queremos a paz com liberdade; a lei com legitimidade e a democracia não como uma palavra apenas, mas como um processo de ascensão do povo ao poder.

A "Frente Ampla" é um instrumento capaz de atender, com esse sentido, responsavelmente, ao anseio popular pela restauração das liberdades públicas e individuais; pela participação de todos os brasileiros na formação dos órgãos do poder e na definição dos princípios constitucionais que regerão a vida nacional; pela retomada dos esforços para formular e pôr em execução as reformas fundamentais e a reconquista da direção dos órgãos que decidem o destino do Brasil.

A formação desse movimento, uma verdadeira "Frente Ampla" do povo, integrada por patriotas de todas as camadas sociais, organizações e correntes políticas, é a grande tarefa que nos cabe realizar, com lealdada e coragem cívica, mobilizando novas energias e concentrando-as sem desfalecimento para reconduzir o Brasil para o caminho democrático.

Movidos exclusivamente pela preocupação do futuro do nosso país, não fizemos pactos, não cogitamos de novos partidos, nem de futuras candidaturas à Presidência da República.

Conversamos, sim, longamente com objetividade e respeito sobre a atual conjuntura política, econômica e social do país. Não temos ambições pessoais e nem o nosso espírito abriga ódio. Anima-nos tão-somente o ideal, que jamais desfalecerá, de lutar pela libertação e grandeza do Brasil, com uma vida melhor para todos os seus filhos.

Assim, só assim é que evitaremos a terrível necessidade de escolher entre a submissão e a rebelião, entre a paz e a escravidão e a guerra civil. Montevidéu, 25 de setembro de 1967,

a João Goulart e Carlos Lacerda

1966 – Carta à nação em 26 de outubro[121]

Não é uma carta missiva, mas uma carta à nação o que os fundadores do movimento "Frente Ampla" apresentaram para justificar a última tentativa efetiva – infelizmente improfícua – de se pôr fim à ditadura militar no Brasil, fato político pouco comentado pelos historiadores. Pelo que veio depois, percebe-se que os seus signatários estavam com a razão, mas iludidos quanto à aceitação de seu projeto naquele momento. Infelizmente, não foram ouvidos e até asperamente criticados por amigos de ambos os lados. Vieram a ser imitados mais de vinte anos depois.

A justificativa principal da união dos contrários foi a de que numa guerra, numa invasão (ou numa usurpação) todos os cidadãos têm de se unir para ter condições de derrotar o inimigo comum.

Carlos Lacerda, ao ser advertido de que a reação a essa tentativa seria impiedosa, teria respondido que receava isso, mas ainda que ela viesse, o "Manifesto da Frente Ampla" em 1967 poderia ter o mesmo sentido do "Manifesto dos Mineiros",[122] que minou a ditadura de Getúlio Vargas em 1943, cujo resultado só se materializou dois anos depois.[123]

Juscelino, da velha e prudente escola pessedista mineira, achou que a inclusão de João Goulart seria dose excessiva, mas Lacerda entendia que a "Frente" para ser ampla, vito-

---

[121] Escrita em 26, mas divulgada em 27 de outubro de 1966.

[122] "Manifesto dos Mineiros", com 76 assinaturas, foi distribuído clandestinamente em 1943. A reação da ditadura atingiu até as entidades privadas. José Magalhães Pinto, por exemplo, teve de sair da direção do Banco da Lavoura, do qual, juntamente com Clemente de Faria, era dos principais acionistas. Outro fato: a desapropriação do Banco Hipotecário de Minas Gerais pelo Estado de Minas Gerais, dirigido por Pedro Aleixo e Estevão Pinto, decretada a pedido do governo federal para punir os signatários do manifesto.

[123] O ditador foi deposto em 29 de outubro de 1945. O Manifesto é de 1943.

riosa e honesta tinha de ter a chancela de João Goulart,[124] e o não-convite a este soaria como uma espécie de covardia. As mesmas razões levaram-no a solicitar a adesão de Jânio Quadros, que desconversou[125] e não aderiu.

A "Frente Ampla" serviu de pretexto para o recrudescimento dos atos ditatoriais que já tinham germinado numa organização paramilitar dentro das próprias Forças Armadas, que comandavam o país. Os livros de Elio Gaspari sobre a ditadura mostram isso. Não foram a "Frente Ampla" ou assinatura de João Goulart e nem mesmo a ousadia de Carlos Lacerda as causas únicas do Ato Adicional nº 5. O germe inicial da ditadura estava presente nas mentes e nos corações dos dirigentes à espera do pretexto para a implantação da ditadura sem adjetivo.

O Manifesto da "Frente Ampla" pode ser encontrado em diversos livros com ligeiras discrepâncias. Adotamos a versão transcrita por Carlos Lacerda, com a seguinte apresentação:

> Ao povo me dirijo para dar satisfação do que fiz. Procurado por diversos representantes das correntes democráticas, concordei num entendimento que, acima das pessoas e de suas divergências, pudesse definir rumos para o Brasil.
> Por motivos que não me compete analisar, aos quais não está alheia a coação exercida pelo governo que usa os instrumen-

[124] Lacerda, conforme sua lembrança anterior, iniciou a conversa com Goulart, dizendo: "Não seria digno da minha parte eu me aproximar de Juscelino e não me aproximar do senhor, apesar de que, realmente, as coisas que nos afastam, sejam maiores (...) Eu o feri muito e o senhor também me feriu. Mas acho que o senhor representa uma corrente no Brasil e o que me interessa é isto: trazer essa corrente, através do senhor, para o entendimento nacional" (DULLES, 1992, vol. 2, p. 504-505).

[125] "Depois tentei o Jânio Quadros. Mas o Jânio não quis nada com a Frente Ampla". LACERDA, *Depoimento*, 1977, p. 395.

tos do poder para dividir, com ameaças de punição e represálias, vejo-me na contingência de divulgar sozinho este Manifesto a favor da união do povo.[126]

O cuidado de não inserir as assinaturas de Juscelino Kubitschek de Oliveira e João Belchior Goulart pouco adiantou. A redação é de Carlos Lacerda com achegas e correções sugeridas pelos assessores dos demais aliados.

Nosso encontro é mais importante do que as nossas pessoas.

Carta à nação em 26 de outubro de 1966, divulgada em 27 de outubro seguinte

O Manifesto[127]

Em nome do povo brasileiro vimos apresentar o protesto e a reivindicação que ele merece e exige.

Representamos correntes de opiniões que, juntas, reúnem a maioria do povo. Representamos, também, instituições que, perante a história, encarnamos pela mão do povo. Defendemos o voto e a lei, em função da ânsia de liberdade e do progresso social, cultural e econômico que caracteriza o Brasil moderno no mundo em mudança.

Dessa representação nenhuma violência nos pode privar. E o povo precisa que seus líderes falem – para que em seu lugar não sejam ouvidos apenas os que têm medo do seu voto.

---

[126] LACERDA, 1966, p. 63-75.

[127] Essa carta à nação em nome também e principalmente de Juscelino Kubitschek e João Goulart, denominada Manifesto, foi assinada apenas por Carlos Lacerda pelas razões por ele explicadas em 26 de outubro de 1966 e divulgada por ele em entrevista coletiva no Rio de Janeiro no dia seguinte.

Juntos, não somos a mera expressão de uma frente ocasional. Nosso encontro é mais importante do que as nossas pessoas. Temos o dever de dar voz ao povo silenciado. E definir, em seu favor, os rumos que, seja qual for o sacrifício pessoal a fazer, o povo tem o direito de exigir de todos os que tiveram ou aspiram a ter a honra de governá-lo.

Há momentos em que se unir para lutar por todos é a única forma de ser coerente. Assim, diante da invasão. Assim, também, diante da usurpação. Assim, na guerra. Assim, nessa guerra que o Brasil tem de enfrentar; a guerra contra o atraso, o pessimismo, o desalento. Essas forças negativas apropriaram-se do poder. O povo precisa, unido, mobilizar-se para fazer triunfar a esperança de dias melhores.

A nossa união, pessoalmente desinteressada, representando a superação de graves divergências e naturais ressentimentos, é respeitável precisamente porque não é manobra política e, sim, mandado de consciência.

Não foi fácil o nosso encontro. Mas vale o esforço pelo resultado e pelo exemplo. Nossa pessoa é o que menos interessa. As ditaduras vivem da desunião dos que prezam mais as suas divergências do que a liberdade do povo. Por isto, mais do nunca, esquecemos o amor-próprio e a vaidade para falarmos juntos o que a grande maioria do povo sente, pensa e quer.

O exílio e o ostracismo não bastam para exonerar-nos da condição de brasileiros e da obrigação de fixar rumos, ante a decepção e a angústia que se apoderaram do povo. Pode o arbítrio privar alguns ou muitos, segundo a maré do ódio ou as tortuosas conveniências do grupo dominante, do seu direito de influir nas decisões nacionais. Mas, não nos prova nem isenta dos nossos erros e capacidades, esses deveres têm de ser exercidos com lealdade e na hora oportuna, que é esta.

Houve uma "eleição para a qual o povo não deu poderes a ninguém". Tem o povo o direito de saber o que pretendem fazer à sua custa os que se arvoram em tutores do Brasil.

Não nos encontramos para o conformismo nem muito menos para a adesão, como fazem alguns que serviram conosco ou se serviram de nós, mas se ajuntam à usurpação e colaboram com a impostura sem olhar coerência e, sim, apenas conveniência.

Numa hora de evasivas, trazemos uma afirmação. Numa hora de pretextos, trazemos motivação. Numa hora de violência, trazemos uma palavra de paz. Não uma paz imposta, mas uma paz consciente e livre.

Não fazemos a apologia do passado. Nem crítica, nem autocrítica. Apenas ressaltamos que havia um esforço constante de aperfeiçoamento do sistema democrático, ao qual o povo penosamente ascendia no correr do tempo. Esse esforço recebeu a contribuição menor ou maior, no governo ou na oposição, dos signatários e de milhões de brasileiros. Hoje, essa conquista, renegada por alguns, é negada a todos. Depende do capricho de um e do arbítrio de alguns que tal capricho guiam, ao sabor de suas conveniências e peculiares interesses.

Preocupa-nos, nos erros do presente, o comprometimento do futuro do Brasil. Renegar o esforço, já incorporado ao patrimônio do povo, de tantos anos de exemplos e lutas é deixar no país a ferida aberta às infecções totalitárias. Essa tristeza, essa desalentada postura em que ele se encontra, não é senão a véspera de desespero, que leva a tudo. Já o protesto da mocidade brutalmente sufocada é a evidência da inevitável reação do povo.

A eleição foi suprimida e, no entanto, era cada vez mais autêntica. Interrompê-la, agora, é um crime contra a eficácia do processo democrático em que erram os ditadores, os seus erros inevitáveis, mas os corrige pelo próprio uso dos instrumentos da democracia. Os ditadores raramente acertam onde o povo erra. E, quando erram os ditadores, o seu erro quem paga é o povo.

Havia, e urge reacendê-lo, um impulso de fé e confiança do povo em suas próprias forças. Governar deve ser animar. Hoje, é deprimir. Governar deve ser mobilizar entusiasmos e capacidade. Hoje, é desconfiar e improvisar. Havia um certo otimismo criado sem o qual as nações se confessam de antemão vencidas. Esse otimismo precisa ser restaurado. Para isto é preciso substituir no poder os que desprezam o povo porque, não conseguindo inspirar confiança, são pessimistas sistemáticos.

A crise de confiança em nome da qual se derrubou um governo, suspeitado de pôr em perigo as eleições, tornou-se trágica realidade sob o atual governo, que acabou com as eleições. Como pode o povo confiar em quem nele não confia e, para não lhe dar vez, tomou-lhe o lugar?

Revolução autêntica há de ser aquela que dê ao povo maior participação, e não menor, nas decisões que marcam o seu destino.

O povo não quer o que lhe dão, ou seja, um governo subserviente a decisões tomadas no exterior, hostil ao povo e temeroso do seu julgamento, usando abusivamente as armas da segurança nacional, para coagi-lo e imobilizá-lo, implantando a insegurança, a descrença e a ansiedade em todas as classes e em todos os lares.

As desculpas para um regime antidemocrático estão esgotadas. O Brasil repele tutelas e curatelas.

Não há quem não estranhe que se pretenda converter o Brasil em arena para um prélio de oportunistas em busca da supremacia pessoal. Entre o messianismo teleguiado de uns e as evasivas táticas de outros, impõe-se o dever de falar e, com clareza, assumir compromissos e responsabilidades perante o único senhor deste país, que é o seu povo. As próprias decisões da política econômica, em cujo nome tantos crimes se cometem, exigem, para serem eficazes, essa garantia. Pois, como pode a opinião pública nacional e internacional confiar no que desconhece, acreditar no que não se afirma, conhecer o que deliberadamente se pretende ocultar?

Por tudo isso é que nos decidimos a traduzir as exigências do povo brasileiro.

A ele devemos gratidão e fidelidade.

Aos trabalhadores esmagados pela reação, que os expulsou da comunidade como se fossem párias. Foi-lhes negado voz para protestar e voto para decidir. São oprimidos pelo desemprego, pela perda crescente do seu poder aquisitivo, pelo congelamento dos salários, pela instabilidade que agrava a injustiça. Aos trabalhadores declaramos a nossa disposição de realizar essa união para defender o seu direito de existir e de aspirar a melhores condições de vida.

Aos estudantes, para os quais a escola continua a ser escassa, nega-se até o direito de se manifestarem – nessa nação de jovens – com o entusiasmo e o altruísmo da juventude. Aos moços, declaramos o nosso propósito de, juntos, lutarmos para que eles tenham a oportunidade de influir e, participando, preparar-se para tomar conta do que é seu.

Às mulheres, lembramos que os sentimentos religiosos foram explorados pelos que se atiram hoje contra a Igreja, à qual os usurpadores pretendem negar o cumprimento do dever de exprimir o protesto dos injustiçados e dar voz aos que foram silenciados.

A elas e, em geral, à família brasileira, declaramos que a nossa aliança visa à garantia da paz dos povos livres, a paz dos povos confiantes, a grande paz generosa dos povos que deliberam e decidem, diferente da paz do medo, e paz das emboscadas e dos sofismas, a paz dos artifícios legais para destruir a legalidade, a falsa paz dos golpes retrógrados e das revoluções sem programa.

Às classes médias, que se ampliavam e precisam crescer, como elemento e sintoma de equilíbrio e prosperidade numa sociedade democrática, hoje esmagadas e marginalizadas, lançamos esta palavra de convocação e união.

Os empresários, os quadros dirigentes da administração pública e privada, os que dispõem de recursos para investir e tentam formar a poupança para acelerar a formação do capital nacional são menosprezados, mantidos em suspeita, tratados como se alguns ocupantes do poder tivessem o monopólio da integridade e da competência. Aos que criam a riqueza negam tudo a começar pelo crédito. Mas tudo se concede a quem, vindo de fora, compra o que os brasileiros já não podem manter ou já não se animam fazer; e, a título de assessorar os instrumentos dessa ocupação branca, dirigem a nação.

Quanto mais se improvisa mais se mente ao país que só pela verdade terá salvação.

É a longa experiência, contraditória e sofrida, desses brasileiros todos, de todas as classes e setores, que nós reclamamos seja ouvida e respeitada. Incluímos, naturalmente, os militares, cuja tradição democrática não permite que apóiem a usurpação dos direitos do povo. O conceito moderno de segurança nacional inclui as Forças Armadas como participantes ativas do desenvolvimento econômico, pelo aproveitamento econômico, pelo aproveitamento de seus quadros em tempo de paz. Nem isso fez o governo, no entanto chefiado por militar que promove o divórcio entre o povo civil e o militar.

O regime vigente que só se define pela negativa, dizendo-se "anti-subversivo" e "anticorrupto", é antidemocrático e antinacional. Pelo arbítrio, subverte e, pela coação, corrompe.

O espírito retrógrado, a política anacrônica, a subserviência a decisões estranhas ao interesse nacional, a mentalidade reacionária não são a defesa adequada contra o que a maioria repele. Muito menos num país cujo ímpeto é progredir sem prevenções nem subordinações espúrias.

Impor-se ao povo pela força é convencer o povo de que só pela força ele pode recuperar os direitos que lhe foram arrebatados. Não é possível que a força armada seja o único instrumento de constituição e funcionamento de um governo. Não se pode aceitar que 80 milhões de criaturas sejam dirigidas pela coação e pela intimidação. Se o "vácuo político" é que deu ensejo à ocupação do poder pelas armas, é tempo de unir o povo – todo o povo, civil e militar – para acabar com essa anomalia e colocar o Brasil no caminho da democracia. Revolução não quer dizer "recuo" nem "deformação", quer dizer "transformação".

A nossa voz é de protesto e advertência em favor de uma saída democrática para o Brasil – enquanto é tempo. Não queremos a volta ao passado. O que nos move não é a nostalgia nem a ***vindita****.*

Queremos para o Brasil sempre o melhor. Por isto mesmo é que as vozes que lhe deram o exemplo de sua capacidade de luta e afirmação, até os extremos da desunião, unem-se agora para dizer aos brasileiros que é tempo de acabar com a impostura dos falsos salvadores da pátria e da democracia.

Porque o nosso pronunciamento é de união do povo, por convicção e não pela ambição pessoal ou mero oportunismo, cada palavra que escrevemos é medida e visa a exprimir a realidade sentida e vivida pelo nosso povo.

Tudo o que nos separou e pode ainda distinguir aspectos peculiares de nossas convicções, modos de ser e agir, cede ao que é mais profundo e permanente em cada brasileiro, o mesmo sentimento da pátria e o mesmo dever para com o povo que governamos e continuamos a representar.

Reclamamos para o Brasil a instalação de um regime democrático que considere as transformações do mundo atual e seja fiel às peculiaridades nacionais, de forma a permitir a real participação política de todos os setores do povo.

É necessário convocar, a curto prazo, eleições livres pelo voto secreto e direito.

Exigimos respeito às garantias jurídicas e aos direitos individuais. Sobretudo, proteção à pessoa humana, livre de toda coação senão a da lei livremente elaborada e sancionada por representantes livremente eleitos pelo povo.

Consideramos indispensável uma reforma dos partidos e das instituições, para que representem, de fato e de direito, os interesses do povo e não sejam mecanismos frios, vazios de conteúdo, impostos por tutores e não propostos por líderes democráticos. Será o único meio de contar a nação com instituições e partidos autênticos, capazes de não serem empolgados por minoria sociais, grupos financeiros ou forças internacionais.

Afirmamos que a política econômica deve ser inequivocamente ditada só pelo interesse nacional. Nem política "de choques", nem "gradualista". Estas partem de uma noção falsa, a de que o maior, senão único problema, é "salvar" a moeda. Depois do malogro dessa política continuam a insistir na tônica errada como se o erro fosse apenas de aplicação e não de concepção. O que está errado é confundir com inflação os investimentos e despesas indispensáveis à aceleração do desenvolvimento – sem os quais o país passa da pobreza à miséria, com todas as suas conseqüências. Perdendo a nação, não se salva nem a moeda. Não adianta, pois, tentar salvar a moeda condenando a nação à estagnação e o povo ao desespero.

O desenvolvimento econômico é o objetivo central da política que propomos. Não tem cabimento adotar fórmulas rígidas concebidas para países ricos e impostas a países que ainda não enriqueceram. A política econômica para o Brasil tem de visar à expansão do mercado interno, melhores salários para aumentar a capacidade de consumo e incorporação dos setores rurais marginalizados do processo econômico.

A ajuda estrangeira não pode continuar a ser a panacéia com que nos acenam como pretexto para reduzir a capacidade de consumo e a expansão econômica brasileira dentro de suas próprias fronteiras.

Internamente, não se trata de apelar para os ricos nem se queixar porque não dão esmola bastante aos pobres, e sim dar apoio efetivo à criação da riqueza nacional. Isso se consegue pela defesa intransigente dos preços dos produtos que exportamos, pela prioridade nos investimentos e, sobretudo, pela necessidade de fazê-los a curto, médio e longo prazo, segundo prioridade e metas devidamente programadas.

Não advogamos a causa da inflação. Essa é crônica e não tem nem precisa ter dia marcado para acabar. Se não foi extinta com a política do desenvolvimento também não o foi nem será com a política da estagnação.

Nenhum país ainda pobre resolveu seus problemas com a política imposta pelo FMI. Ao contrário. Seus resultados, no Brasil, em dois anos e sete meses, são: desestímulo, desorientação, desemprego, decadência, desordem e desespero.

Aos ricos promete-se, agora, que ficarão mais ricos. Mas ao mesmo tempo são ameaçados de novas taxações. Pois o regime que prometeu estímulo à iniciativa privada declarou guerra ao lucro.

Enquanto isso, os pobres já não têm o que comer e os remediados se empobrecem. Só o Estado, pela arrecadação dos impostos, enriquece. E ainda assim, apenas na aparência. O "equilíbrio" orçamentário não inclui o indispensável aumento dos vencimentos civis e militares, o que basta para mostrar a falsidade. O "saldo" de divisas é apenas o resultado da "falta" de importações por estagnação econômica.

A obsessão de "primeiro arrumar a casa" financeiramente leva a destruí-la economicamente. Não é por meras evasivas que se pode contornar a necessidade de uma definição que exige audácia, confiança e o indispensável apoio popular.

A política econômica a seguir deve basear-se nos recursos nacionais. A contribuição estrangeira deve ser condicionada à sua utilidade real e não às margens da "ajuda" de fora.

O atual governo descapitaliza as forças da produção, contém salários enquanto os preços disparam, nega o crédito e aumenta o custo do dinheiro. É mais certo sacar sobre o futuro numa nação que tem futuro, do que entregá-lo ao domínio de interesses estranhos aos que trabalham e vivem no Brasil.

O tamanho, as dimensões, a diversidade do país impõem a descentralização das aplicações da política econômica. Urge promover autonomia de iniciativa, mantendo-se a ação federal num número estrito, mas indispensável, de atividades decisivas na promoção do desenvolvimento. Para eliminar os focos da inflação crônica é preciso retomar, com as lições da experiência um esforço intenso de modernização do país e conquista de eficiência econômica.

A elaboração de um programa assim concebido, que está na consciência de todos, deve concluir pela formação e aplicação de um Projeto Brasileiro. Este dever ter um sentido de confiança, abandonando corajosamente os erros e com igual coragem aproveitando o que há de válido nas experiências anteriores.

A tarefa a realizar no programa econômico, do qual o financeiro é mero complemento, só será exeqüível se com ela se comprometerem governos, empresários, trabalhadores, militares, o povo inteiro, em verdadeiro movimento político de mobilização nacional. Todo esforço nacional externa e internamente deve concentrar-se nesse programa.

Urge repor o processo do desenvolvimento brasileiro em termos de confiança no esforço nacional, na expansão do mercado interno, na mobilização do povo brasileiro para aumentar a produção e melhorar a produtividade. Os investimentos reprodutivos, quer financeiros quer sociais, não devem ser retardados. Ao contrário, acelerados, só assim se poderá reabsorver o excesso de moeda emitida com acréscimo de riqueza produzida.

É preciso, portanto, que a política econômica seja lastreada pelo apoio popular. Este não pode ser mobilizado pelos que desconfiam do povo e o temem a ponto de marginalizá-lo do processo político.

Afirmamos a necessidade de adotar uma política externa que exclua o Brasil, expressamente, de participação em qualquer bloco político-militar.

Acreditamos que o Brasil, nação emergente, mas que já começa a pesar na balança do poder mundial, não pode ser mero apêndice de quaisquer blocos político-militares.

O único compromisso do Brasil deve ser com a preservação da raça humana, sem discriminação racial sob pretexto nenhum e sem paternalismos de nações sobre nações; e com o desenvolvimento econômico, social e cultural de cada um e de todos os povos.

Afirmamos a necessidade de rever e atualizar o conceito de segurança nacional, de modo que as Forças Armadas participem desse esforço. Insistimos na necessidade de formular uma doutrina militar própria do Brasil, atualizada em relação às suas tarefas em tempo de paz, visando ao bem-estar do povo e ao pleno exercício da soberania nacional.

Reivindicamos a discussão, a proposição de uma política de reformas nas estruturas sociais e econômicas que retardam a aceleração do progresso nacional e a ascensão das forças do trabalho. Esta deve ser a tônica de uma política de paz e reforma democrática para acelerar o desenvolvimento. O Brasil precisa recuperar-se do atraso que lhe vem sendo imposto por pretextos e manobras que não conseguem esconder seu fundo obscurantista.

Tais reformas devem atender a quatro imperativos. O da justiça, no plano social. O da produtividade, no plano econômico. O da consolidação da soberania, no plano nacional. O da unidade básica do povo, para assegurar o fortalecimento da regra democrática: o livre debate, a predominância da maioria, o respeito às minorias e ao seu direito de se transformar em maioria, a convivência dos contrários.

Essas reformas devem ser examinadas com objetividade e franqueza, sem preconceitos nem sectarismos.

Queremos soluções práticas, ajustadas às tradições e às aspirações nacionais. Damos especial ênfase à reforma administrativa, na qual se impõe uma política de preparação de quadros capaz de garantir a execução harmônica e coerente das grandes etapas do crescimento nacional.

Reivindicamos o debate, proposição e aplicação de uma política de educação e ensino que atenda, também, a esses critérios; consagre a síntese entre a tradição cristã e a humanista e dê prioridade à revolução tecnológica, a fim de que o Brasil possa acelerar o passo. O atraso tecnológico de uma nação como o Brasil aumenta os riscos do desaparecimento da soberania nacional e põe em perigo, por isto mesmo, a paz mundial; pois uma nação não se submete sem luta: e a luta, nesse caso inevitável, seria o começo de uma conflagração continental. Não pode o Brasil conformar-se com o papel de satélite tecnológico. É parte essencial da luta pelo desenvolvimento o esforço pela atualização da ciência no Brasil.

Queremos que a nação reúna a experiência dos conservadores, a prudência dos moderados, a esperança dos inconformados, a audácia dos reformadores. Tudo isso unido pela aspiração comum de "democratização" e "afirmação nacional" do Brasil. Só assim se poderá recuperar o tempo perdido e dar agora, em poucos anos de esforço, paciência e fé , o grande salto sobre o atraso que atormenta os brasileiros.

Depois de tantas lutas malogradas, de tantos sacrifícios e tantos êxitos desperdiçados, só um gesto de grandeza, capaz de superar nossas fraquezas e deficiências, será capaz de guiar o povo para encontrar o seu caminho fora do labirinto de silêncios, intrigas e pretextos em que a nação se perdeu.

Se para a recomendação e adoção de tais diretrizes o simples amor ao Brasil é capaz de inspirar este entendimento entre adversários, de prodígios bem maiores será capaz o povo mobilizado e organizado, uma vez recuperada a esperança que perdeu.

Com esse entendimento procuramos dar exemplos de grandeza. Possa o sentimento de dever com a pátria inspirar todos os brasileiros para que juntos consigamos o que separados não poderíamos fazer.

Pela união popular para libertar, democratizar, modernizar e desenvolver o Brasil!

1967 – Carta de Carlos Lacerda a Nascimento Brito do *Jornal do Brasil*

O *Jornal do Brasil*, acompanhando a maioria das publicações, não se entusiasmou com a “Frente Ampla”. Ao contrário, a condenou. *O Globo*, em guerra total com Carlos Lacerda naquele momento, não teve dúvida em atacar a frente, tendo até o mau gosto de publicar a foto de Carlos Lacerda ao lado do cadáver do major Rubens Florentino Vaz para insinuar a traição do líder aos seus amigos militares.

A carta ao diretor do *Jornal do Brasil* reflete a mágoa de Carlos Lacerda pela incompreensão dos formadores de opinião sobre o gesto que ele considerava “heróico” de procurar os adversários para tentar restaurar a democracia. Uma decisão que punha em risco toda a sua credibilidade conquistada durante uma vida inteira. E foi um risco que ele aceitou conscientemente e sofreu, por ele, as conseqüências.

1967 – Carta de Carlos Lacerda a Nascimento Brito do *Jornal do Brasil*

"A questão é não mudar de princípios"

Brito,[128]

A rigor, pelos padrões habituais no Brasil, não devia lhe escrever. Mas insisto – porque não quero que parta de mim um erro; deixo a você o encargo de cometê-lo, por paixão de um minuto de injustiça de que ainda se arrependerá. Seu feroz comentário do JB de hoje é, por si mesmo, uma peça de incoerência e de ligeireza. Você não refletiu no significado da nota de Montevidéu. Lembra-se do que me disse quando chamei a sua atenção para esse aspecto altamente positivo da "Frente Ampla"? Agora que o atingi, tal como lhe dissera, você me ataca. Para quem tem, sobre o Brasil e a capacidade dos homens públicos brasileiros, a opinião desalentada que você tem, é compreensível o seu desespero existencialista. Eu, não; sou talvez mais ingênuo, ou mais crente, o fato é que acredito no valor do exemplo. Você, por não acreditar em ninguém, dá à palavra do Brizola o mesmo valor que dá à minha. Mudar de opinião sobre as pessoas, Brito, não é a prova de incoerência. Senão, que seria de você e do jornal? A questão é não mudar de princípios. Estes não moram nas pessoas; se não, que seria delas? Moram nos movimentos que as pessoas criam, nas conseqüências que eles produzem. A quem descrê do Brasil e da capacidade dos brasileiros pode parecer que o regime militar basta: e talvez até pareça o único possível. Já será esse o seu

[128] Manoel Francisco do Nascimento Brito (1922-2003). Diretor do *Jornal do Brasil*.

caso? O desdém aristocrático pelo povo levará você a entregar-se ao despotismo não-esclarecido?

Seria falso dizer-lhe que não me magoa a injustiça que você me faz. Mas aprendi a esperar a revisão dos conceitos sobre pessoas, sobretudo na medida em que elas têm êxito nas iniciativas que tomam.

O que não creio é que sirva ao Brasil com a ferocidade e a injustiça nascidas do ceticismo e da descrença. Quando nascem de paixão, e do entusiasmo, elas têm cura. Mas, filhas da negação de todo alento, de toda capacidade de confiar e crer, elas são esterilizantes. Se você pudesse me destruir, estaria prestando serviço a alguns. Mas, ao Brasil, não creio. Por isto é que continuo; enquanto achar que posso ser útil, como acabo de ser em Montevidéu. O tempo dirá. Até lá, você julgará minhas aparentes incoerências sem olhar as suas.

Cordialmente,

as) Carlos.

1965 – Pery Bevilaqua

Poucos militares posicionaram-se contra o governo militar e a favor da "Frente Ampla". Entre as exceções, está um general que nunca se omitiu por temor ou conveniência. Poucos entenderam que a mensagem da "Frente Ampla" era de paz e não de guerra e muitos na área militar a entenderam como ato subversivo inadmissível. O general Pery Bevilaqua não entendeu assim e, por isso, foi punido. O cartão de agradecimento de Carlos Lacerda é publicado para ficar um registro de atitudes dignas de militares que participaram do movimento de março de 1964 e discordaram dos rumos tomados pelos usurpadores do poder.

Elio Gaspari fez as seguintes observações sobre a personalidade de Pery Bevilaqua:

Pery Bevilaqua foi malvadamente posto para fora do STM[129] com base no AI-5, poucos meses antes de completar 70 anos, quando seria aposentado pelo calendário. A ditadura acreditou que se livraria dele, mas na verdade foi Pery que se livrou dela. Anos depois, tornou-se um dos líderes da campanha pela anistia. Graças a ele, o Exército brasileiro pode dizer que um de seus generais teve a coragem de falar em anistia na época em que a palavra parecia um estigma.[130]

Cópia de cartão de Carlos Lacerda ao General Pery Bevilaqua,[131] em 19 de dezembro de 1967

Ao general Pery Bevilaqua,
ministro do Supremo Tribunal Militar.
Meu general:

De volta do Sul,[132] leio o seu discurso a propósito do meu. Não tenho palavras para agradecer o alento que me traz a sua palavra, autorizada, desinteressada e honradíssima. Quando me referi aos exemplos de paz entre os brasileiros, no Rio Grande do Sul, pensava exatamente nesses antecedentes dos quais o sr. encontrou e fixou o maior de todos.

Recebe, meu eminente patrício, com os votos de um ano realmente novo, sob reais inspirações, a expressão do meu reconhecimento cívico, respeito e admiração pessoal.

as) Carlos Lacerda

---

[129] Superior Tribunal Militar.

[130] GASPARI, p. 105.

[131] General Pery Bevilaqua (1899/1990). Destacou-se em 1961 apoiando a posse de João Goulart e em 1978 apoiando a anistia.

[132] Carlos Lacerda voltava de Porto Alegre, discurso na Pontifícia Universidade Católica (PUC).

1967 – Carta à senhora Selma W. Warner em 4 de maio

Esta carta, escrita em um hotel de Los Angeles em maio de 1967, confirma os rumores que surgiram no Brasil sobre a nomeação de Carlos Lacerda para o governo Costa e Silva. É um fato que Carlos Lacerda não deixou registrado no seu *Depoimento* e nem *Em rosas e pedras do meu caminho*. O general Costa e Silva tinha assumido a Presidência da República em março de 1967. A carta é de maio. Isso parece confirmar os entendimentos de Carlos Lacerda e Juscelino Kubitschek com o grupo que levou Costa e Silva ao poder, fato ainda não bem esclarecido pelos historiadores. Entra ainda em contradição com o que o próprio Carlos Lacerda escreveu:

> Soube que junto ao senhor Costa e Silva há cretinos pensando que estou falando na necessidade de sua posse imediata como manobra política para me aproximar dele. É preciso parar com esse mau costume de confundir as pessoas. Você bem sabe que não preciso me aproximar de ninguém, pois sei dizer à distância o que preciso que ouçam os poderosos deste mundo instável - que já vi rodar tantas vezes. Não tenho confiança no senhor Costa e Silva. Acho-o leviano com as suas relações, deslumbrado e despreparado. Terei uma grata surpresa se ele receber a "graça de Estado" e melhorar. Mas acho-o até aqui muito ruinzinho, ambicioso e oportunista: receio que o seu governo seja o jubileu da corrupção.[133]

A maior revelação desta carta, além desse fato, é que a união de Juscelino Kubitschek tinha criado raízes e pretendia ser uma árvore a dar frutos políticos. Estavam tratados para

[133] LACERDA, 1966, p. 56-57.

conferências nos Estados Unidos.[134] Ao conteúdo desta carta escrita em inglês, pode-se acrescentar que as providências tomadas por Carlos Lacerda vinham sendo imediatamente comunicadas ao seu companheiro, como se pode ler na correspondência deles que vai publicada mais adiante.

A seguir, trechos das cartas datilografadas por Carlos Lacerda em um hotel nos Estados Unidos.

Selma

Beverly Wilshire Hotel
9500 Wilshire Boulevard, Beverly Hills, California
Los Angeles, May 4th 67
To
Mrs. Selma W. Warner
Wide World Lecture Bureau Inc.
18 East 48th Street
New York City, N.Y. 10017

Dear Mrs. Warner,

I was out of town when your letter did arrive. Now I am answering it first of all to thank you for writing it. Today I am going to San Francisco and will be back in Los Angeles Sunday; here I will stay until May 15th when we will go back to Rio de Janeiro by the Brazilian VARIG airline, straight ahead from Los Angeles.

---

[134] A atração de Carlos Lacerda por Juscelino Kubitschek de Oliveira tinha raízes mais antigas, como deixa parecer este comentário dele: "Nestas alturas, infelizmente para o país, surgiu uma figura extraordinariamente simpática, extraordinariamente insinuante, com uma presença prestigiosa, assim quase irresistível de simpatia humana. Um homem sorridente, um homem afável, um homem que se dava bem com todo mundo, um chamado Juscelino Kubitschek de Oliveira que acabara de realizar um governo, que não foi um mau governo em Minas Gerais; que realizou tudo aquilo que o governo Milton Campos tinha planejado" (1977, p. 151).

I do think it is better to write you from Rio with a few corrections on the proposed text on me ; for instance I never was Minister of Justice and probaly never will be. Then I also would like to propose a few alterations in the draft of our contract; nothing substantial anyway but in order to preserve yours and mine interesr in the success of my tour.

In order to do so may I ask you to brief me on a few points and be so kind as to understand some remarks I would like to make on the proposed draft.

Since I am not keeping a copy of this letter could I ask you to supply my lacking of secretarial help here (I am about to take a plane to Frisco) by sending me a photocopy of my letter to follow your answer a near as it is desirable.

The points I would like to be briefed about are the following.

1. In the eventually of na appointment for some official position in your country by the Brazilian Government I dont think I could take fees to speak about subjac that would be a part of the duties of that hypothetical appointment. Nor do I think your Wide World Bureau should be penalized because of that. In that case, then, wat could we do? Please believe this is just an hypothetical thing that may or may not happen – but I think it is my duty to figure out. Could we include a clause that in case of any official appointment that will require my presence in the U.S. during the period of my leetures you will charge those concerned with just to cover your 33 and one-third percent and the remaining fee will be estipulated in the contract that will be for fellowships for one or more Brazilian students in the U.S.? That will be a safe way to keep my engagement towards you without violating what I would consider then a duty free, of fees. What you think about it? If you agree would you be so kind as to formulate that clause? Forgive my insistence but I must repeat this is just hypothetical; I must tell you confidentially that there are rumors of an invitation to me for na official position in the U.S. or at least in the U.S. territory; actually I dont have had any invitation and if it comes I will have to consider many things before accepting or refusing it as I did in the recent past, when I was invited to be the bead of the Brazilian delegation to the United Nations. It must be clear that if any thing of that kind happens na if I will think it is my duty to accept any such missions it will be for me even more interesting to speak to American aundiences; then the Wide World Bureau will be even more useful to me. It is clear?

2. Clause 3 of your draft, combined with clause 8. If I do understand it correctly you will provide that I 9or the Brazilian students...) will get a minimum of US$ 5000 for the lectures in whole. Now let us see together. The ticket Rio – New York – Rio is about 700 dollars. Giving a month to the tour at a rate of 50 dollars per day (hotel, transportation by land, food, etc.) I will have more 1.500 dollars on me. I think we may custimate that air transportaion inside the U.S. to fill my commitmentswill represent na average of 500 dollars in a month if I guess it right. That will make a total expense of say US$ 2000. I dont know exactly what the US. Treasury will take of that US$ 5000 dollars but I do know what the Brazilian Treasury will take of the remaining dollars if any will be left over. At leats a total amount of say US$500. Now, if Wide World Lecture Bureau take as I think is is absolutely right a 33 and one third percentage rate of the US$5000, that will represent about 700 dollars, more or less. So, from 5000 dollars I will have to disecount the expenses to the tour, about $2000, plus your percentage about 700 plus Incometax (American); I think from a month work just a few dollars will be left. How to make ends meet? In the case of Mr. Kubitschek he was already here; and had no professional fees to consider, while I am a professional writer. Could you cooperate in finding a way of having some dollars left of a month work? That will be valid anyway, I mean even in the eventualitymentionned in point 1 of this letter.

3. Re: clause 10 of your draft. Do you think I can speak for one hour without reading? Well, I will try anyway.

4. As for the suggested Lecture Subjects. I fully agree on the importance of mentionning Communism. But I do think it will be more interesting to mention Commnism as na issue rather than a "threat". Could I suggest to change the title to something like The struggle for Democracy in Brazil or Brazil: Reforma and Disent. Something that will imply that Communism is not the only and sole problem we have to face. I hope, more, I do think you cand find a good title for that.

It is clearly undesrtood that as for the remaining clauses I have no word to say. Of course when I have your answer and I will write to you with the final contract single I will send you a draft or rather a proposal for your text on me. There are, I believe, a few points to add and some stight corrections to make: for instance I never spoke at Cornell but I did it at Georgetown university.

I do hope you can send me your remarks on this letter before I leave. The address it the Bervely Wilshire Hotel, apt. 312.

Thank you for your attention; I do think we will be mutually on our association. With my best regards I remain

Cordially yours[135]

Carlos Lacerda

[135] Tradução: Los Angeles, 4 de maio de 1967. Para sra. Selma W. Warner, 18 East 48th Street, Nova York City, N.Y. 10017. Prezada senhora Warner, Eu acho melhor escrever-lhe do Rio com algumas correções no texto proposto; por exemplo, eu nunca fui ministro da Justiça e provavelmente nunca serei. Também gostaria de propor algumas alterações no esboço de nosso contrato, nada substancial, mas de qualquer forma útil para preservarmos nossos interesses no sucesso de minha viagem. Para poder fazê-lo, peço que esclareça alguns itens e considere algumas observações que eu faço: Não tenho como guardar uma cópia desta carta, então peço a gentileza de enviar-me uma (cópia) juntamente com sua resposta, tão rápido quanto possível (estou sem ajuda de uma secretária, e embarcarei logo para Frisco). A seguir seguem os itens que gostaria de comentar: Na eventual indicação para algum cargo oficial pelo governo brasileiro, eu acho que não deveria cobrar honorários para falar sobre assuntos que fariam parte das obrigações dessa nomeação. Nem acho que a Wide World Bureau deva ser prejudicada por isto. Neste caso, o que faremos? Por favor, acredite que é apenas uma hipótese e que pode ou não acontecer. É meu dever, porém, esclarecer. Poderíamos incluir uma cláusula especificando que em caso de uma nomeação oficial que exija a minha presença nos Estados Unidos durante o período de minhas conferências vocês cobrarão apenas o necessário para cobrir seus 33 e 1/3 por cento e a taxa restante será estipulada no contrato para a concessão de bolsas de estudos para um ou mais estudantes brasileiros nos Estados Unidos. Cláusula 3 do seu esboço

Procurador Gildo Ferraz

No Brasil, há quarenta anos, a supremacia da TV Globo tem sido indiscutível, incontrastável e desafiadora. O ofício ao procurador Ferraz revela a origem desse poderio que, como muitos outros, nasceu de uma forma pouco clara. Uma origem algo confusa. Por esse ofício, os leitores poderão tomar conhecimento de um fato praticamente desaparecido da memória nacional, embora bem-documentado e verificável nos anais do Congresso e nos Arquivos da Presidência da República.

John W. Foster Dulles, com a sua cuidadosa forma de narrar, resume o caso da seguinte forma:

> Já em 25 de novembro de 1964, Carlos Lacerda chamara a atenção de Castello para o "escândalo". Pouco depois dessa data, e com a ajuda do advogado Luiz Gonzaga do Nascimento e Silva,[136] a TV Globo e Time-Life "substituíram" seu contrato principal, uma [sociedade em] conta de participação [*joint*

combinada com a cláusula 8. Se eu entendi, vocês estão estimando que eu (ou os estudantes brasileiros...) receberemos no mínimo US$ 5.000 por todas as conferências. Agora, vejamos: A passagem Rio-Nova/York-Rio é aproximadamente de US$ 700. Um mês de viagem, avaliado em US$ 50 por dia (hotel, transporte terrestre, alimentação, etc.). Levarei mais US$ 1500 comigo. Acho que devemos estimar que o transporte dentro dos Estados Unidos representará uma média de US$ 500 por mês, se eu estiver correto. Não sei exatamente o que o Ministério da Fazenda dos Estados Unidos irá descontar dos US$5000, mas sei que o Ministério da Fazenda do Brasil ficará com o restante, se houver. Pelo menos um total de US$ 500. Agora, se a Wide World Lecture Bureau fica com 33 e 1/3 por cento de US$ 5.000, o que acho correto, isto representará cerca de US$ 700 mais ou menos. Então, de US$ 500 terei que descontar as despesas de viagem, cerca de US$ 2.000, mais a porcentagem de vocês que é cerca de US$ 700, mais imposto (americano); acho que em um mês de trabalho apenas poucos dólares sobrarão. Como faremos para encontrar uma saída? No caso do sr. Kubitschek, se ele estiver aqui e não podendo cobrar honorários profissionais? Eu sou um escritor profissional e posso. Será possível encontrar outra maneira de conseguirmos alguns dólares a mais por um mês de trabalho? De qualquer forma, valerá a pena, me refiro também à eventualidade descrita no item 1 desta carta, Carlos Lacerda.

[136] Luiz Gonzaga do Nascimento e Silva (1915-). Advogado. Ministro da Previdência do governo militar.

venture] assinada em 1962, por um novo contrato. Conforme esse novo documento assinado em 15 de janeiro de 1965, a TV Globo usaria um prédio no Rio que vendera ao Time-Life, e pagaria, a título de aluguel, uma quantia que deveria somar a maior parte das despesas do Time-Life no Brasil, e mais 45% (quarenta e cinco por cento) do lucro da TV Globo. A TV Globo foi ao ar oficialmente em abril de 1965. Em 19 de junho de 1965, o ministro da Justiça Milton Campos informa que o requerimento de Lacerda para o fechamento da TV Globo estava entregue ao Conselho Nacional de Telecomunicação (Contel). Este após certa demora conseguiu obter cópia do extinto "contrato principal", mas só recebeu cópia do contrato de arrendamento no final de janeiro de 1966. (...) Entrementes Marinho recebeu empréstimos do Time-Life que alcançaram um total acima de quatro milhões de dólares no final de janeiro de 1966.[137]

Roberto Campos, em seu livro de memórias, procura inocentar o governo afirmando que ele próprio, ministro do Planejamento, e com ele o governo Castello Branco foram surpreendidos pela transação negociada e firmada por Roberto Marinho em Nova York sem o prévio conhecimento deles:

> Os últimos e bizarros episódios têm a ver com o nascimento da TV Globo. Os grandes avanços tecnológicos da Televisão de Roberto Marinho se deveu (sic) em parte ao acordo de cooperação técnica e financeira com o grupo Time-Life. Os entendimentos foram todos feitos em Nova York diretamente por Roberto Marinho (...) Só vim a saber do acordo por telefonemas de despedida de Roberto.[138]

---

[137] DULLES, 1992, vol. 2, p. 358 e ss.

[138] CAMPOS, 1994, p. 525: "Os entendimentos foram feitos em Nova York diretamente pelo dr. Roberto Marinho, à base do seu crédito pessoal, sem qualquer participação da Embaixada em Washington (...) Só vim a saber do acordo por telefonemas de despedida do dr. Roberto". Na página 832 do mesmo livro, observa sobre a transação independente de Roberto Marinho: "No caso fiquei como o marido enganado, fui o último a saber".

Fraca defesa. Pior a emenda do que o soneto. Se o governo não compactuou com a transação de concessão dependente de sua autorização, aceitando o fato consumado, foi no mínimo omisso.

Foster Dulles prossegue na sua narração:

> Em outubro de 1965, 141 deputados assinaram um documento para criação de uma Comissão Parlamentar de Inquérito (CPI). Essa CPI ouviu depoimentos prestados por Carlos Lacerda, Roberto Marinho e o presidente da Contel. Em agosto de 1966 concluiu, por unanimidade, que os contratos da TV Globo com o grupo Time-Life infringiu (sic) a Constituição brasileira. Entretanto, as comissões criadas por ordem de Castello mostraram-se menos certas desta conclusão.

O ofício de Carlos Lacerda ao procurador Gildo Ferraz alerta sobre o risco do desvio dos rumos da apuração da responsabilidade do denunciado. É que a Comissão Parlamentar de Inquérito, depois de constituída para aquele fim, ampliou os seus objetivos. Essa ampliação poderia levar, como levou, à não-apuração da culpabilidade de Roberto Marinho no que tange a denunciada infração da Constituição. E foi isso que acabou acontecendo.

A divergência de Carlos Lacerda com o dono da TV Globo vinha de mais longe. Houve um tempo em que os seus interesses coincidiram. A Rádio Globo abriu o seu microfone ao jornalista, que vinha angariando popularidade com o seu combate à corrupção do governo municipal do Rio de Janeiro. Combate extensivo ao governo federal no fim da década de 1940 e no início da de 1950. Carlos Lacerda se tornou conhecido de boa parte do Brasil graças à Rádio Globo, e essa passou a ser ouvida por um público mais amplo e mais politizado, deixando de ser uma emissora do Rio de Janeiro para ser de todo o Brasil.

A grande trombada entre os dois formadores de opinião – Lacerda e Marinho – ocorreu de forma contundente na década seguinte, quando o governo da Guanabara desapropriou o Parque Lage, que Roberto Marinho comprara do espólio do armador Henrique Lage[139] e nele pretendia fazer um loteamento de fino trato. Vamos nos socorrer mais uma vez de Foster Dulles:

> Grande parte do Parque Lage, com centena de milhares de metros quadrados de florestas na Zona do Jardim Botânico no Rio, fora adquirida dos bens de Henrique Lage pelo Banco do Brasil, anos atrás. Quando o Banco vendeu essa propriedade em leilão, no princípio de 1960, quem a arrematou foi uma firma cujas principais ações estavam em mãos de Roberto Marinho e de Arnon de Mello,[140] governador de Alagoas. Um total de 552.000 metros quadrados na proximidade do morro do Corcovado, incluindo uma soberba mansão de mármore, tornaram-se propriedade dessa firma imobiliária pela quantia de cerca de Cr$300 milhões (1,6 milhão de dólares) pagos em parte à viúva de Lage e em parte a pagar futuramente ao Banco do Brasil. Embora o Serviço do Patrimônio Histórico e Artístico Nacional tivesse previamente tombado a área, exigindo que permanecesse Parque e tornando-a dessa forma sem nenhum interesse para empresários de imóveis, Marinho obteve do presidente Kubitschek o destombamento, dando assim à propriedade, um enorme valor. Marinho fez um projeto de loteamento do Parque.[141]

[139] Henrique Lage. Armador brasileiro que se casou com a cantora Benzanzoni Lage, herdeira de grande parte da fortuna legada por ele.

[140] Arnon de Mello (1911-1983). Político alagoano, pai de Fernando Collor de Mello, presidente da República que sofreu *impeachment*.

[141] DULLES, 1992, vol. 2, p. 296. Carlos Lacerda em *Palavras e ação*, na Introdução, assim se refere ao episódio: "Defendi o Parque Lage para a população. Por isto o dono do Parque Lage, também dono de um grande jornal, lançou o seu jornal contra a minha candidatura".

Lacerda, na campanha para o governo do Estado da Guanabara, prometeu conservar como bem público o Parque Lage; Marinho, porém, pouco antes da eleição de Lacerda, obteve do secretário de Obras Públicas, Ivo de Magalhães,[142] licença para dar início ao loteamento. Governador, Lacerda examinou todos os documentos relativos à licença e verificou, disse ele, que "todos os pareceres existentes no processo, menos o de Ivo de Magalhães", se mostravam contrários à liberação do Parque para a iniciativa privada."[143]

A derrota do candidato à sucessão de Carlos Lacerda à governadoria do Estado da Guanabara, em 1965, foi benéfica a Roberto Marinho, que afinal pôde voltar ao seu empreendimento imobiliário em bem-sucedida sociedade com Arnon de Mello, político alagoano e grande empresário. Com a voz cerceada de Carlos Lacerda, pouca coisa se falou a respeito da continuidade do domínio de Roberto Marinho e Arnon de Mello sobre o Parque Lage.

Carlos Lacerda na sua forte argumentação comparou a atuação de Roberto Marinho dominando a comunicação no Brasil na década de 1960 ao episódio da *Última Hora* que ele denunciara e combatera em 1954:

> Em suma, fazia-se naquela ocasião com a imprensa o que Castello Branco garantiu, de 1964 para cá, a Roberto Marinho e ao grupo americano que é dono da TV Globo, com o rádio e a televisão.[144]

A comissão nomeada pelo presidente da República para apurar o ilícito praticado por Roberto Marinho chegara tam-

---

[142] Ivo Magalhães. Prefeito de Brasília no governo Goulart. Cassado, refugiou-se no Uruguai. Foi um dos intermediários que levou Carlos Lacerda ao ex-presidente no encontro de Montevidéu para o lançamento da "Frente Ampla".

[143] DULLES, 1992.

[144] LACERDA, 1977, p.

bém à conclusão de que o negócio com o Time-Life tinha sido irregular, como irregular fora o ato administrativo praticado por Ivo Magalhães,[145] liberando o Parque Público para a iniciativa privada. Não obstante a evidência das provas, a vitória de Roberto Marinho foi completa em ambos os casos, pois nenhum inquérito chegou ao fim. E mais vitorioso ainda ficou o proprietário das Organizações Globo com a derrota do candidato de Carlos Lacerda nas eleições de 1965 no Estado da Guanabara. De vitória sobre vitória, a última seria a da campanha desfechada pelo jornal O *Globo* contra a "Frente Ampla", seguida da cassação dos direitos políticos de Carlos Lacerda, em 1968, por dez anos.

A lei me obriga a prestar depoimento. A redigir relatório, não.

Rio de Janeiro, 15 de fevereiro de 1966[146]
Ilmo. sr.
procurador Gildo Corrêa Ferraz
presidente da Comissão de Investigação
Ministério da Justiça e Negócio Exteriores
Rio de Janeiro
senhor Procurador

Recebi seu ofício 19-22/b/66, de 9 de fevereiro, no qual V.Sa., presidente da Comissão "instaurada para apurar denúncias sobre a

[145] É o que registra o *Dicionário histórico geográfico brasileiro*, 2. ed. ver. e atual., vol. III, p. 385-386.

[146] Esse documento encontrado no Fundo de Arquivo Carlos Lacerda está sendo reproduzido com uma ressalva. O documento datilografado e assinado por Carlos Lacerda, tal como está arquivado, é o que se vai ler, mas sobre esse documento há vários acréscimos e cortes feitos por seu autor que levaram os organizadores a concluir que serviu para um outro ofício a outra autoridade ou pessoa interessada

infiltração de capitais estrangeiros nas empresas jornalistas e emissoras de rádio e televisão," pede que eu forneça "os elementos que possua sobre o tema objeto das investigações, através de relatório circunstanciado". E acrescenta que, "se for necessário", serei "oportunamente convocado para outros esclarecimentos".

Em resposta devo dizer-lhe o seguinte:

1- Não estou à disposição do governo para redigir relatórios. A lei obriga a prestar depoimento. A redigir relatório, não.

2- A extensão dos termos que fundamentaram essa portaria criando essa Comissão dilui o objeto da investigação. O resultado, duplamente negativo, é a impunidade dos violadores da lei e a coação sobre a totalidade da imprensa e das emissoras. Tal como foi feito com o Ato nº 2, que a pretexto de ameaçar alguns, oficializou a covardia e institucionalizou a corrupção pelo temor ***do arbítrio. O combate à corrupção é feito segundo a conveniência da politicagem. O arbítrio que a revolução pôs nas mãos do governo está sendo usado em favor da corrupção e politicagem mais sórdida.***[147] *Foi o que acabou de dizer, com a bravura costumeira o general reformado Geyer de Azevedo,*[148] *em memorável carta ao marechal Castello Branco.*

3- Em vez de investigar o objeto de denúncias documentadas, que o marechal Castello Branco, há cerca de um ano, conhece tão bem quanto eu, ou seja, o fato determinado a que se refere a lei sobre inquéritos parlamentares, generalizou-se a investigação de tal modo que ela está fadada a malogro, terminando por um desses relatórios que dizem muito, concluem pouco e resultam em nada.

---

no assunto. Aumenta a curiosidade de quem o manuseia a verificação de que dois acréscimos manuscritos vêm com a rubrica inconfundível C. Lacerda, como a querer ratificar o acréscimo ou supressão. A cópia desses acréscimos é publicada tal como foi encontrada no Fundo de Arquivo.

[147] O que está em negrito foi acrescentado de forma manuscrita em letra bem legível de Carlos Lacerda.

[148] Não identificado.

4- O governo, isto é, o marechal Castello Branco e o Contel conhecem tão bem quanto eu esse assunto. Pois ambos possuem as certidões de negócio entre Roberto Marinho (**O Globo**) e Time-Life. O fato de haver sido roubadas do cartório as páginas de uma das escrituras não altera o fato de que o marechal Castello já conhece a verdade sobre isto há muito e possui as duas certidões (**inclusive a que foi rasgada do livro do Cartório**). Trata-se portanto de uma hipocrisia o propósito de apurar o que ele já conhece e obter documentos que ele já possui.

O governo Castello Branco usa pessoas honradas para fins desonestos e pessoas desonestas para fins honrados. **Em vez de punir Roberto Marinho por crime praticado e devidamente comprovado**, obtém a cumplicidade de Marinho na usurpação do poder e na traição aos objetivos da revolução, em troca da impunidade e do lucro ilícito que obtém por processos ignóbeis. O "acordo entre cavalheiros" entre o governo Castello Branco e Roberto Marinho – que continua carregando a Ordem Nacional do Mérito –, é uma vergonha para o marechal Castello Branco.

Transformou-se a objeto da investigação numa ameaça global sobre a imprensa, todo o rádio e todas estações de TV, acrescentando assim um novo instrumento de pressão do governo sobre a liberdade de informação e crítica.

Nada tenho de "reservado" a dizer a V. Sa., tudo que sei é de interesse público conhecer. A divulgação dos fatos que conheço é mais importante, até, do que a eventual e mais do que duvidosa punição dos culpados, a cujo poderio o sr. Castello Branco se submeteu. **Portanto**, quando me quiser ouvir publicamente estou às suas ordens, no dia e pelo tempo que lhe parecer necessário. **Creio mesmo que se o segredo é alma do negócio, a divulgação é a alma de uma investigação sobre negócios contrários à lei e ao interesse nacional, como os de Marinho com o Time-Life".** O segredo só pode beneficiar a continuação da barganha que o governo está fazendo com os corruptos: a impunidade em troca da ajuda para impedir a renovação do Brasil.

O assunto é discutido em público, os documentos de cartório são arrancados das páginas dos livros oficiais de registros – e Comissão faz uma investigação em segredo!

Em resumo*, se deseja meu depoimento, queira V. Sa. tomá-lo na boa e devida forma das leis que regulam a matéria, assegurada a divulgação para que eu não seja – mais uma vez – vítima dos serviços que procuro prestar. E não se beneficiem com o meu risco e sacrifício, como se têm beneficiado, os que barganham apoios e impunidades, dando-se as mãos, a corrupção e a traição, para destruir os que ousam denunciar a primeira e desafiar a segunda.*

Há cerca de um ano o atual presidente da República, assegurou-me, por escrito, que ia mandar investigar o caso Roberto Marinho-Time & Life. Mas, também nisto faltou à sua palavra. A tardia investigação, agora montada, dilui o seu objeto para converter-se em instrumento do coação sobre todos e de reforço ao negócio de Marinho, que se dilui no vago e indeterminado objeto de uma investigação abusivamente generalizada.

O fariseu que exerce a Presidência da aumenta assim o poder de coação sobre a imprensa, em benefício dos corruptos e dos que ajudam a implantar o novo Estado Novo.

Não creio possível nem desejável, do ponto de vista do interesse nacional que a venalidade de Roberto Marinho e a violação que ele faz, todos os dias, da Constituição Brasileira sejam objeto de segredo. É ridículo que a esta altura se procure apurar, reservadamente, fatos que são do conhecimento geral.

No inquérito, deverá ser ouvido o marechal Castello Branco para saber porque, depois de ter em mãos a prova, agora finge querer apurar.

Aguardo o resultado da investigação, em cartório, sobre o roubo das páginas de uma das escrituras do Time & Life em favor de Roberto Marinho. V.Sa. poderá obter com o marechal Branco a certidão da escritura agora arrancada do livro do Cartório. Pois ele a possui, mandada

por mim – há vários meses. *O que não o impediu de celebrar com Roberto Marinho e Walter Moreira Sales e* ***outros líderes da sua caricata e estúpida "revolução"****, em jantares na casa do sr. Ortenblad*[149]*, a transformação da revolução numa aventura na qual alguns brasileiros e americanos, ligados pela cobiça e pelo sórdido imediatismo, estão jogando fora a paz, a liberdade e a unidade do continente americano. Pois, não tenha dúvida, o domínio da imprensa no Brasil por grupos americanos e seus agentes vai gerar, para desgraça de todos que prezam a liberdade, uma reação violenta que, cedo ou tarde, será o resultado desse crime internacional que está cometendo no Brasil. E isto não será "reservado". Nem se salvará por meio de relatórios.*

À sua disposição para qualquer esclarecimento público, darei divulgação a esta carta para acabar com a comédia de segredos sobre o que toda gente conhece.

Cordialmente,

Carlos Lacerda.

1965- CARTA A GEOFREY WALLINGER

Carlos Lacerda parece que teve muita alegria intelectual ao traduzir o drama *Julio César*, de William Shakespeare. Repudiou as críticas recebidas no Brasil e ousou enviar o texto traduzido para gregos e troianos e especialmente para amigos ou conhecidos ingleses. O livro de Shakespeare traz o episódio do discurso de Marco Antônio, o qual Carlos Lacerda sempre procurou comparar com a situação vivida por ele. Em várias oportunidades, referiu-se e comparou o que se passou no Brasil em 1954 com o suicídio de Getúlio Vargas e aquele discurso que provocou a imediata mudança da opinião públi-

[149] Ortenblad, referido em outra carta.

ca sobre as vítimas e os seus algozes. A vida imita a arte, na frase consagrada de Oscar Wilde.[150] No drama, foi um discurso, na vida, um suicídio que mudou a história.

As cartas escritas a conhecidos seus da língua inglesa não deixam de ser manifestação narcisista de quem parece esperar elogios por um trabalho ousado que lhe deu grande alegria. Seria uma compensação pelas críticas mordazes que ele recebeu e que alegava ser irrelevantes. Críticas, porém, que ele não se esqueceu e procurou desmerecer,[151] especialmente aquelas que chamaram a atenção para alguns cacófatos evitáveis:

> Quando saiu minha tradução de *Julio César*, de Shakespeare, um baiano inteligente, mas ranheta, quis fazer comigo o que Carneiro Ribeiro fez com Rui Barbosa; na briga dos baianos, o primeiro levou com a réplica na cabeça. Mas prefiro aprender Rui a aprender gramática. Gostei, sim, alguma coisa de Cristomacia Arcaica, os Cantores de Dom Diniz, essa língua arcaica que é a do povo de outrora, seu recado através dos séculos. Um desconhecido também me escreveu apontando vários cacófatos na tradução. E Camões dizia "Alma minha que te partiste"? E Filinto Elisio: "La trinam aves..."

Rio de Janeiro
December 27, 1965.
Dear Sir Geoffrey:[152]

I trust you have by now received my letter of December 13th, giving you a complete report on my present status and informing you of my present and future plane.

---

[150] Oscar Wilde (1854-1900). Controvertido escritor inglês. Poeta, teatrólogo e frasista famoso. Entre outras obras: *O retrato de Dorian Gray.*

[151] LACERDA, 2001, p. 98.

[152] *Sir* Geoffrey Wallinger, da direção do Bank of London & South America Ltd, em Londres.

I am eclosing herewith a popy of the book "Julio Cesar", which I have dared translate from William Shakespeare's original. It was, I may say, quite a challenge, but gave me the greatest pleasure.

I have also recorded a few of the parts I liked best in the book. Under separate cover, I am forwarding you a copy of such a record.

May I take the opportunity of wishing you and Lady Wallinger a Happy New Year.

Sincerely yours, [153]

Carlos Lacerda

1965 – JÚLIO MESQUITA

O tema da economia política volta nessa carta na desesperada argüição dos equívocos que a ortodoxa política implantada por Roberto Campos e Otávio Bulhões[154] estava levando o país. A política do governo Castello Branco dividiu profundamente os velhos combatentes antivarguistas, remanescentes da UDN. A cúpula deste partido apoiava abertamente a política do governo Castello Branco; na oposição

[153] Tradução da carta de Carlos Lacerda ao senhor Geoffrey Wallinger: "Rio de janeiro, 27 de dezembro de 1965. Prezado senhor Geoffrey, Acredito que já esteja em seu poder a minha carta de 13 de dezembro, dando-lhe um completo relatório da minha situação atual e informando-lhe os meus planos presentes e futuros. Estou incluindo nesta um exemplar do livro *Júlio César*, que eu ousei traduzir do original de William Shakespeare. Este foi, posso dizer, um grande desafio, mas que me deu um grande prazer. Eu também gravei algumas partes que eu mais gostei do livro. Em separado, estou lhe remetendo a cópia desta gravação. Aproveito a oportunidade para desejar-lhe e à sua senhora Wallinger um feliz Ano Novo. Sinceramente seu, Carlos Lacerda. 1965".

[154] Otávio Gouvêa Bulhões (1906-1990). Economista. Ministro da Fazenda no governo Castello Branco e integrante da equipe econômica do governo Café Filho, responsável pela introdução da medida de importação livre de equipamentos por meio da instrução 113 da Sumoc.

ficou apenas a voz enfraquecida de Carlos Lacerda. Voz enfraquecida, mas irritante que se tornou insuportável quando Carlos Lacerda buscou aliança com os seus tradicionais adversários, Juscelino Kubitschek de Oliveira e João Belchior Goulart.

A "Frente Ampla" formada por esses líderes foi a última tentativa para sustar o prosseguimento da ditadura. Esse derradeiro gesto não conseguiu a adesão esperada dos políticos e nem da população. Foi nessas circunstâncias que Carlos Lacerda, negando a sua proclamada acuidade política de ver antes dos outros o que iria acontecer, ofereceu um armistício aos detentores do poder.

Como se vê, uma proposta sem garantia, salvo o aval do destinatário da carta, Júlio Mesquita, que por sinal antes se postara contra o movimento de aproximação com Juscelino e João Goulart comandado por Carlos Lacerda.

A liquidação implacável da "Frente Ampla" veio em seguida com a decretação de sua ilegalidade, acompanhado do AI-5,[155] que sepultou de vez as esperanças de um retorno à democracia.

A carta de Carlos Lacerda não é o melhor documento político produzido por ele e nem faz jus à sua reconhecida inteligência. É mais um sinal do desespero do náufrago a se apegar ao primeiro toco flutuante para salvar-se.

---

[155] Ato Institucional nº 5, promulgado em 13 dezembro de 1978.

Preparação do país para a volta ao poder civil.

Carta para Júlio Mesquita Filho em 5 de outubro de 1967

Rio de Janeiro, 6 de outubro de 1967
Dr. Júlio Mesquita

Meu querido e eminente amigo,

Acabo de ler o editorial do ***Estado*** *de hoje, dia 5. Escrevo-lhe antes de conhecer o resultado da reunião que a esta altura deve realizar-se entre os políticos da Arena e o presidente da República. Tal reunião, segundo o noticiário confirmado pelo* ***Estado****, destina-se a encarar as soluções a serem propostas pelos cabeças do grupo político que apóia incondicionalmente o governo, para enfrentar em termos políticos, e não meramente policiais, a "Frente Ampla" que propusemos e criamos.*

Segundo noticiado, propõe-se a Arena a obter do marechal Costa Silva providências sobre os seguintes pontos:

1. Reforma constitucional para o restabelecimento do direito do povo de escolher o governo em eleição direta – conforme o compromisso assumido pelas Forças Armadas com o povo, em 31 de março de 1964, e por elas, depois e até agora, descumprido.

2. Medidas destinadas a devolver aos que vivem de salário o que lhes foi tomado pela inflação, de modo a estabelecer equilíbrio e restabelecer a justiça e a verdade salarial – tal como se fez com as tarifas de serviços públicos e os lucros do capital, tarifa e lucros ajustados à moeda, enquanto os salários, não. Essas medidas destinam-se, aliás, não somente aos que vivem de salário, por dever de justiça, mas às próprias empresas, cuja produção depende da capacidade aquisitiva da massa de consumidores, gravemente atingida pelo desfalque em seus salários.

3. Preparação do país para a volta ao poder civil, juridicamente e democraticamente constituído, com o restabelecimento da lei, do direito de defesa, das normas democráticas de governo da maioria e respeito ao esforço da minoria para se transformar em maioria, único meio eficaz de instaurar e manter, ao mesmo tempo, a ordem e a liberdade.

Não sei se isto é o que será realmente proposto e menos ainda posso adivinhar se isto será aceito. Temo que as preocupações sejam bem diversas e, de acordo com os precedentes, apenas se cogite de abrir a administração ao baixo eleitoralismo e à barganha da politicagem, como preço de sua mobilização contra o movimento popular que é a "Frente Ampla".

Mas não quero que falte a essa tentativa a nossa contribuição. O propósito que me levou a contribuir para a formação da "Frente Ampla" seria atendido, no preliminar e essencial, se tais medidas fossem de fato propostas por quem quer que seja e de fato aceitas pelo marechal Costa e Silva. O resto, dependeria do pronunciamento da maioria, em eleições regulares, em debates a serem abertos e aceitos livremente, legalmente, soberanamente, pelas entidades políticas, culturais, empresariais, operárias, estudantis, pela Universidade, pela imprensa, rádio e televisão, livres de influências estranhas ao Brasil.

Os objetivos fundamentais da "Frente Ampla" não se limitam aos pontos acima. Temos também em vista outros, igualmente respeitáveis. Mas, são o desenvolvimento natural desses, que condicionam todos os demais.

Se a Arena propuser ao governo, que ela apóia incondicionalmente, medidas de interesse nacional, coincidentes – como é fácil comprovar – com os propósitos da "Frente Ampla", enunciados em seu manifesto inicial e nas notas dos encontros de Lisboa e de Montevidéu, restará apenas ver comprovada essa intenção da direção da Arena. E, claro, conhecer a decisão que sobre tais propostas tomará o presidente da República.

A fim de facilitar a proposta da Arena e a decisão do marechal Costa e Silva, rogo-lhe seja o portador e o fiador da seguinte declaração:

Se a Arena realmente propuser as medidas acima enunciadas e se o presidente da República, em seu nome, no das Forças Armadas que detêm o poder, comprometer-se publicamente com o povo a adotar mais medidas – a eleição direta pelo voto secreto e livre, o ajuste real de salários à desvalorização da moeda e ao custo da vida, a pacificação do país pela cessação da coação e do arbítrio – considerarei encerrada minha missão na "Frente Ampla" e, em geral, na vida pública.

Não ambiciono mais do que cumprir até o fim o meu dever. A participação que tive, e não renego, em vários episódios da Revolução Brasileira, é que me obriga, precisamente, a lutar para que o mais recente, o de 1964, não seja uma impostura e um pretexto para lançar o país num regime degradante e grotesco, como o que resultou do golpe de 1964.

Uma vez que esse erro seja revisto, restabelecidas no Brasil as garantias do cidadão, o direito de defesa, o direito de voto, o direito de trabalho e de um salário adequado; criadas, em suma, as condições básicas para a paz social e o esforço da mobilização nacional para o desenvolvimento, dou-me por satisfeito. Nada mais terei a cobrar de quem quer que seja. Nem mesmo gratidão, pois nada fiz por ninguém, senão – errado ou certo – pelo país.

Peço transmitir ao governo esta proposta que, em caráter pessoal, formulo, sem nem sequer consultar – para não constrangê-los – os demais componentes da "Frente Ampla", que de nenhum modo ficam obrigados por esta decisão. Formulem a Arena e o MDB, essas propostas ao governo de cujo regime promanam tais entidades políticas, e aceite o governo tais propostas, acima definidas, poderei deixar, como foi minha intenção, a vida pública. Deixo-a a quem saiba prever melhor e prover com mais visão e cuidado, o futuro deste país. Não falta quem saiba e quem queira.

Considerarei vitorioso o essencial que me propus a realizar com a "Frente Ampla". E portanto cumprida a minha missão. O propósito que me levou à "Frente Ampla".

Resumo:

1. Voto direto e livre. 2. Restabelecimento da lei livremente votada e conscientemente respeitada. 3. Ajuste de salários ao custo de vida e à desvalorização da moeda. 4. Medidas concretas de pacificação nacional para a união do povo no esforço do desenvolvimento.

Eis o preço que cobro para sair do caminho. Sei que não valho tanto. Mas o Brasil, o seu futuro, o seu povo, a sua juventude valem isto e muito mais.

Seus serviços à democracia e à nação, sua insuspeita posição contrária à "Frente Ampla", mas igualmente contrária ao regime de arbítrio e de usurpação que se estabeleceu no país, além do apreço pessoal que lhe tenho, e dos antecedentes que me autorizam a confiar em que não me recusará a honra de ser o fiador desta declaração, autorizam-me a fazê-lo portador desta proposta. Atrevo-me a formulá-la por ver noticiado que a direção da Arena quer propor ao presidente, para combate à "Frente Ampla", exatamente o que a "Frente Ampla" propôs ao povo.

Se o noticiado for verdadeiro, tanto melhor. Se mais uma vez se houver mentido ao povo, continuaremos nosso esforço, aliando-nos com quem quer que seja, a favor do Brasil, e contra tudo o que hoje e não ontem, hoje e não anteontem, ameaça o futuro da grande nação com que sonhamos e que há de ser construída, quaisquer que sejam os nossos sacrifícios.

Tem o meu ilustre amigo o direito de divulgar esta carta, pela forma que entender. Com o apreço que bem sabe, a amizade do Carlos Lacerda.

1967 – Carta de Carlos Lacerda a Magalhães Pinto

O homem e as circunstâncias. Carlos Lacerda esteve no *front* da guerra do Oriente Médio na década de 1940 e percebeu nitidamente que a inserção artificial do Estado de Israel em territórios árabes, ou mais exatamente na Palestina, seria um foco de agitação permanente. Essa passagem da vida dele ficou referida na apresentação da carta de Otto Frank transcrita neste livro.

Os tempos mudaram. E errada ou acertadamente, o Estado de Israel foi implantado pela ONU. O jornalista que condenara a sua criação e predissera o mal que causaria à região e ao mundo se encontrava em 1967 em posição diferente. Nesse ano, Israel sofreu o ataque desfechado pelo Exército do Egito na guerra dos "sete dias" revidado pelos israelitas de forma fulminante e arrasadora. Quem condenara a criação desse Estado imposto pela força não vacilou em solidarizar-se com o país agredido[156] e visitou o seu embaixador de Israel no Brasil para esse fim. Fez mais, escreveu ao chanceler brasileiro Magalhães Pinto, instando-o como cidadão a colocar o Brasil ao lado do país invadido.

Nessa carta, Carlos Lacerda volta ao tema de seu envolvimento com os assuntos do Oriente Médio em 1947. Recorda ao ministro do Exterior do Brasil o seu posicionamento contrário a que o Brasil votasse em 1945 pela criação daquele Estado em território palestino como acabou votando. O certo, na opinião do governador da Guanabara, seria a absten-

[156] Na data da carta não se sabia que o conflito seria conhecido como a "Guerra dos seis dias", quando Israel repeliu de forma arrasadora e rápida a invasão do país pelas tropas egípcias e demais países árabes, e passou a ocupar o território deles.

ção, em respeito aos palestinos e árabes brasileiros. Tese vencida que lhe trouxe a inimizade da colônia judaica brasileira e da família Osvaldo Aranha, representante do Brasil na ONU naquela época.

Em 1967, as circunstâncias eram outras. Além de o Estado de Israel integrar a ONU e esta ter de ser respeitada pela comunidade internacional, Carlos Lacerda reconhece - sem esquecer sua opinião antiga - que o Brasil tinha agora a obrigação de se colocar ao lado de Israel contra a guerra iniciada pelos árabes.

1967 - José de Magalhães Pinto

Rio de Janeiro, 8 de junho de 1967
Excelentíssimo senhor ministro Magalhães Pinto
Senhor ministro e prezado Amigo,

Acabo de visitar o embaixador de Israel, a quem fui levar a minha solidariedade pessoal.

Há cerca de 20 anos passados o Brasil, então na Presidência da Assembléia da ONU, votou pela criação do Estado de Israel. Naquela ocasião, sustentei que a oposição de líderes de nações árabes a essa decisão resultaria, mais tarde ou mais cedo, numa guerra no Oriente Médio. Advoguei a abstenção do Brasil na ONU, a fim de preservar a posição de nosso país em conflito que viesse a surgir, quando poderia servir de mediador, pois tem para essa missão condições excepcionais. Minha tese foi vencida e o Brasil tornou-se co-obrigado no estabelecimento e sobrevivência de Israel como nação.

O atual conflito não surgiu de fato novo, e sim da decisão, por parte de alguns ditadores árabes, de aniquilar, isto é, de suprimir a nação Israelense. A agressão é, pois, contra a decisão da ONU e não somente contra Israel. A declaração de neutralidade dos Estados

Unidos não obriga o Brasil a segui-la. Tem os Estados Unidos razões peculiares para uma decisão tática que visa a obter idêntica declaração por parte da União Soviética. Profundamente interessado em manter as melhores relações com as nações árabes, que duram mais do que transitórias ditaduras, por isto mesmo não podemos deixar de reconhecer que a decisão da ONU, criando o Estado de Israel, tem de ser respeitada: e o declarado propósito de aniquilar a nação Israelense, além de importar em crime de genocídio, violando a Carta das Nações Unidas, é um ato contra a comunidade das nações e não apenas contra o povo de Israel. O apelo ao fanatismo e à "guerra santa" escandaliza a consciência do mundo, especialmente a dos cristãos do Concílio Ecumênico. Uma posição definida, neste momento, constitui a melhor contribuição que o Brasil pode dar para desestimular a agressão e aumentar as possibilidades de paz, principal e constante objetivo do nosso país.

É por isto que, em caráter pessoal, e unicamente com a autoridade de quem há 20 anos preferiu que o Brasil se abstivesse para uma emergência como esta, entendo que hoje, diante da agressão, devemos ser não-beligerantes, mas não apenas neutros. Israel acaba de aceitar a ordem da ONU para cessar fogo e cumpriu essa decisão, juntamente com a Jordânia. Cabe ao Brasil estimular a ONU a acentuar a pressão pela obediência à mesma decisão pelos que ainda se recusam a obedecer à decisão internacional. Essa recusa importa em agressão à ONU, não mais apenas a Israel.

O silêncio do mundo reforça o agressor e prestigia a agressão. Nesses 20 anos tem o povo de Israel dado demonstração de sua capacidade de existir como nação, de sua vontade de paz, desde que respeitada a decisão das Nações Unidas que deu uma pátria ao povo judeu.

Afirmando essa posição independente, no meu entender eminentemente constitutiva, terá o Brasil dado, na medida de suas possibilidades, importante contribuição ao enfraquecimento da agressão e ao fortalecimento da paz pelo respeito à auto-determinação do povo de Israel. Acresce que a guerra entre nações pobres, destruindo as conquistas da paz, que fizeram florescer o deserto, e agravando as dificuldades e a miséria de povos subdesenvolvidos, que se exaurem num monstruoso esforço de guerra, enfraquece ainda mais a posição das nações atrasadas e ainda mais fortalece a supremacia das grandes potências.

No estágio em que se encontra, o Brasil tem interesse em que as nações fracas não se entredevorem e os povos atrasados possam progredir em paz. Eis aí outra razão para que a nossa posição seja contra a guerra, como já é, mas definidamente, contra a idéia que leva à guerra, à loucura de gastar com as armas da agressão o dinheiro que pode dar escolas aos ignorantes e comida aos famintos.

Ao lhe fazer essa comunicação, tenho em vista as minhas responsabilidades de simples cidadão, não desejando criar dificuldades ao governo nem perplexidade ao amigo. Receba as expressões de minha estima e consideração.

Cordialmente,

Carlos Lacerda.CL/mtm.

1968 – Carta a Mario Covas

Esta carta de outubro de 1968, embora veemente, demonstra o esmorecimento do líder da “Frente Ampla” com o movimento destinado a unir as chamadas “forças vivas” da nação na tentativa de mudar os rumos da política governamental dominante. O Ato adicional nº 5, de 13 de dezembro seguinte, veio por fim às expectativas que ainda poderiam animar os promotores do movimento de aglutinação de lideranças contra a ditadura militar. Não se tratava de discutir os problemas econômico-financeiros impostos à sociedade, mas buscar uma saída para forças democráticas em plena agonia.

Mais feliz do que Carlos Lacerda, Mario Covas assistiu à restauração de seu direitos políticos em 1978. Sobreviveu aos dez anos de cassação e pôde voltar à vida pública exercendo um importante trabalho na Constituinte de 1988 como líder do governo. Faleceu no auge de sua carreira como governador do Estado de São Paulo em 2001.

Mais feliz do que Carlos Lacerda, pôde participar com muitos outros brasileiros dos momentos de emoção na "Campanha das Diretas Já", provavelmente o movimento pacífico de maior repercussão ocorrido no Brasil em todos os tempos, talvez comparável, segundo Cláudio Abramo, apenas ao movimento de 1954, mas que levou Getúlio Vargas ao suicídio.

Mais feliz ainda do que Carlos Lacerda, Mário Covas integrou-se no PMDB, ao qual se juntaram todas as forças políticas não-governamentais em 1978, tal como se tentou prematuramente, pelo constatado, com a "Frente Ampla" em 1968.

1968 - Carta a Mario Covas

Rio de Janeiro, 17 de outubro de 1968
Ao deputado Mário Covas,[157]

Parabéns pelo seu discurso sobre a tentativa de cassação do deputado Márcio Alves[158] *por seu pronunciamento, da Tribuna Par-*

[157] Mário Covas Jr. (1930-2001). Deputado cassado que retornou à vida pública como líder do governo na Constituinte de 1988. Eleito governador de São Paulo, confrontou-se com o poder central exercido por integrantes do seu partido e acertou a vida financeira do Estado que governava. Morreu quando exercia o seu segundo mandato como governador.

[158] Márcio Moreira Alves, nascido em 1936, consagrou-se como jornalista depois da anistia outorgada pelo regime militar. O discurso referido no texto foi proferido no chamado "Pinga Fogo", com quase nenhuma repercussão entre os parlamentares, mas foi o pretexto para desfechar o golpe do AI-5.

lamentar, sobre as forças armadas. O exercício do mandato parlamentar exige imunidades, autoridade sem coação; e o que até a atual Constituição reconhece. A punição dos abusos da liberdade de palavras, previsto noutro artigo da mesma Constituição, prevê o pedido de licença ao Congresso para processar deputado ou senador que haja praticado esse "crime" – fora do mandato.

No exercício do mandato não há crime. Se o deputado se excede verbalmente ou de modo, no exercício do mandato, cabe às Câmaras e a ninguém mais coibi-lo pela ação dos seus pares, representantes do povo.

As Forças Armadas estão sujeitas à crítica como toda instituição, justa ou injusta. Há dias o general Alfredo Albuquerque Lima[159] *generalizou críticas aos padres e às freiras do Rio e nem por isto foi excomungado pela autoridade eclesiástica. A analogia tem cabimento. Em ambos os casos se trata de instituições que merecem respeito, o Exército e a Igreja, que são criticáveis como se vê, sem prejuízo de sua respeitabilidade.*

Tenho certeza de que a grande maioria das Forças Armadas não devia fechar o Congresso e nem lançar o país numa ditadura completa por causa de um discurso de um deputado. Seria amputar uma perna porque dói um calo.

Mais uma vez, os que só sabem subir ao poder e nele prosperarem e se justificar à custa de expedientes anti-democráticos procuram explorar incidentes para assegurar sua presença no poder.

Sua palavra foi um belo ato de dignidade cívica e uma afirmação de responsabilidade democrática.

Aceite desvaliosa, mas firme solidariedade do patrício e amigo Carlos Lacerda .

[159] General Afonso Augusto Albuquerque Lima (1909-1981). Considerado líder da chamada "linha dura" do Exército que impôs a candidatura do Marechal Costa e Silva à sucessão de Castello Branco. O general Albuquerque teve a pretensão de substituí-lo com base no apoio da oficialidade mais jovem, mas foi derrotado pela cúpula do Exército, que preferiu Emílio Garrastazu Médici.

1968 – CARTA À MULHER E AOS FILHOS

Na carta de 1968, dirigida a toda a família, pode-se dizer que o autor registra o seu último ato político antes da cassação. É como um testamento justificando o ato extremo da greve de fome para protestar contra a violência que estava sofrendo. Tudo indica que ao escrever esta carta, Carlos Lacerda não tinha ainda ouvido a crítica demolidora de seu irmão sobre a inutilidade de um gesto shakespereano na terra de Dercy Gonçalves.[160]

...terão de me ouvir, ou me matar.

No quartel da PM , Rua Frei Caneca, 22 de dezembro de 1968

Para minha mulher e meus filhos,

Como vocês sabem, desde que fui preso, há seis dias, não tomo nenhum alimento; apenas água, para aumentar a resistência à inação. Bem sabem vocês quanto me custa submeter-me, e a vocês, a esta tortura. Mas também sabem que é, neste país de farsas e imposturas, uma decisão séria – que será levada até o fim. Hoje vocês viram o último exame, já acusando acidose, albumina e os primeiros sinais de nefrite.

Por isto, vocês que sabem quanto quero bem à vida, à vida que vocês me dão, ainda mais grato me deixam pela compreensão e pela resignação com que suportam esta decisão.

---

[160] Esta carta foi publicada em várias oportunidades e formas. O texto que publicamos está de acordo com o publicado no livro de Carlos Lacerda (*Depoimento*, 1971, p. 454).

Ela é tomada por vocês e por todos; até mesmo pelos que não sabem de nada e pelos que, sabendo, fingem que não sabem.

Sempre disse aos militares: no dia em que vocês cometerem contra o povo brasileiro o crime de levar mais uma vez este Brasil, ao domínio de um grupo de ambiciosos, antidemocrático e, como vocês sabem muito bem, ainda por cima inepto e tão corrupto quanto os que mais o sejam, terão de me ouvir ou me matar.

Não pude lutar pelas armas. O comportamento imaturo, de casta, menos do que patriotas, de donzelas ofendidas, com que os espertos levaram os oficiais a reagirem a uma provocação dos políticos, não os deixou sequer raciocinar. Agiram por instinto, desprezaram a razão. E permitiram, entre tantos erros e crimes, a suprema covardia, injustiça e mesquinharia que são estas prisões, esta orgia de arrogância e de estupidez. Pois bem: se eles juraram defender o Brasil, também eu tenho esse juramento. E se já não posso defender este povo, mães e filhos como vocês, pela palavra, que é a minha arma, pela a ação, que é minha vocação, defendo-o como posso, com a única coisa que me resta: a minha vida.

Espero ainda que num acesso de bom-senso, numa reserva de patriotismo, desperte nessa muralha de incompreensão e inconsciência. Essa esperança, não o desespero, move-me ao protesto que é o jejum voluntário no qual me arrisco a perder tudo o que me interessa na vida, a começar por vocês, meus queridos.

Mas, fora dela, nada, absolutamente nada me fará voltar atrás da decisão tomada.

Os heróis de fancaria vão ver como luta e morre, sozinho e desarmado, um brasileiro que ama a pátria, mas a pátria livre. Se isto acontecer, malditos sejam, para sempre, os ladrões do voto do povo, os assassinos da liberdade. E os que se calaram. E os que consentiram. E os que participaram. Em seu lugar se levante a certeza de que no Brasil há também quem saiba dar a vida para dar o exemplo. Um beijo do seu marido e do seu pai,

a) Carlos.

"Realmente o poder, o poder exercido com esse senso de servir, é a coisa mais gloriosa que pode haver. Não há nada no mundo que dê alegria que dá o poder exercido assim. É por isto que eu fico, não é bem revoltado, fico espantado, fico muito mais espantado, quando vejo o sujeito fazer tudo para chegar ao poder e depois, quando chega lá, não sabe o que fazer". (*Depoimento*, 1ª edição Nova Fronteira, 1977, p. 219)

"Que todos saibam" artigo escrito no *Jornal da Tarde* de 19/01/66 quando, instado pelos Mesquitas, voltou a escrever relutantemente porque "não quero pactuar com a ditadura mofina, feita de renegações e de vilanias. Não quero ter nenhuma participação na revolta nacional contra a revolução, mais tarde ou mais cedo responsabilizada pelo 1º de abril em que se transformou." (reproduzida no *Jornal da Tarde* de 23/05/77, p. 16)

"Ainda que você não tivesse outros títulos – tem vários – a ser inscritos na memória de nossa terra e gente, bastaria este, de autor de *A casa do meu avô* para garantir-lhe esse lugar, que importa mais do que os lugares convencionalmente tidos como importantes." (Carta de Carlos Drummond de Andrade em 26 de dezembro de 1976)

"Ao longo de toda a minha experiência de luta, combatendo governos durante mais de trinta anos, governando cinco anos, trabalhando como parlamentar durante seis anos, escrevendo mais de cinco mil artigos políticos, afora outros, em cerca de 37 dos meus 52 anos de idade, tudo o que me faz parecer mais velho do que me sinto, tenho o direito de ser acreditado, ao afirmar que os erros no Brasil são, substancialmente, os mesmos e decorrem, fundamentalmente, das mesmas e poucas razões." (*Rosas e pedras do meu caminho*, p. 115)

"Curioso é que neste país sem memória haja tanta gente empenhada em não entender que homens públicos não guardam rancores, nem os colocam acima do interesse público, em cujo nome divergem e lutam uns contra os outros." (Carta de Carlos Lacerda a Juscelino Kubitschek em 14 de outubro de 1975)

"BH – Entrevista a jornalistas mineiros no Brasil Palace Hotel em 1966 em que declarou seu desencanto com a revolução que aplaudira em 31 de março repetindo o que escreveu a Castello Branco em 5 de fevereiro de 1965: *Revolução não foi feita para acabar com o direito do povo de escolher o seu Governo*"

"Não teve paciência e nem astúcia. Ficou-lhe a justa fama de *tombeur des Presidents*; ele fez, sem dúvida, uma caçada real, em poucos anos - Getúlio, Jânio, João Goulart e, de alguma forma, Café Filho (este como resultado preterintencional). Só lhe escapou Juscelino, que se soube defender de maneira vigilante, e entrincheirou a sua autoridade no sistema legal, que lhe garantiu a legitimidade do poder, atravessando as crises que enfrentou, sem perder popularidade e o acatamento dos órgãos institucionais." (Dario de Almeida Magalhães)

"Sua biblioteca terá seus sete ou oito mil volumes, bem escolhidos e mal arrumados. São várias bibliotecas. A de livros mais raros, ricamente encadernados, tipo pra inglês ver, Lusíadas, Bíblia, álbuns finos, aves, bichos, Debret. Depois, a grande biblioteca, de uns cinco mil volumes em que predominam literatura brasileira, histórica, política, sociologia e filosofia. Maritain e Teilhard de Chardin. Depois, a biblioteca de livros de viagem, desde o nosso Oliveira Lima sobre o Japão até o guia moderno e prático de Paris." (Antônio Carlos Vilaça)

"Por suas qualidades – e apesar dos seus defeitos – a verdade é que Carlos Lacerda esteve anos-luz à frente dos homens públicos brasileiros que, hoje, parecem estar tolhidos pela pequenez dos seus sonhos e a limitação de seus projetos." (Ênio da Silveira)

"A mim me espanta ver como é vazia a minha biografia. O que dá, às vezes, uma confortadora sensação de mocidade, embora perturbadora sempre por uma fonte renitente de imaturidade. Mau pintor, mau político, mau jardineiro, amigo incerto e fugaz, escritor bissexto e sem sucesso, orador cansativo embora sensacionalista, o que salva é uma certa capacidade de emoção que nasce de um defeito maior do que todas as deficiências: só sei dizer o que sinto." (*Crítica e autocrítica*, Nova Fronteira, s/d, p. 21-22)

"Ninguém é indiferente ao *chameur* irresistível que você é; mesmo os que dizem detestá-lo, no fundo gostam de você, gostam pelo avesso, mas gostam." (Carta de Carlos Drummond de Andrade a Carlos Lacerda de 25/12/1975)

Uma rosa é uma rosa.
Nós é que temos
de nos definir
em relação a ela.

"Não é a proximidade da velhice que me abate, mas sim a vida truncada, vida reduzida a ganhar dinheiro e a discutir sobre ele, a última das coisas que eu pensaria fazer da minha vida tão cheia de propósitos altos (e ainda preservando-os hoje) com legítimos ambiciosos objetivos." (De uma carta de Zurich, em 12/06/74 à sua esposa Letícia)

Juscelino a Lacerda em 04/09/1975 – "Nossas discordâncias se extinguiram desde que nos conhecemos e então nos penetramos com a mesma objetividade com que Tácito, creio eu, buscava a verdade histórica *sine ira ac studio*"

"Feridos pelos mesmos espinhos... surpreende-me que não tenhamos sido amigos há mais tempo." (Carta de Juscelino Kubitschek de 1973)

CAPÍTULO 3

Cartas do exílio em sua própria pátria (1969-1977)[1]

[1] "Carlos Lacerda morreu exilado em sua própria pátria, ilhado na atividade empresarial, campo que lhe restou para consumir suas energias estuosas, já que, à política, o acesso lhe estava vedado" (*O Estado de S. Paulo*, de 24 de maio de 1967, p. 12).

Este capítulo ficou reservado para algumas cartas do tempo que se seguiu à cassação dos direitos políticos de Carlos Lacerda. É um período em que ele passou a cuidar de interesses particulares, especialmente de livros e editoria.

Pode-se dizer que a única carta do capítulo em que se fala em política partidária é a que foi escrita em 1969 a Mauro Magalhães, deputado que desafiou a ditadura ao aderir à "Frente Ampla" e, por isso, teve a sua cidadania também cassada. Aliás, a carta não é propriamente de solidariedade ao companheiro tolhido nos seus direitos, mas um desabafo pessoal do animal político ainda mal curado das próprias feridas.

Em uma orelha de capa do livro desse deputado,[2] encontra-se a manifestação de Ênio da Silveira,[3] reavaliando o seu julgamento a respeito de Carlos Lacerda, que em vida sempre esteve em posição política contrária à sua:

> Por suas qualidades – e apesar dos seus defeitos –, a verdade é que Carlos Lacerda esteve anos-luz à frente dos homens públicos brasileiros, que, hoje, parecem estar tolhidos pela pequenez dos seus sonhos e a limitação de seus projetos.

É curioso o reencontro de veteranos comunistas com Carlos Lacerda depois que a ditadura o colocou fora de circulação.

---

[2] MAGALHÃES, 1993.

[3] Ênio da Silveira (1925-1986). Editor. Diretor da editora Civilização Brasileira e fundador da editora Paz e Terra. Ênio da Silveira era genro do grande editor Octales Marcondes, sócio de Monteiro Lobato na editora Melhoramentos.

Hercules Correia dos Reis,[4] por exemplo, rompendo o patrulhamento ainda existente, reconheceu os méritos do adversário temido:

> Carlos Lacerda tinha a capacidade de, em política, ver antes que outros os rumos dos acontecimentos. E qualidade muito rara nos políticos brasileiros, não usava as palavras para esconder as idéais.[5]

Não obstante esses testemunhos lisonjeiros de antigos adversários e de escritores, o tom geral é melancólico. As cartas de Carlos Lacerda refletem o homem ressentido pelo cerceamento de sua liberdade. Foi a fase em que o político se transformou em empresário-escritor-editor, totalmente dedicado às suas novas atividades em áreas em que se mostrou tão ativo como na política. A dedicação à atividade privada bem-sucedida não apagou, porém, a tristeza do homem público pela perda de sua cidadania política.

O escritor-editor não perde a oportunidade de lamentar a falta de liberdade, o ostracismo a que fora relegado e o fato de ter de se dedicar ao que menos prezava: "ganhar dinheiro".[6] Foi nessa fase da vida que ele deve ter escrito:

> Liberdade não é um bem que se adquire ou que se aluga e que portanto se pode alienar ou dispensar. É um atributo do homem, uma qualidade inseparável de sua natureza. Sem ela, a criatura não é mais humana, é uma besta como outra qualquer

---

[4] Hercules Correia dos Reis, nascido em 1929, escreveu: *Memórias de um stalinista* (1995).

[5] A frase foi escrita no prefácio do livro de Cláudio Lacerda de Paiva *Carlos Lacerda e os anos sessenta*: oposição (1998, p. 10).

[6] "Não é a proximidade da velhice que me abate, mas sim a vida truncada, vida reduzida a ganhar dinheiro e a discutir sobre ele, a última das coisas que eu pensaria fazer da minha vida tão cheia de propósitos altos (e ainda preservando-os hoje) com legítimos ambiciosos objetivos" (De uma carta de Zurich, em 12 de junho de 1974, à sua esposa Letícia).

e até mais que outras que não trocam por nenhuma ração balanceada. E não podendo livrar-se do freio, manifestam pelo coice o seu inconformismo.[7]

Carta de Carlos Lacerda a Mauro Magalhães[8]

Rio, 30 de abril de 1969
Meu Caro Mauro,

Afinal, liberto do compromisso imediato com o povo, você poderá cuidar da sua família e conviver, livre e desembaraçadamente, com os seus amigos. Este é o benefício da sua cassação. Quantos aos efeitos maléficos, são piores para os outros, os cassadores, do que para você. E pior, também para o Brasil, pois fica assim provado que a honestidade, a fidelidade, a coragem são crimes punidos pelas autoridades que, mais do que todas, por sua origem militar, deveriam prezar e preservar tais atributos. A injustiça só diminui o injusto, não a vítima. Esta cresce e avulta na planície. Você sai maior do que ao entrar na vida pública. Pode ser que ela volte. Enquanto isto não ocorrer, fique certo de que deixou um exemplo,
Carlos.

1969 – CARTA DE HÉLIO SILVA

Hélio Silva uniu-se a Carlos Lacerda na década de 1940 após a queda da ditadura Vargas. Trabalhou na *Tribuna da Imprensa* e participou de diversas campanhas do jornal. Afas-

---

[7] LACERDA, 1975, p. 92.

[8] Mauro Magalhães (1926). Deputado estadual pelo Estado da Guanabara. Líder da UDN, cassado em 29 de abril de 1969.

tou-se do jornalismo militante na década de 1960, tornando-se oblato no Mosteiro dos Beneditinos do Rio de Janeiro. Dedicou-se então à pesquisa e a escrever sobre a história do Brasil. Tornou-se um dos historiadores mais produtivos do país, figurando entre os que corretamente buscam as fontes primárias para as suas dissertações. A crítica que lhe fazem, Carlos Lacerda entre esses críticos, é a de que as fontes utilizadas por ele, em sua maioria, vieram de ofertas "espontâneas" e o historiador as transcreve e comenta sem cotejá-las com outras fontes.

Em carta de Carlos Lacerda a Thomas Skidmore, adiante publicada,[9] foi dito: "embora um infatigável escritor, Hélio Silva não tem noção exata do que significa ser historiador, tratando o seu *mister* como se fosse um esporte fútil".

Carlos Lacerda foi mais duro em sua crítica:

> ...utilíssimos, mas perigosos porque incompletos os livros do sr. Hélio Silva. Sem uma concepção da história, alternando a intervenções de autor com as observações de repórter, o sr. Hélio Silva está contribuindo, quase sozinho, num esforço digno de respeito para o período decisivo de formação nacional. Mas sujeita-se aos arquivos que lhe são abertos, e nesses, à parte que lhe é mostrada. ... A historiografia segundo o sr. Hélio Silva é um esporte inofensivo e fútil. A confusão que assim se arma, especialmente nas novas gerações desprovidas de informação completa e objetiva, só é menor do que a de historiadores entreguistas e tendenciosos que transformam a história em conta de chegar ideológica.[10]

---

[9] *"Hélio Silva, for instance, has made quite a mess of that matter, since he has had access to some documents but he does not have the slightest notion about what history is."* Confira carta a Thomas E. Skidmore em 8 de junho de 1972, mais adiante.

[10] LACERDA, 1975, p. 36.

Em suas memórias faladas, foi ainda mais contundente:

> Por isto que o livro de Hélio Silva saiu uma porcaria: ele usa os documentos que dão a ele. Ele não vai buscá-los. É evidente que a Alzira Vargas lhe deu os documentos que interessava a ela. Os outros ela não deu e ele se contentou com estes.[11]

O historiador e oblato beneditino contesta veemente essas acusações, razão para a sua carta ser publicada na íntegra, fiel ao princípio preconizado por Carlos Lacerda de prover os leitores de informações completas e objetivas, ouvindo todos os envolvidos para a sua conclusão isenta.

1969 - Carta de Hélio Silva a Carlos Lacerda[12]

Rio de Janeiro, 25 de março de 1969
Meu caro Carlos Lacerda,

Foi a alegria do meu fim de semana receber os seus cartões, portadores de uma amizade que o tempo tem solidificado. Precisamos conversar. Embora mais velho, abro mão deste privilégio: marque dia e hora. O trabalho do próximo volume, sobre 1935, está muito adiantado e não o quero terminar sem entrevistá-lo.

Poderia esperar essa oportunidade para responder às suas críticas. Mas são tão simples de replicar que o faço de imediato.

Não fez mal em classificar de ***crônica***[13] *um trabalho que tem, já impressas, cerca de 4 mil páginas e cujos sete volumes publicados figuram na Biblioteca do Congresso de Washington, em grande número de bibliotecas e centros latino-americanos das universidades*

---

[11] LACERDA, 1971, p. 71.

[12] Hélio Silva ((1904-1995). Fecundo historiador. Mais de noventa títulos, dezenove dos quais sobre a História mais recente do Brasil.

[13] Os grifos são do autor.

dos Estados Unidos e da Europa, inclusive dos países socialistas, considerados indispensáveis ao estudo da história política brasileira. A mais veraz história da cristandade – os Evangelhos – são ***crônicas****. Ainda agora, nas comemorações da Semana Santa, seus autores são anunciados como* ***cronistas****. O que fizeram: ver, ouvir, narrando a sucessão dos fatos, pode ser humilde e apagadamente repetido por um oblato beneditino que recebeu, em sua Ordem, o nome de Irmão Lucas.*

Pessoalmente, sou ainda mais humilde. Inculco-me, apenas, um velho repórter, como sabe que o sou, fazendo sua última reportagem. Revendo conceitos facciosos. Destruindo mentiras que se tornaram verdades por muito repetidas. Pesquisando documentos inéditos e reveladores. Restaurando os velhos quadros da política nacional, através do conhecimento direto que tenho, como testemunha; dos depoimentos ouvidos, em quase meio século de vivência e convivência com o assunto de que me ocupo; entrevistando os sobreviventes; submetendo à sua apreciação, debatendo com eles, os capítulos da minha ***crônica****.*

É curioso como se contrapõem as suas duas objeções: ***a falta de uma concepção de História, de um núcleo central, instrumento-guia, como bússola; e certa confusão, por vezes desconcertante, de fatos paradoxais, desconexos, levando à supervalorização de Vargas, desligando-o do contexto do tempo****. Peço ao parlamentar, ágil na réplica, que atente às brechas que abriu em sua arenga. Pode-se acusar de falta de uma concepção de História quem há pelo menos dez anos (****Lembrai-vos de 1937****, foi divulgado na* ***Tribuna da Imprensa****, em 1959) publica seguida, sistematicamente, uma obra cujo planejamento foi previamente aprovado e anunciado por uma grande editora? Quantos escritores tiveram esse escrúpulo? Seria possível planejar uma série de 12 volumes, sem uma concepção de* ***História*** *, uma bússola, como pede? Conheço sua agilidade mental. Poderá responder que não é isso que chama de* ***concepção de História****. Mas também me conhe-*

ce. Não estranhará que lhe responda. A concepção de História que aceito é a mesma de um autor muito lido e citado por Carlos Lacerda: Rui Barbosa. **História é o fato, é o documento**. É a apresentação dos acontecimentos em sua seqüência cronológica, buscada, restaurada e respeitada a verdade histórica na pesquisa honesta, na coleta de informações testadas, na revisão da biblioteca idônea, no conhecimento, se possível pessoal, daquilo que se narra. Se você, tão ocupado por uma vida política intensa, tivesse tido ocasião de ler os trabalhos que critica, mais do que aquela leal confissão ("devo lhe dizer que do que tenho podido ler"), encontraria, na introdução de cada livro, a afirmativa dessa concepção de História, e o que digo de outros conceitos, de outras formas que prefiro considerar ensaio, interpretação, crítica, mas não a narrativa fiel, verídica, autêntica que é a verdadeira História. Histórias, como deseja, pré-fabricadas, encaixadas nos moldes ortopédicos de uma doutrina ou de uma teoria, passam tão depressa como as doutrinas e as teorias a que servem. Há várias histórias da Revolução Russa, segundo Lênin, Trotski, Stalin, Kruschev, etc., etc. Há uma história nazista da Alemanha, uma história fascista da Itália, uma história convencional do Brasil, com Pedro I gritando um Grito do Ipiranga, que não houve; Deodoro proclamando uma República que não disse; a arrancada dos **18 do Forte**, que eram 10 (ainda recentemente você incidiu nesse erro, falando em **18 do Forte**. Pena não ter lido o meu livro). E há outras e outras interpretações. Da revolução de 1930. Dos golpes e contragolpes que aconteceram e acontecem. As **mentiras de bronze** são copiadas e recopiadas pelos que se dispensam do trabalho penoso da pesquisa. Servem aos que escrevem a História dentro de um sistema, ciscando nela os fatos que possam servir à sua concepção apriorística. Nos livros já publicados, quantas dessas mentiras e deformações foram destruídas. No material, que continuo a acumular, muita retificação surgirá de acontecimentos passados e presentes. Pouco depois do movimento de 1964 fui chamado por alguns dos mais destacados chefes que me pediram para escrever sobre aquele evento. Tive acesso às fontes mais reservadas. Muita surpresa...

Contudo, reclama a falta de um núcleo ***central,*** *de um instrumento-guia, como bússola. Logo em seguida aponta a supervalorização de Vargas. A adotar sua afirmativa, deve aceitar, conseqüentemente, uma diretriz. Apenas, essa diretriz não existe. É um fantasma que pode assustar.* ***Quem tem medo de Getúlio Vargas****? Há os que o temem, ainda mais depois de morto. A esses, pode apavorar a restauração da verdade histórica em que Vargas aparece, nem melhor nem pior do que era, livre das deformações, dos elogios interessados e, também, das mutilações que seus adversários procuram infligir à sua personalidade.*

Não foi sem razão que comecei a publicar esse trabalho depois dos 60 anos de idade. O tempo, graças a Deus, me deu maturidade. E a maturidade consolidou duas condições sem as quais ninguém deve escrever História: serenidade e imparcialidade.

Desagrada-me falar na primeira pessoa do singular. Sou forçado, para dizer que se continuasse a ver em Vargas, como outros, apenas o político que feriu tanta gente, em ataques e contra-ataques, não teria podido esquecer que, em 1930, o moço de vinte e poucos anos que dirigia a sucursal de ***O País****, em São Paulo, teve o seu jornal incendiado; a carreira política, com a promessa de uma cadeira de deputado, cortada; as redações dos outros jornais fechadas ao* ***carcomido****; precisou vender a mobília de quarto e angariar seguro de vida na Eqüitativa e na Sul-América. Para viver, humilde, mas dignamente. A ponto de não aceitar o emprego que um amigo – Sales Filho[14] – pressurosamente lhe ofereceu, em nome de Vargas e de Osvaldo Aranha. Disse não e continuo a dizer, até hoje, a todo e qualquer encargo que implique em vinculação política a uma pessoa ou a uma situação e possam afetar a independência de minhas atitudes, a imparcialidade e a serenidade que não permito ninguém me negue. Soube disso Getúlio Vargas, quando recusei, em janeiro de*

[14] Antonio Carlos de Sales Filho (1912-1987). Político paulista filiado ao antigo PRP e depois à Arena.

1950, um convite, feito por Lourival Fontes,[15] *para subsecretário da Presidência da República. Sabe Carlos Lacerda, quando me honrou com a solicitação, que não aceitei, para figurar na sua chapa de deputados e, possivelmente, integrar o seu governo no Estado da Guanabara. Nessa ocasião, disse-me você que* ***era melhor fazer política do que escrever sobre ela****. Cada um de nós fez sua opção. Não me arrependo. E você, Carlos?*

Não fui getulista, antes seu adversário político durante toda a vida. Conheci Vargas quando ele chegou ao Rio para tomar posse na cadeira de Deputado Federal. Fez amizade com o moço ***cronista*** *parlamentar. Manteve essa cordialidade e convidou-o para assistir à sua posse na Presidência do Rio Grande do Sul. Quando começou a luta da sucessão, o moço* ***cronista*** *formou ao lado de Júlio Prestes de Albuquerque, caiu com ele, teve encerrada sua carreira política e se conservou fiel ao amigo até à morte. Não obstante, se algum dia você ler* ***1930 – A Revolução Traída****, encontrará a verdade histórica. O moço derrotado de 30 e o jornalista de* ***O País*** *cederam lugar ao* ***cronista*** *da História verdadeira. Se gostar da leitura, leia* ***1932 – A Guerra Paulista****. Dirigia, ao tempo, a sucursal das* ***Folhas*** *no Rio de Janeiro. Estava com a revolução constitucionalista. Perdi amigos nas trincheiras. No entanto, o livro é a reconstituição histórica, sem paixão, nem apriorismos. O fato, o documento sem adjetivação sobre o qual os ensaístas, os analistas, os sociólogos erguerão as suas teses.*

A propósito: cada capítulo dos meus livros é submetido a debate com os seus supérstites. Quando escrevi ***A Guerra Paulista****, Júlio de Mesquita Filho, que você conhece tão bem ou melhor do que eu, convidou-me para almoçar, no* ***Estado de S. Paulo****. Tivemos outras entrevistas, discutindo o assunto. Entreguei-lhe uma cópia do trabalho inédito, dizendo-lhe: – "Leia, risque e emende o*

---

[15] Lourival Fontes (1899-1967). Político sergipano. Destacou-se como chefe do Departamento de Propaganda (DIP) do governo ditatorial de Vargas e mais tarde como chefe de gabinete do governo Getúlio Vargas, eleito em 1950.

que estiver errado. Mas apresente a contestação". O livro foi publicado. Em 9 de julho de 1967 o artigo de fundo do ***Estado de S. Paulo****, página 3, abre com a comemoração do 35º aniversário da revolução. A certa altura está escrito:*

> Pesquisadores como Paulo Nogueira Filho e Hélio Silva, por exemplo, deram a lume, recentemente, duas obras que já podem ser consideradas clássicas, tão grande é a soma de informações que sobre a conturbada época apresentam. Paulo Nogueira Filho reuniu um abundantíssimo acervo de documentos do que então se passou, sobretudo do lado de paulistas e dos nossos aliados, enquanto Hélio Silva nos presta a inestimável contribuição representada pelos arquivos pessoais do sr. Getúlio Vargas e do sr. Osvaldo Aranha. É de tal ordem o que nos dois trabalhos se contém que já hoje não cabe a menor dúvida sobre o papel exercido nos antecedentes do 9 de julho de 1932, por aqueles que no momento detinham nas mãos o futuro da democracia no Brasil.
>
> Hoje a situação torna-se clara, com a publicação das cartas trocadas pelo sr. Getúlio Vargas e Osvaldo Aranha, de um lado e o então chefe do Executivo gaúcho, de outro, as quais vêm estampadas no volume intitulado A guerra paulista, da obra que sobre a era getuliana vem publicando o sr. Hélio Silva. Delas transparece, sem contestação possível, tudo quanto se verificou naqueles dias e que, devidamente interpretado, exime de qualquer responsabilidade na derrota aqueles que, em defesa da democracia e da nossa terra humilhada, assumiram há 35 anos, a decisão de levar as armas a mocidade paulista por um Brasil maior e melhor.

Conhece bem a estrutura do ***Estadão****.*[16] *Sabe que estas linhas, no local de mais destaque, só poderiam ter sido escritas por*

[16] Refere-se ao jornal *O Estado de S. Paulo.*

Júlio de Mesquita Filho, ou sob sua orientação. Não me parece que digam que faço a supervalorização de Vargas, desligando-o do contexto do tempo.

*A apresentação de **1932 – A Guerra Paulista** foi feita por um voluntário constitucionalista, secretário de governador Pedro de Toledo:[17] Cândido Mota Filho.[18] Os meus livros têm sido apresentados por aqueles que podem dizer da sua imparcialidade. **1930 – A Revolução Traída** foi apresentado pelo então diretor do **Jornal do Comércio**, Elmano Cardim;[19] **1931 – Os Tenentes no Poder** teve como apresentador o gaúcho Viana Moog.[20] **1933 – A Crise do Tenentismo** foi comentado por Barbosa Lima Sobrinho.[21] O volume que deixei sobre a sua mesa, para leitura oportuna, **1934 – A Constituinte**, está prefaciado por um constituinte que representava a nova geração política: Prado Kelly.[22] Será analisado por outro constituinte, que foi o jurista do governo Provisório, Levi Carneiro.[23] (....) A Página de Gratidão de cada volume apresenta uma lista de nomes de colaboradores reais, que examinaram o texto, contribuíram com documentos, depoimentos, fotografias. Não é mera formalidade nem simples gratidão, é comprovação. Cada volume varia a lista dos colaboradores. Espero que você figure na relação de 1935.*

[17] Pedro de Toledo (1860-1935). Interventor do Estado de São Paulo por imposição da Revolução de 1930. Chefe nominal de Revolução Paulista de 1932.

[18] Cândido Mota Filho (1897-1977). Político paulista. Ministro da Educação do efêmero governo de Café Filho e nomeado por este para o Supremo Tribunal Federal. Membro da Academia Brasileira de Letras.

[19] Elmano Cardim (1891-1979). Proprietário do *Jornal do Comércio* do Rio de Janeiro. Membro da Academia Brasileira de Letras (ABL).

[20] Clodomir Viana Moog (1906-1988). Escritor gaúcho. *Um rio imita o reno, Pioneiros e bandeirantes, Em busca de Lincoln, Eça de Queiroz e século XIX, Heróis da decadência.* Membro da Academia Brasileira de Letras.

[21] Alexandre José Barbosa Lima Sobrinho (1897-2000). Participou da formação da esquerda democrática e, mais tarde, do Partido Socialista Brasileiro. Pertenceu à Academia Brasileira de Letras.

[22] Jose Eduardo Prado Kelly (1904-1986). Político fluminense. Ministro da Justiça do governo Café Filho

[23] Levi Carneiro (1882-1971). Advogado, apenas advogado, e dos maiores.

Tenho, em meu arquivo, as páginas emendadas com a letra desses personagens que citei. O arquivo de Vargas, valiosíssimo, só me veio às mãos muito depois. Num dos livros da coleção que lhe venho oferecendo, encontrará a carta de Alzira Vargas do Amaral Peixoto,[24] *contando porque pôs à minha disposição esse subsídio valioso. Convenceu-se da minha honestidade, da minha serenidade, da minha imparcialidade. Entregou-me, sem restrições, os volumes que não franqueara a ninguém e cuja divulgação é, inquestionavelmente, o maior serviço que posso prestar à História. Porque, sem meu trabalho, isto não aconteceria. É bem verdade que a revelação desses documentos abala muita mentira, desfaz muita intriga, assusta a todos que ainda* ***têm medo de Getúlio Vargas****. E ainda estou no começo da divulgação do arquivo...* ***O Ciclo de Vargas se prolonga*** *no livro que estou escrevendo:* ***1935 – A Revolta Vermelha****; em* ***Lembrai-vos de 37*** *e em* ***Rapsódia Verde em 5 Atos****, que a* ***Tribuna da Imprensa*** *publicou nos fins de 1959 e princípios de 1960; o Estado Novo, e a entrada do Brasil na guerra, em que disponho mais dos arquivos de Osvaldo Aranha e Eurico Gaspar Dutra; a deposição de 1945; o interregno entre dois golpes; a volta de Vargas, e 1954, o tiro no coração. Diariamente Carlos, recebo contribuições. Osvaldo Aranha, ao morrer, ordenou que não se cerrassem as suas gavetas para mim. É o prêmio da honestidade do escritor. Em outras palavras, o reconhecimento da serenidade e da imparcialidade do* ***cronista****.*

Esta carta ficou longa. Você que escreve tão largamente não atiraria a primeira pedra... Na minha idade, tudo que se faz pode ser feito pela última vez. Cada manhã será a última, a última cada noite. Será, talvez, a última carta que lhe escrevo. É preciso dizer tudo que é preciso dizer em homenagem a uma amizade que o alcança menino, em casa de seu pai, Maurício de Lacerda. Tudo o que foi

[24] Alzira Vargas do Amaral Peixoto (1914-1992). Filha de Getúlio Vargas e esposa do almirante Ernani do Amaral Peixoto, importante prócer político fluminense.

escrito até agora, você não conheceu pessoalmente. Sabe por informações, muitas delas estarão erradas. Leia os meus livros, compare e retifique o que estiver errado, de um ou de outro lado.

Daqui por diante, Carlos Lacerda, você será meu personagem. A carta que lhe mandei, em 19 de março corrente, insiste, e volto a insistir, numa entrevista sobre sua atuação, notadamente em 30 de março e em 5 de julho de 1935(sic). Desde então, é um personagem discutido, elogiado com ardor e combatido com veemência. Tenho muito material, acumulado em minha pesquisa, inclusive no arquivo de Vargas, e no exame de 44 volumes, guardados no Superior Tribunal Militar e no Arquivo Nacional.

Se teve a paciência de ler esta carta até ao fim, agora é o mais importante: precisamos nos encontrar para nos abraçarmos.

Com a velha amizade,

Hélio Silva.

HS/mh.

JOHN DOS PASSOS

A carta de março de 1969 de John Dos Passos chama a atenção para os comentários de Carlos Lacerda sobre o filme de Franco Zeffirelli, *Romeu e Julieta*.[25] Esses comentários foram publicados mais tarde, no livro de Carlos Lacerda, *O cão negro*[26] e vão transcritos adiante, no Apêndice nº 1 deste livro, com a devida autorização da editora Nova Fronteira. É uma interpretação que utiliza o tema "amor", que se pensava dominar a famosa peça, para transformá-la num libelo político contra a guerra.

[25] Filme dirigido por Franco Zeffirelli, em uma adaptação de Franco Bussati e Massolino d'Amico.

[26] LACERDA, 1971, p. 25-33.

Quem transformou o drama numa luta contra todos os ódios e contra todas as guerras? Carlos Lacerda ou Franco Zefirelli? Ou à genialidade de William Shakespeare é que se deve dar o crédito, como o bom-senso recomenda? Carlos Lacerda afirma que os cineastas é que são merecedores de aplauso pela interpretação dada ao texto:

> Um italiano, o mesmo que recriou *A Megera Domada*, deu agora à tragédia de Romeu e Julieta a dimensão que, talvez, Shakespeare lhe quisera atribuir. Franco Zeffirelli,[27] ao dirigir esse filme na adaptação de Franco Bussati[28] e Massolino d'Amico,[29] não somente criou uma obra de insuperável beleza como deixou marcado, sem nenhuma deformação, o sentido revolucionário dessa obra: o drama do amor que pelo sacrifício pacifica um povo no qual os ódios dominantes mantêm a opressão e o medo.
>
>
>
> Um manifesto de rebelião da juventude contra a futilidade do ódio que divide o mundo e a profundidade do amor, pelo qual as pessoas sobrevivem ou morrem, surgiu numa nova versão cinematográfica de *Romeu e Julieta*, a tragédia que Shakespeare foi buscar no poema de Brooke,[30] "The Tragical History of Romeu and Juliet".

Outras cartas de Dos Passos, ou de seus representantes, foram encontradas no arquivo. Mesmo depois da morte do escritor norte-americano, em 1970, a sua editora e o procurador da sua família mantiveram correspondência com Carlos Lacerda. Os pesquisadores encontrarão esse material no Fundo de Arquivo Carlos Lacerda, na Biblioteca da Universidade de Brasília (UnB).

[27] Franco Zeffirelli (1923). Cineasta italiano.

[28] Franco Bussati, escritor italiano.

[29] Massolino d'Amico, escritor italiano.

[30] Fulke Greville, Lord Brooke (1554-1628). Poeta inglês, favorito da Rainha Elisabeth I.

Carta de John Dos Passos[31]

Westmoreland, Virginia, 22577,[32]

March, 12 1969

Dear Carlos,

We found your article[33] *on Romeo and Juliet waiting for us when we got home to Spence's Point. We prontly went to see the film which was running in Baltimore. As we say it is magnificent and gives new dimension to Shakespeare's simple tale. The Italian are still on top of the screen. We went through Rio on our way home from a trip do Easter Island – fabulous – and do Chilean-Argentina Lakes. As far we could make out you hadn'nd (sic) arrived yet but were expected home soon from Europe.*

Better luck nex time. There is always a next time in my hopes when I go through to Brazil.

When you are next in the States be sure to let me know. There are many things to talk about would be difficult to put into a letter.Here's hoping that your health is completely reconstituted.

[31] John Roderigo Dos Passos (1896-1970). Escritor americano contestador do estilo de vida norte-americano. Autor da trilogia "USA", cujo primeiro tomo se denominou *O Paralelo 42. Noventa e nove* foi o outro e o terceiro, *The big money*, na versão brasileira, *Altas finanças*.

[32] Carta traduzida livremente assim:

"Lemos o seu artigo sobre Romeu e Julieta quando chegamos a Spences's Point. Imediatamente fomos ver o filme, que estava passando em Baltimore. Como você disse, um filme magnífico que deu uma nova dimensão a uma história simples de Shakespeare. Os italianos ainda estão no primeiro time em matéria de cinema. Passaremos pelo Rio em nosso retorno das Ilhas Pascal (fabulosas) e pelos lagos do Chile e da Argentina. Tanto quanto eu pude entender, você não tinha regressado da Europa e era esperado para breve. Melhor sorte da próxima vez. Há sempre uma próxima vez quando eu viajo ao Brasil. Quando você vier aos Estados Unidos não deixe de me avisar. Temos muita coisa que conversar e que não é fácil colocar no papel. Daqui, estamos fazendo votos para que a sua saúde tenha se recuperado completamente. Beth junta-se a mim nesses sinceros votos. Dos. Tenho dúvidas se gostei de ver Mercutio como uma pessoa má, embora o discurso dele sobre a rainha Mab tenha sido magnífico."

[33] "A subversão de Romeu e Julieta", artigo transcrito no livro de crônicas de Carlos Lacerda, *O cão negro*, p. 23-33. Pode ser lido na íntegra no Apêndice I.

Betty joins me in the warmest good wishes. Dos. PS – I'm not sure that I liked Mercutio as a madman, trhough the Queen Mab (?) speech was magnificent

ÉRICO VERÍSSIMO

O namoro de Érico Veríssimo[34] e Carlos Lacerda vem de priscas eras. A primeira notícia da admiração do escritor gaúcho apareceu em 1945, quando o autor de *Clarissa* mudou-se para os Estados Unidos, requisitado pelo programa de Boa Vizinhança. Ali representou o Brasil na OEA[35] e escreveu um resumo da literatura brasileira,[36] fazendo rasgado elogio à peça "O Rio",[37] de Carlos Lacerda:

> *"The River", by Carlos Lacerda, is an impressive play much in the line of "Tobacco Road"[38], but with an emphasis on dramatic rather than on the grotesque.*

---

[34] Érico Veríssimo (1905-1975). Autor de *Clarissa* (1933), *Olhai os lírios do campo* (1938), *Caminhos cruzados, O resto é silêncio, Incidente em Antares* (1971), *Gato preto em campo de neve, A volta do gato preto, Saga, México, O tempo e o vento* (sua obra-prima em 3 volumes, desdobrados mais tarde em outros sub-títulos), *O senhor embaixador, Solo de clarineta* (dois volumes, 1º em 1974 e o 2º, livro póstumo, 1976).

[35] Organização dos Estados Americanos, com sede em Washington. O programa Boa Vizinhança recrutou muitos brasileiros (Ari Barroso, Carmen Miranda, O Bando da Lua e muitos outros) e trouxe ao Brasil Orson Welles, o consagrado diretor de *Cidadão Kane*, e que mais tarde fez o discutido filme *Verdades e mentiras*, com enfoque nos jangadeiros do nordeste brasileiro.

[36] *Brazilian Literature*: an outline, 1945.

[37] Cf. *3 Peças Inéditas*, obra publicada pela Editora Universidade de Brasília em convênio com a Fundação 18 de Março (Fundamar) e a Imprensa Oficial de São Paulo, 2003.

[38] *Tobbacco Road* foi uma peça de Eskeine Caldwell (1902-1987). Escrita em 1935, tornou-se um *best-seller* com mais de 3.500 milhões de exemplares vendidos em 1936 (Fonte: *O Livro do Ano Barsa*, de 1987).

Anos mais tarde, em 1957, ao dedicar-lhe um de seus livros, Érico Veríssimo confidencia: "Para Carlos Lacerda, que tem de sobra o que falta a este contador de história: paixão".[39]

Na carta de 2 de janeiro de 1973, Carlos Lacerda abre-se para descobrir afinidades entre eles, recordando a infância de ambos com alguma semelhança no que referia ao relacionamento difícil com os seus respectivos pais e no interesse de ambos pela literatura.

> *Poderia ficar falando com você muito, mas muito mesmo, sobre esse livro, uma vez aberta a cortina de um pudor estúpido, que nos leva a falar pouco o bem que desejamos e a admiração que temos.*

Carta de Érico Veríssimo a Carlos Lacerda

Porto Alegre, 1º de dezembro de 1971
Meu caro Carlos Lacerda,

Muito obrigado lhe fico por você ter comentado o meu ***Incidente***[40] *no suplemento literário do* ***Jornal do Brasil****.*

O "solavanco" que você sentiu quando os mortos se ergueram foi provocado conscientemente pelo autor. Quis ver o efeito que esse fato sobrenatural ia produzir dentro duma estória terra-a-terra e municipal. Quanto aos erros históricos, estou apostando como é você quem está com a razão quando os põe em discussão. Não querendo confiar só na memória e não tendo tempo para vasculhar jornais

---

[39] Fundo de Arquivo Carlos Lacerda na Biblioteca Central da Universidade Darcy Ribeiro em Brasília.

[40] *Incidente em Antares*, editora Globo, v. 1.

da época, recorri ao livro do Skidmore[41] ***(De Vargas a Castelo Branco)****.*[42]

Acho que me diverti escrevendo esse "tijolo macabro". Outra vez, obrigado pela sua atenção!

Outro assunto. Quando tivemos o prazer de tê-los na nossa casa, entreguei à sua senhora um exemplar de ***Madame Casanova****, duma autora austríaca, na esperança de interessar à Nova Fronteira na produção desse romance. Poderia agora tê-lo de volta? Acho que* ***nosso amigo Sebastião***[43] ***não topou*** *a sugestão... – Bom, receba com todos os seus um afetuoso abraço de seu velho admirador,*

Érico.

Carta de Carlos Lacerda a Érico Veríssimo

Rio de Janeiro, 2 de janeiro de 1973

Meu caro Érico,

Aproveitei o feriado e uma gripe para, em três arremetidas, ler o ***Solo de Clarineta****, que a MPM teve o bom gosto de me mandar, nessa iniciativa creio que única, mas felicíssima, de comprar uma primeira edição e promover, assim, uma festa de portas fechadas.*

Pois é uma festa a leitura do teu primeiro livro de memórias. Antes que de memórias, ele é o teu melhor romance. Pequenas imperfeições, sobretudo quanto a expressões que ficam abaixo do tom geral do livro, algumas das quais marquei, nem de longe comprometem a grandeza do livro. Sua marca, por excelência, é a de uma severa integridade de espírito, um desejo de não trapacear nem com a memória nem com os sentimentos. Cada tipo é um personagem,

---

41 Thomas E. Skidmore (1932). Professor de História da América Latina e ex-diretor da Faculdade de Wisconsin, Madison.

42 Nome completo do livro: *Brasil*: de Getúlio a Castelo 1930-1964, editora Paz e Terra.

43 Sebastião Lacerda, filho de Carlos Lacerda e diretor da editora Nova Fronteira, na época.

cada cena uma criação. As constantes referências, a certa altura compondo quase todo um capítulo, que estabelecem relação entre as memórias e os romances, sobre serem extremamente úteis, são curiosamente coincidentes com o que tenho pensado – e creio que toda gente que te lê.

Mais curioso, porém, do que tudo – pelo menos para mim – é a afinidade profunda, de situações e de reações, entre a sua infância e a minha, entre a sua adolescência e a minha. Aparentemente não há vidas mais dessemelhantes. No entanto... Não só a relação pai-filho, como logo se pode pensar. Muito mais. Há cenas e há reações suas que eu não saberia descrever melhor acerca de mim mesmo. Será por isto que o livro me pareceu tão bom?

*Com certeza, e não há mal nisto, é claro. Mas, há mais. Há um despojamento, uma economia de imagens de tal modo feita que ao empregar alguma é como quem nunca toma aspirina, quando toma, cura. Certos episódios, sobretudo certas descrições de sentimentos, que lembram Rousseau (**As Confissões**), foi pena não ter desenvolvido mais, ainda que em detrimento de outras mais factuais e menos interessantes, a não ser pela informação que trazem de episódios e tendências. Os seus primeiros romances, suas influências e pretensões são exatamente o que sempre pensei, a tal ponto que, tenho a impressão, você inutilizou quaisquer pretensões de interpretar e reconstituir sua formação e suas influências ao longo de sua obra. A descoberta do drama dos parados, da psicologia profunda dos aparentemente estáticos homens do campo, foi o que me levou a cometer uma peça de teatro, "O Rio", que é exatamente isto – e por isto.*[44] *Quando Graciliano*[45] *publicou **S. Bernardo**, escrevi na **Revista***

[44] Aparentemente Carlos Lacerda esqueceu-se de que Érico Veríssimo foi dos primeiros a elogiar esse livro, quando escreveu sobre a literatura brasileira para os americanos em 1945. (VERÍSSIMO, 1945, p. 130). *Tobbacco Road* foi uma peça de Eskeine Caldwell (1902-1987), escrita em 1935, e que se tornou um *best seller* com mais de 3.500 milhões de exemplares vendidos em 1936 (Fonte: O Livro do Ano Barsa, de 1987).

[45] Graciliano Ramos (1892-1953), livros: *Angústia, Vidas secas, Memórias do cárcere, São Bernardo* e outros.

Acadêmica, *do Murilo Miranda, uma nota intitulada "São Bernardo e o cabo da faca", na qual salientava – com a ferocidade sectária própria da época – que Graciliano interpretava a realidade rural do ponto de vista do cabo da faca, isto é, do fazendeiro, e deixava na penumbra os sentimentos do homem rural do lado da lâmina, o espoliado, o cabisbaixo. Recebi dele uma carta, que deve ter sido queimada junto com outras por um sujeito que teve medo da polícia, na qual dizia aproximadamente o que segue: você tem razão, mas eu só sei descrever o que conheço e só conheço a realidade desse lado, que tem sido o meu. Não sei interpretar e descrever sujeitos calados, que não se exprimem, que não se abrem, que permanecem, para mim, fechados.*

Fiquei muito feliz com as referências que você faz ao Maurício Rosenblat[46] *e à sua mulher. São duas pessoas de quem tenho saudade verdadeira, depois de algum ou alguns mal-entendidos que os afastaram de nós, mas com uma lembrança nunca toldada nem desfeita. Sua sensibilidade me faz falta, e uma das glórias dos Veríssimo é ter merecido essa dedicação, essa amizade.*

Poderia ficar falando com você muito, mas muito mesmo, sobre esse livro, uma vez aberta a cortina de um pudor estúpido, que nos leva a falar pouco o bem que desejamos e a admiração que temos. Acho difícil que o segundo volume iguale o primeiro, pois a esse faltarão a infância e a adolescência. Penso que vale a pena ter cuidado para que não fique muito episódico demais, muito factual, um rol de acontecimentos e um desfile de nomes. Precisamente o que não se deu, senão, muito raramente, no primeiro volume. Das corriqueiras, como o diálogo com o homem no espelho, às insólitas, como a presença do manequim, os instrumentos de que você se vale são bem seus, e poderiam ser de qualquer pessoa – mas quantas pessoas se aparece bem, e entre as capazes de notar, quantas poderiam descrever tais fenômenos?

[46] Maurício Rosenblat, nascido na Argentina e educado no Brasil, em Cruz Alta, terra natal de Érico Veríssimo. Empresário ligado à Editora Globo de Porto Alegre, tendo se transferido para o Rio com a mesma profissão.

Um tratamento um pouco anacrônico de certos temas à luz de um freudianismo fácil, é um imposto que você paga às más leituras... Todo mundo mais ou menos caiu nessa. Mais vale aplicar Stendhal do que Freud, que está cada dia mais furado.

Veja se é possível tirar de alguma obra sua um texto que, ilustrado devidamente, dê um livro fora de mercado. Experimentei com os 24 Sonetos de Shakespeare, traduzidos pelo Ivo Barroso.[47] *Apesar de alguns tropeços, causados pela ausência, ainda, de alguém especialista na matéria, foi um êxito e o tradutor ganhou o que ninguém ganhou ainda, no Brasil, nessa matéria.*

Conto ir breve a Porto Alegre, então conversaremos. Na realidade, não conversaremos, pois você está sempre cheio de gente e eu, de horários. Mas, só o fato de nos encontrarmos, de rever vocês, já é confortador. Hoje quero apenas, desejando-lhe saudade e paz, dizer quanto amo este teu livro de memórias, quanto foi bom ter podido lê-lo e quanto agradeço, pela parte que me toca, o tê-lo escrito.

Gostei também de rever o David,[48] *pois ainda não perdi a esperança de podermos juntá-lo à nossa máfia tecnológica. Com lembranças, um abraço especial à Mafalda, se avistar com ele, outro abraço ao Mário, aos homens da Globo, que têm o privilégio de editá-lo, os Rosenblatt, que nunca esquecemos, por mais que não pareça, receba um abraço do,*

Carlos Lacerda.

P.S.: Letícia vai ler agora o **Solo**: *Assim que sair na livraria, vou mandá-lo à Cristina, que está em Londres.*

Porto Alegre, 1º de junho de 1973

[47] Ivo Barroso (1929). Escritor mineiro nascido em Ervália. Tradutor de obras completas de Rimbaud, de *Os gatos*, de Eliot e do *Diário póstumo de E. Mondale* e de *24 Sonetos*, de W. Shakespeare.

[48] David ou Dave, casado com Clarissa, filha de Érico Veríssimo.

Carta de Érico Veríssimo a Carlos Lacerda

Meu caro Carlos Lacerda,

Tive anteontem o prazer de receber seu cartão e mais a separata (que li em seguida) em que você trata de territórios que sempre me titilaram a fantasia. Obrigadíssimo.

Dave, Clarissa & Cia chegarão ao Rio no próximo dia 2 de julho e ele imediatamente entrará em contato com o Sérgio[49] *e, se você não estiver muito ocupado ou ausente, com o pai do Sérgio.*

Passou sobre essa casa feliz um pequeno vendaval. Mafalda[50] *apanhou a London Fog e ficou abatidíssima como nunca eu tinha visto na minha vida. A velhinha sua mãe, com 91 anos lúcidos e felizes, se foi, levada por uma pneumonia dupla. (Para viver no Rio Grande, especialmente em Porto Alegre, é preciso ter um pulmão de aço inoxidável.) O meu cunhado teve um derrame e o médico especialista no assunto abriu-lhe a cabeça suspeitando da existência dum tumor maligno: felizmente era um hematoma, mas assim mesmo meu cunhado ficou paralisado do lado direito. "Last and least", este seu amigo teve umas vertigens, numa triste paródia de G. Simenon,*[51] *coisas da cervical que mexeu com o labirinto, o qual por sua vez soltou o Minouro. E cá estou eu de coleira.*

Bom, mas tudo podia ter sido pior. A velhinha viveu uma vida limpa, decente, boa e bem aproveitada. O meu cunhado estava levando aos 64 anos vida de moço de 30, logo ***he asked for it****. (Parece que vai recobrar os movimentos do lado paralisado.) Mafalda está curada. Eu é que ainda ostento uma coleira de cachorro.*

---

49 Sérgio Lacerda.

50 Mafalda Veríssimo, esposa de Érico Veríssimo, falecida em 2003.

51 George Simenon, pseudônimo de George Sim (1903). Escritor belga (Liège) de expressão francesa, criador do personagem Maigret, comissário que procede mais por dedução lógica e quase nunca por violência, mas procura sentir a atmosfera em torno do crime.

Estou aqui já às voltas com um novo livro, trabalhando nele com certa regularidade. E, como sempre, lendo muito.

Cláudio[52] *nos telefonou ontem. Falou-me no encontro de vocês. Prometeu uma visita.*

Dia 11 deste mês vou telefonar para o Dave e reiterar o pedido; quanto ao encontro com o Sérgio, confirmar telefones, etc.

Mafalda, como eu, manda a você e Letícia um afetuoso abraço.

Seu velho amigo e admirador,

Érico Veríssimo.

Jordan Young

A carta a Jordan Young[53] mostra o cuidado do editor Carlos Lacerda em apontar pequenos senões, como a referência a Brígido Tinoco, que não era o mesmo referido por Young em seu livro. E muito menos nome literário de Luiz Jardim. E procura se justificar por apontar o pequeno equívoco porque estava convencido de que o diabo tinha o mau costume de aparecer nos detalhes para descredenciar um autor desatento a eles. Carlos Lacerda aproveita a carta para elogiar os brasilianistas que estavam trazendo ao conhecimento dos brasileiros a história não contada do que se passou ou passava no Brasil.

52 Não identificado.

53 Brasilianista. Escreveu: *Brasil 1954-1964*: fim de um ciclo militar. (1973); *Brazilian revolution 1930 and aftermath*, New Jersey.

Carta de Carlos Lacerda a Jordan Young

Rio de Janeiro, 26 de junho de 1972
Prof. Jordan Young,
159 Meadowbrock Drive,
Princeton 08541,
New Jersey, USA

Relendo hoje seu excelente livro sobre a Revolução de 1930 "and the aftermath" e percorrendo a bibliografia encontrei um erro que, com grande atraso, venho apontar. Você informa que Brígido Tinoco,[54] ***A vida de Nilo Peçanha****, 1962, é de Luís Jardim, que "writes under the pen name of Brígido Tinoco". Certamente alguém antes de mim, ou você mesmo, já esclareceu o engano. Luís Jardim é desenhista de capa de livros para a José Olympio, contista e cronista. Brígido Tinoco é um político fluminense que veio na cauda do movimento político de Nilo Peçanha, como um dos jovens da época. Depois filiou-se ao efêmero Partido Socialista do Estado do Rio. Foi ministro da Educação do governo Jânio Quadros – e se chama Tinoco, mesmo...*

Mais uma vez, estudando o primeiro 5 de julho, tive ocasião de confirmar duas opiniões que tenho sustentado:

1. Para estudar o Brasil republicano é indispensável ler as obras de universitários americanos.

2. Dessas, a sua é a mais precisa, das menos pretensiosas, talvez, mas de uma extrema honestidade para com os fatos e os homens. No fundo, porque você não apenas leu, mas sentiu o que leu e sabe fazer as necessárias distinções entre o que as pessoas dizem ou escrevem e o que fazem ou pensam.

Um abraço e muitas recomendações do Carlos Lacerda.

[54] Brígido Tinoco (1910-1987). Deputado Federal por várias legislaturas e ministro da Educação em 1961.

Luiz Carta

A censura, que amordaçara a sua fala, tolhia os seus dedos de datilógrafo e secara a sua pena, não impedia Carlos Lacerda de dirigir-se às redações e aos autores para protestar contra inverdades ou injustiças a seu respeito divulgadas. Não obstante banido, preocupava-se com a sua biografia, o que fica comprovado na carta a Luiz Carta em 1974. A falta de notícias ou comentários à sua administração no Estado da Guanabara (1961-1965) era um silêncio que ele não perdoava em seus críticos.

Carta a Luiz Carta em 18 de abril de 1974

Ilmo. sr. Luiz Carta[55]
Editora Três São Paulo-SP
Sr. Luiz Carta,

A pseudo-biografia que, acompanhada de retrato, a sua revista publicou com o número 11 da História é um modelo de falsidade, má vontade e desinformação.

Começa por dizer que não cheguei a me formar, "abandonando o curso de Direito no 4º ano". Falso. Abandonei no 2º. "Militou no Partido Comunista". Falso. Essa mentira espalhada pelo PC, foi repetidamente esclarecida – pelo simples respeito à verdade.

*Não fiz "artigos no **Observador Econômico**"; é uma história longa que contada como está, torna-se falsa e fora do contexto e do tempo.*

*"Trabalhou nos **Diários Associados**", é bastante vago. Dirigi ali a Agência Meridional e fui secretário de **O Jornal**. Curioso:*

[55] Jornalista.

é a única biografia que não se refere à entrevista que fiz com José Américo, rompendo com a censura.

Elegi-me vereador em 1946, (não em 47). Não é razoável dizer que alguém renunciou a um mandato sem acrescentar a razão: a defesa da autonomia do Distrito Federal.

Não me refugiei na Embaixada de Cuba em 1954.

O episódio da Carta Brandi, sob estar perversamente apresentado, é bem diverso, e tem antecedentes e conseqüências.

O sr. Juracy Magalhães não era candidato natural da UDN; nem seria possível definir candidato natural, em tais condições.

"Perseverantemente no oposionismo", diz o biógrafo, com razão, pois ele tem o cuidado de nada dizer sobre o governo que fizemos na Guanabara.

Na biografia de Juscelino Kubitschek (será o mesmo biógrafo?) está dito que ele "comandou pessoalmente a votação do PSD no Senado, elegendo o marechal Castello Branco". É um exagero pérfido porque logo acrescenta: "Nesse mesmo ano, teve o seu mandato cassado..."

Concluindo a "biografia", diz o autor anônimo: "Antes da cassação, procurou o senhor Juscelino em Lisboa e o senhor João Goulart no Uruguai". "Procurou" é um verbo bem estranho para designar um encontro acertado e desejado pelos seus participantes. A obsessão é dele , não da vítima dessa "biografia". Pois o objetivo – documentado e proclamado – era exatamente promover a união nacional.

A minha "biografia" conclui assim: "Fez freqüentes viagens ao exterior e também se dedica à pintura. Gostaria que fosse somente nisto empregado o meu tempo. Mas infelizmente dedico parte dele a ler tolices como essa, tão mal colocadas numa publicação tão simpática.

Viver já é um encargo difícil. Ter a vida tão mal descrita, em tão estúpida maledicência, não ajuda a viver.

Cordialmente,

Carlos Lacerda.

JOSUÉ MONTELLO

As cartas de Josué Montello oferecem o exemplo da correspondência recebida por Carlos Lacerda depois que o exercício da política lhe foi negado e ele se afastou das suas outras empresas. Não foi encontrada carta de Carlos Lacerda para Josué Montelo, mas diversas deste para o editor que revelam o seu bom relacionamento. Apenas algumas delas vão publicadas. Em uma, Carlos Lacerda, em nota manuscrita, chamou a atenção dos seus companheiros de trabalho para a necessidade de tratar um escritor como Josué Montello com o maior carinho. Tratava-se de um autor que promovia os seus livros e, indiretamente, a editora.

1976-1977 – Cartas de Josué Montello[56] a Carlos Lacerda

Rio, sem data
Meu caro Carlos Lacerda,

Pedi ao nosso Luiz Forjaz Trigueiro[57] que o consultasse sobre a possibilidade de você e a Letícia jantarem conosco, no próximo dia 27.

Há três razões para o convite: uma data anterior, outra posterior e outra permanente.

Quanto às duas primeiras, deixo à sua argúcia astuciosa que as adivinhe.

Quanto à terceira, digo-a eu aqui, a satisfação de tê-los em nosso apartamento, e esta se ajusta a qualquer data do calendário.

Um afetuoso abraço do Josué Montello.

---

56 Josué Montello (1917). Membro da Academia Brasileira de Letras. Além dos livros mencionados na correspondência, escreveu *Memórias póstumas de Machado de Assis*, editora Nova Fronteira.

57 Escritor português exilado pela Revolução dos Cravos e acolhido por Carlos Lacerda para colaborar na Nova Fronteira.

Meu caro Carlos Lacerda,

Recebi o seu cartão. Muito grato a você por suas boas palavras sobre o meu ***Cais da Sagração****. Estou devendo à Nova Fronteira, isto é: a Carlos Lacerda, esta revisão oportuna de minha obra de romancista. Não procurei ser diferente: procurei inserir-me na tradição romanesca, sem envergonhar-me dos valores formais da língua portuguesa. Com a mesma linha, estou concluindo* ***A noite caiu sobre Alcântara****. Espero que o meu diário (****O mostrador das horas****), que passarei a publicar em 77, recomponha todo o meu longo esforço para que eu chegasse a ser o pouco que sou.*

Você verá, em ***Os degraus do Paraíso****, uma outra experiência: a de minha crise religiosa. Cada um de meus romances, embora se passe no Maranhão, é sempre um ângulo novo e uma realidade nova. Tenho a impressão de que, em* ***A noite caiu sobre Alcântara****, consegui ampliar os meus horizontes de narrador.*

Estou lendo para Nova Fronteira e espero dar-lhe, ainda esta semana, as sugestões de ***Os grandes romances universais****.*

Lembranças à Letícia (minhas e de Yvonne). E o afetuoso abraço do muito seu amigo, admirador e companheiro,

Josué.

Petrópolis, 15 de fevereiro de 1977
Meu caro Carlos,

Venho aqui lhe dar o meu abraço pelo conto de Status, que acabo de ler batendo palmas.[58] *Ao mesmo tempo quero agradecer a referência que você faz ao meu nome, na nota explicativa de seu retorno à ficção literária.*

---

[58] Trata-se do conto *O licenciado*, co-edição Editora Universidade de Brasília/Fundamar, em 2003, em *Contos inéditos*, de Carlos Lacerda.

Não é só você que está de parabéns com esse regresso, é sobretudo a literatura, que o emprestou à política por tanto tempo.

Em verdade, quando a gente analisa o que você é e o que você fez, logo se reconhece que a faculdade dominante de sua personalidade é o dom da palavra esteticamente concebida. Só você não conseguiu ser um estilo à procura de um assunto, como se dizia de Latino Coelho,[59] *porque os assuntos sempre foram ao seu encontro. E com que estilo você os acolheu!*

Agora, na boa fase dos reencontros, você se defronta outra vez com a sua pena de criador literário. As letras, na nossa idade, têm uma dupla função: permitem dar curso ao excesso de vida e nos consolam a nós mesmos.

Fico desvanecido e contente de ver você mais perto de mim. Está fazendo um ano que o tivemos aqui no meu apartamento de Petrópolis. Eu havia começado a escrever ***A noite caiu sobre Alcântara****. Ainda estou debruçado sobre esse livro, que espero concluir, no seu texto datilografado, em março próximo.*

É verdade: além de ter lido o seu conto, vi as figuras da revista; também tenho que lhe agradecer esses alumbramentos.

Um afetuoso abraço de seu companheiro e admirador,

Josué Montello.

Petrópolis, 1º de fevereiro de 1977

Meu caro Carlos,

Meus parabéns pelo regresso do nosso Luís. Sinal de que você o tratou como ele merece. Ainda não o vi, mas já lhe falei. Pareceu-me em paz com a vida, tendo feito o confronto entre lá e cá e reconhecido que é possível conciliar Brasil e Portugal, com o Oceano Atlântico de permeio.

[59] José Maria Latino Coelho (1825-1891). Escritor português que escreveu as seguintes obras: *Vasco da Gama* (1884), *História política e militar de portugal* (1874-1891).

Estou em Petrópolis – trabalhando. Devo regressar na próxima segunda-feira. Aproveitei para organizar novas promoções dos meus livros.

Não sei se você viu a matéria publicada no ***Jornal do Brasil****. Saíram dois artigos em* ***O Globo****, aplaudindo os dois romances. O Adolpho Bloch vai-me dar duas páginas de* ***Manchete****, com entrevista que já está preparada. Também vou ter o encarte de* ***Fatos e Fotos****, com a síntese de* ***Os degraus do Paraíso****, preparada por mim. Comunicou-me o Raimundo Souza Dantas*[60] *que fará comigo um programa, daqui a duas semanas, na TV Educativa. Tenho recebido recortes de vários pontos do Brasil com notícias sobre os livros. Creio que a promoção vai bem.*

(...)

Como em agosto vou alcançar você e o Luiz[61] *na casa dos sessenta, disse-me a Condessa Pereira Carneiro que terei o* ***Jornal do Brasil*** *a me dar espaço comemorativo. Outrora, com sessenta anos, conquistava-se a liberdade; no meu caso, com muito gosto, ficarei penhorado.*

Quero ver se concluo até o fim de março o texto datilografado de ***A noite caiu sobre Alcântara****. Já estou na última parte do romance. Lembranças à Letícia. Um afetuoso abraço do muito seu,*

Josué Montello.

Rio de Janeiro, 16 de abril de 1976

Meu caro Carlos,

Ponha mais este velho livro nas suas estantes. E aproveite uma hora disponível, na paz de seu sítio, para ter a companhia afetuosa deste contador de história, e que é seu amigo, admirador e companheiro.

Josué Montello

Em 19.4.76

---

[60] Raimundo de Sousa Dantas.

[61] Luiz Forjaz Trigueiro.

...alçou vôo e não olhou para trás, sabendo que a liberdade era a sua vocação.

Rio de Janeiro, 19 de maio de 1976
Meu caro Carlos Lacerda,

Acabo de ler a sua carta ao ***Estado de S. Paulo***[62] *e nela encontro o grande espírito insubmisso que você sempre foi – quando está em perigo a verdade, oprimida pela impostura.*

Sabe quem você me lembra, nessas horas? Aquela águia que os detentos procuraram domesticar, depois que a recolhiam ferida na estepe, e de que nos fala Dostoievski, na ***Recordação da Casa dos Mortos****. Ninguém conseguiu dominá-la. Quando a soltaram, já de asa curada, alçou vôo e não olhou para trás, sabendo que a liberdade era a sua vocação.*

Um grande abraço do muito seu amigo e admirador,
Josué Montello
19.05.1976

Rio de Janeiro, 30 de dezembro de 1976
Meu querido Carlos,

Yvone recebeu a cesta de flores; eu, a carta. Ambas exprimindo o lado generoso de sua personalidade de amigo e companheiro. Venho aqui agradecer em meu nome e em nome dela. Fique certo de que o meu artigo disse apenas um pouco do muito que você merece. Só desejamos que você continue assim, fiel às suas paixões, em 1977 como no anos que vierem, e hão de ser muitos.[63]

[62] Carta aberta dirigida aos diretores do jornal, lamentando o desconhecimento do redator de certa reportagem sobre a verdadeira posição de Carlos Lacerda sobre o ensino público e ensino particular. Uma das últimas manifestações públicas do jornalista e político cassado.

[63] Carlos Lacerda faleceu meses depois, em 22 de maio de 1977.

Ontem, quase à hora do Trigueiros, falamos muito de você. Uma das razões dele ir e voltar, com todo o seu sentimento de apego a Portugal, é que aqui tem Carlos Lacerda, a família de Carlos Lacerda (na qual inclui a Nova Fronteira[64] *e a Confraria do Livro*[65] *) e outros amigos realmente amigos.*

Estou quase concluindo a cópia de ***A noite caiu sobre Alcântara****. Vou aproveitar o descanso em Petrópolis para trabalhar na parte final do romance. Cheguei também à conclusão de que sou da família das bicicletas: se diminuo a marcha, perco o equilíbrio.*

Um afetuoso abraço para Letícia, você e seus filhos, e genro e noras, e netos. Tudo de bom para todos. E o afetuoso abraço de Yvone e Josué Montello.

30.12.7

Rio de Janeiro, 12 de maio de 1977

Meu caro Carlos e editor,

Pelo nosso Luís Trigueiros estou sabendo que você, não querendo assumir compromissos que poderiam criar-lhe dificuldades futuras, chegou a segurar a caneta para assinar a carta que me iria mandar, e adiou-a.

E é aqui que este seu amigo e companheiro quer lhe dar um esclarecimento necessário e afetuoso. A carta seria um documento para terceiros, não para mim. Se repliquei, com veracidade forense, ao dr. Ramos, da José Olímpio, quando quis opor embargos à publicação de ***Os Tambores de São Luís*** *na Nova Aguilar, só fiz porque se criava para mim uma discriminação abusiva, por iniciativa de uma pessoa que eu não conhecia.*

---

[64] Editora fundada por Carlos Lacerda, em 1969.

[65] "Confraria", fundada por Carlos Lacerda para os adeptos de edições de luxo ou especiais.

Você, hoje, é meu AMIGO, tanto na ordem da admiração quanto da afeição. E a amizade é para mim um patrimônio.

Como eu acredito na minha literatura – pelo esforço e pela consciência com que a tenho realizado, dia após dia, hora após hora –, sei também que você, mais dia, menos dia, me porá o fardão de couro e ouro, no seu Panteon de glórias da Nova Aguilar.

Portanto, não se preocupe com este seu amigo. O contrato que tenho, por iniciativa da editora, vale para mim como um aceno, nunca como uma obrigação. Acima dele estão os interesses da casa que você está dirigindo com a sua competência, o seu carinho e a sua larga visão de grande editor.

Ia-me esquecendo de lhe dizer que o meu contrato com a Nova Aguilar tem um ponto que não está explícito nem declarado, mas que considero da maior importância, para cobrá-lo com a maior veemência: é que você e Letícia têm de jantar um dia na minha casa. O convite é sério: é de Yvonne e meu.

Interrompi o romance policial para passar a limpo ***A noite caiu sobre Alcântara****. Não me esqueço do pedido que você me fez, em Petrópolis. Vamos ver como consigo ajustar a minha vontade e a sua – caso ainda você queira o romance – à exigência do contrato com a José Olímpio.*

Daqui para ao fim da cópia a solução aparecerá.

Um afetuoso abraço de seu admirador, amigo e companheiro,

Josué Montello.

29 de abril de 1977

Meu caro Carlos,

Aqui lhe mando a xerox de autorização do José Olympio,[66] *para publicação de* ***Os seis tambores de São Luiz****. Junto tam-*

---

[66] O grande editor que acolheu a maioria dos escritores brasileiros no século passado. Antônio Carlos Villaça escreveu: *José Olympio*: o descobridor de escritores. Nascido em Batatais, SP, em 1902, e falecido no Rio, em 1990.

bém a resposta[67] que eu dei ao senhor Jorge Ramos,[68] quando quis voltar atrás, em carta à Nova Aguilar,[69] posterior à autorização.

O José Olympio, na autorização, faz expressa referência à possibilidade de edição da Nova Fronteira para o meu ***Alcântara (A noite caiu sobre Alcântara)****.*

Um abraço, bem(?) abraço do Josué.

Carta a Thomas Skidmore[70]

Rio de Janeiro, June 8, 1972
Dear prof. Skidmore,

It has been a definitive truth in order to know the last 50 years of Brazilian history one must to know English. Now, with the translation of your book,[71] we can better also in Portuguese.

For reason I believe you know I was not able do write about your last book, since I would have to discuss matters that I am

[67] A resposta ao senhor José Ramos revela a disputa editorial que teve início com o declínio da editora José Olympio.

[68] Superintendente da editora José Olympio.

[69] Editora fundada por Carlos Lacerda em 1965, depois de cumprir o mandato como governador da Guanabara.

[70] Os dois primeiros parágrafos, os que interessam, da carta de Skidmore podem ser assim traduzidos: "Prezado professor Skidmore: Já se tornou verdade definitiva que para se conhecer a história dos últimos cinqüenta anos do Brasil, é necessário dominar a língua inglesa. Agora, com a tradução do seu livro, poderemos conhecer esse pedaço da história também em português. Por razões que acredito ser do seu conhecimento, eu, politicamente cassado, estou proibido de escrever sobre esse assunto. Não obstante eu quero que você saiba o quanto profundamente admiro o seu trabalho e porque espero que você prossiga nele. Hélio Silva, por exemplo, fez grande confusão nesta matéria desde que teve acesso a alguns documentos, mas sem saber de que história realmente se tratava. Talvez em sua próxima vinda, me fazendo conhecer da sua estada aqui, poderemos conversar a respeito destes e de outros assuntos".

[71] Supomos que o livro citado seja *Brasil*: de Getúlio a Castelo – 1930-1964.

forbiddem to talk about. Notwithstanding, you know how deeply I admire your work and just hope you may go ahead on that field. Hélio Silva,[72] *for instance, has made quite a mess of that matter, since he has had access to some documents but he does not have the slightest notion about what history is.*

Pehaps next time you come here you let me know for to talk about that and others articles.

Thank you for advance, cordially, Carlos Lacerda.
Professor Tomas E. Skidmore
University of Wisconsin
Madison, Wisconsin 53706, USA

GILBERTO FREYRE

Gilberto Freyre, o consagrado autor de *Casa grande & senzala* e de *Sobrados e mocambos*, pelo que se lê na carta de Carlos Lacerda de 28 de junho de 1973, queixou-se do pouco espaço reservado ao seu nome em uma enciclopédia.[73] A respeito dessa obra e dos problemas que a sua confecção trouxe, temos recente depoimento de um colaborador dela, Ivo Barroso, que de certa forma explica a dificuldade de Carlos Lacerda em tratar do assunto com o sociólogo:

> A propósito do verbete escrevemos e reescrevemos mais de 1.500, já que a equipe, egressa da Delta Larousse (em que também trabalhei, com Houaiss), tinha por objetivo irritar o reda-

[72] Confira defesa de Hélio Silva em carta de 25 de março de 1969.

[73] Mensagem de Ivo Barroso a Túlio Vieira da Costa é de 5 de agosto de 2003, esclarecendo sua participação na obra referida na carta de Carlos Lacerda a Gilberto Freyre.

tor-chefe e fazê-lo desistir da empreitada. No volume 8º consta o elenco desses colaboradores, inclusive o da coordenadora com quem Carlos Lacerda teve freqüentes atritos. Trata-se da *Encyclopedia Século XX*, uma co-edição da livraria José Olympio Editora e da editora Expressão e Cultura, baseada na Hutchnson's New 20th Century Encyclopaedia, organizada por E.M. (Londres). A edição original era de um só volume e foi transformada pelo editor Ferdinando (da Expressão e Cultura) em 13 volumes, dos quais 8 para os verbetes enciclopédicos, e 5 para o dicionário. Publicada em 1972, a obra se destinava principalmente aos executivos, a ser livro de consulta de escritórios, mas surpreendentemente encontrou um público amplo e receptivo, tendo vendido bem.

Esta carta revela a atividade diversificada de Carlos Lacerda, editor e escritor, cuidando não apenas de editorias e

autorias próprias, mas assumindo responsabilidade por enciclopédias alheias.

Carta de Carlos Lacerda a Gilberto Freyre

Rio de Janeiro, 28 de junho de 1973
Ilmo. sr.
dr. Gilberto Freyre[74]
Apipucos
50.000 – Recife, PE.
Gilberto,

Recebi, de volta de viagem, a sua carta. Parece que você tomou a peito a queixa que fiz pela sua ausência na recepção de Novo

[74] Gilberto Freyre (1900-1987). Sociólogo e escritor. Obras principais: *Casa grande & senzala* (1933), *Sobrados e mocambos* (1936), *Ordem e progresso* (1959), *Quase política* (1950).

Rio[75] *em Recife. É claro, e ficou dito, que seu filho o representou como ninguém poderia mais. Mas, fique também claro que não tive mágoa pela ausência, senão por não ter, com ela, oportunidade de vê-los, a você e a Madalena.*[76] *No mais,* ***no bad feelings****, pois acho que você tem mais do que fazer do que ir a* ***cocktails*** *formais; eu por mim não vou a nenhum, salvo por obrigação.*

Mas, a propósito, você estranha que uma enciclopédia dirigida por mim e editada pela José Olympio[77] *dedique menos linhas ao autor de* ***Casa grande & senzala*** *do que a outros, como Jorge Amado, por exemplo. Devo-lhe, pois, uma explicação. Não adianta dizer que a importância dada a um autor, numa enciclopédia, não se mede somente pelo número de linhas. Mas, se medisse, você veria que as 24 linhas que lhe são dedicadas são excedidas em 8 linhas pelo verbete Jorge Amado porque: (1) a lista de obras de Jorge é mais numerosa – refiro-me à lista e não à importância – que a sua. Uma linha é dedicada a dizer que ele é primo de Gilberto Amado.*[78] *Em nenhuma linha está dito que ele escreveu obra fundamental da literatura brasileira. No verbete Gilberto Freyre está dito esta elementar verdade: "renovador das bases do estudo da formação da sociedade no Brasil com* ***Casa grande & senzala****, obra fundamental da moderna sociologia brasileira", etc.*

Mas, a explicação vai mais longe. Fui abordado há tempos pelo então diretor de uma editora (não a José Olympio) que me pediu para rever uma enciclopédia. Depois que aceitei a incumbência, verifiquei que os colaboradores já haviam sido convidados e que, na

[75] Empresa de Carlos Lacerda constituída em dezembro de 1965, depois de terminado o seu mandato como governador do Estado da Guanabara. Empresa integrante do grupo Novo Rio, controlado pela Empreendimentos e Participações Novo Rio, tendo por sócios José Luiz de Magalhães Lins e Antônio Carlos Braga (Fonte: Catálogo do Fundo de Arquivo Carlos Lacerda).

[76] Madalena Freyre, esposa de Gilberto Amado.

[77] Editora do Rio de Janeiro. José Olympio, editor (1902-1990).

[78] Gilberto Amado (1897-1969). Escritor, ensaísta, memorialista, romancista e político brasileiro mais admirado do que amado. A ele se atribui a seguinte frase condenatória de Carlos Lacerda: "Grande talento nos seus raros momentos de lucidez".

realidade, tratava-se de acrescentar uns verbetes brasileiros numa enciclopédia de última ordem, inglesa, mas péssima. Era tarde para recuar, mas cedo para tentar corrigir a improvisação e a verdadeira impostura que resultaria desse processo. Trabalhei durante algum tempo sozinho, até que consegui uns poucos colaboradores de minha confiança, que afinal se resumiram no Ivo Barroso, um sujeito realmente extraordinário de seriedade e dedicação. Revimos tudo o que era humanamente possível. Escrevi à coordenadora da obra, uma senhora intratável, mais de 1.000 memorandos, dos quais tenho cópia para lhe mostrar no dia em que você quiser. Para Psicologia haviam chamado um professor behaviorista que, por isto, e ignorando tudo sobre os deveres de uma enciclopédia, não queria dar importância à obra de Freud,[79] Jung,[80] etc. Para História do Brasil, um professor que chamava a Inconfidência Mineira de Mineira, Conspiração – porque, dizia ele, inconfidência era o termo dos reinóis contra os nacionalistas. Em suma, vivi dias de absoluto horror pela incumbência que aceitara. Fiz o que pude para melhorar a obra, rever, acrescentar, cortar coisas como o verbete no qual uma professora de Filosofia dizia que Abelardo[81] "sofrera grave dissabor" por seu amor a Heloísa – o dissabor, como você sabe, consistiu em que o tio da Heloísa, o bispo, mandou castrar o filósofo.

Finalmente: convencido de que a enciclopédia iria vender pouco, fiz o que pude para me desincumbir da tarefa, até como exercício para um dia trabalhar noutra, mais organizada, mais planejada e melhor executada. Eis senão quando a editora faz um acordo com a José Olympio, para venda da obra – e ao que parece tem vendido muito. Teve, então, uma repercussão inesperada. Resta perguntar como é que você colaborou numa obra que sabia fraca? Para, quanto

---

[79] Sigmund Freud (1856-1939).

[80] Carl Jung (1875-1961).

[81] Abelardo e Heloísa, referência ao romance do filósofo e teólogo Abelardo (1079-1142), amante amado de Heloísa, sobrinha do cônego Fulbert, que mandou castrar o noivo.

possível, melhorá-la. Depois, porque a não ser a Delta Larousse nenhuma outra no Brasil é tão melhor do que essa. (Não imagina quantos verbetes cortei que eram cópias da Delta Larousse, pela simples razão de que alguns colaboradores eram os mesmos e não se pejaram de copiar, convencidos de que as duas iam sair ao mesmo tempo – o que não se deu, afinal. Em suma, Gilberto, esta explicação talvez não satisfaça, mas é a que tenho para lhe dar. Mando-as em caráter particular, pois o assunto não merece mais – e seria maldade decepcionar gente que agiu de boa-fé, apenas não teve discernimento bastante para convidar uma equipe de colaboradores mais homogênea e mais compenetrada das responsabilidades de escrever verbetes para enciclopédia. Basta dizer que, para sociologia, não havia colaborador especializado... enquanto para literatura havia vários, todos com veleidades de crítico literário, o que obrigou a cortar, emendar, rasurar, etc., para reduzir a um resumo objetivo cada verbete. Houve exceções notáveis, como a do Roberto Teixeira Leite,[82] *em Artes Plásticas. Mas, poucas. Daí as disparidades, as impropriedades e, principalmente, a ausência de um plano. Consegui dilatar de uns poucos meses para mais de um ano o prazo de elaboração – e ainda assim...*

Um abraço do Carlos Lacerda.

P.S.: O que não disse, por que não vem ao caso, mas talvez acentue a boa-fé com que trabalhei: não me dou com o Jorge desde o tempo do pacto teuto-soviético.

CARTA AO *JORNAL DE BRASÍLIA* EM 1976

A carta ao *Jornal de Brasília* em 1976 confirma a importância que ele atribuía ao seu trabalho desenvolvido na

---

[82] Roberto Teixeira Leite. Crítico de arte. Autor do *Dicionário crítico da pintura no Brasil* (1988).

Câmara Federal, e, especialmente, o que tem sido considerado o seu maior feito como deputado, o projeto de Lei de Diretrizes e Base da Educação, que somente em 1961 transformou-se em lei promulgada, conforme relatado em outro ponto deste livro.

A educação e a Lei de Diretrizes são temas sempre recorrentes nos textos de Carlos Lacerda, antes e depois da perda dos seus direitos políticos.

A carta ao *Jornal de Brasília* não reflete apenas a preocupação do autor com a sua própria biografia, mas traz uma contribuição importante para o debate que ainda se prolonga no Brasil, sobre a escola pública e a escola privada. A primeira enganosamente proclamada como gratuita e a segunda transformada hoje em próspero negócio.

Carta de Carlos Lacerda ao Diretor do *Jornal de Brasília* sobre a Lei de Diretrizes e Bases da Educação

Rio de Janeiro, 22 de julho de 1976
Sr. diretor do ***Jornal de Brasília***
Brasília-DF
Senhor diretor,

Agradeço a publicação da retificação que pedi a opiniões de uma estudiosa sobre a Lei de Diretrizes e Bases da Educação. Dado o interesse público da questão, talvez seja útil divulgar alguns esclarecimentos complementares. Sem espírito polêmico. Precisamente para evitar que se arme a habitual confusão dessas matérias. Não estou longe de crer que, no caso, o problema é de ignorância que leva a conclusões apressadas, e não de má-fé, que gera conclusões tendenciosas. O que importa é esclarecer, para que a juventude de Brasília não seja desinformada, por quem se arvora em seu guia em matéria de história e sentido da educação no Brasil.

A Constituição de 1946 determinava a elaboração de uma lei, fixando bases e diretrizes à educação nacional. Isto não foi possível porque no governo Dutra[83] *o projeto enviado pelo ministro Clemente Mariani,*[84] *que tivera a colaboração de educadores eminentes, como Anísio Teixeira,*[85] *foi considerado inconveniente pelo seu eminente antecessor, o ex-ministro Gustavo Capanema.*[86] *Este na Câmara, com seu talento e força aliciadora, conseguiu procrastinar a decisão da matéria durante mais de 10 anos. Finalmente, quando cheguei à Câmara, apurei que o próprio autógrafo presidencial, isto é, o texto da Mensagem do presidente Dutra, havia desaparecido. Evidentemente não por artes do deputado e meu caro amigo Capanema, mas pelo longo período decorrido. Foi o que me informou o então presidente da Câmara, Ranieri Mazzili.*[87] *Tive de fazer copiar de um velho diário do Congresso o projeto e copiei-o literalmente, apresentando-o com a minha assinatura, para declaradamente, abertamente,* ***reapresentar o projeto Mariani*** *depois de 10 anos de protelação.*

Dadas as resistências encontradas, e também algumas divergências doutrinárias, tomamos a peito fixar num substitutivo as nossas próprias diretrizes, na matéria. Contamos, então, com a boa vontade e dedicada colaboração de deputados como Coelho de Souza,[88] *do Partido Libertador, do Rio Grande do Sul.*

Trabalhamos, o professor Flexa Ribeiro,[89] *a professora Sandra Cavalcanti,*[90] *e vários outros educadores, aos quais dei a minha co-*

---

83 General Eurico Gaspar Dutra (1883-1974).

84 Clemente Mariani (1900-1981). Banqueiro e político baiano, ministro da Educação e Saúde Pública do governo do general Eurico Gaspar Dutra e ministro da Fazenda do efêmero governo Jânio Quadros, em 1961.

85 Anísio Espínola Teixeira (1900-1971). Educador brasileiro.

86 Gustavo Capanema Filho (1900-1995).

87 Pascoal Ranieri Mazilli (1910-1975). Político paulista, várias vezes presidente da Câmara dos Deputados e, algumas vezes (1961 e 1964), ocupou nessa qualidade a Presidência da República por morte, renúncia ou impedimento dos titulares.

88 Coelho de Souza (1900-1982). Deputado federal pelo Rio Grande do Sul em diversas legislaturas.

89 Carlos Otávio Flexa Ribeiro, nome já referido.

90 Sandra Martins Cavalcanti de Albuquerque, nome já referido.

laboração, dias e noites a fio. Finalmente apresentamos o projeto. Eles estão aí, vivos, e não foram cassados, portanto podem depor na Universidade de Brasília. O primeiro, filho de uma grande educadora e educador ele próprio, foi o principal responsável por uma grande obra de educação pública na Guanabara. Ele poderá dizer se é justo armar um quadro anacrônico e odioso de incompatibilidades entre ensino oficial e não-oficial. A segunda, tem também uma tribuna que até o momento está aberta. Isto para não mencionar milhares de pessoas que poderiam dar à depoente do Simpósio de Brasília o que ela não ficou sabendo enquanto estudava em Berlim.

Em linhas gerais nosso substitutivo manteve o principal do projeto Mariani, com duas alterações fundamentais:

1ª - Alívio nos controles estatais. Isto porque o sistema educacional brasileiro, sobre ainda se ressentir da concepção fascistizante do Estado Novo, era sobretudo democratizante.

Não víamos e não vemos incompatibilidade no ensino pela natureza de quem provê a escola e sim pelo que ali se ensina.

2ª - Sem prejuízo do prestígio dado ao ensino público, gratuito e universal, entendemos que o poder público não podia abrir mão nem rejeitar a participação da iniciativa privada – religiosa ou leiga – na formação educacional da infância e da juventude.

Por isto, não só permitimos supletivamente como admitimos expressamente a contribuição do Estado no ensino livre.

Pela primeira razão, fomos alvo de uma campanha sistemática movida pela burocracia da educação, que durante tantos anos nada fez pelo ensino em proporção compatível com as necessidades nacionais. Os mandarins não queriam perder o controle que exerciam sobre a escola.

Pela segunda razão, surgiu-nos pela frente uma dupla resistência, curiosamente acoplada. Os anti-clericais, os laicistas fanáticos, pretenderam importar para o Brasil a velha querela francesa que data de Emile Combes[91] *e da "école laique", da luta anti-religiosa na*

[91] Émile Combes (1835-1921), político francês, presidente do Conselho, líder da campanha anticlerical para separar o Estado da Igreja.

França. Entre eles incluíram-se homens eminentes, como Júlio Mesquita Filho,[92] *orientado pelo professor Almeida Júnior,*[93] *pelo próprio e meu inesquecível amigo Fernando Azevedo,*[94] *signatário do Manifesto inspirado pelo professor e jornalista, espírita de convicção e amigo inexcedível, Nóbrega da Cunha,*[95] *com Cecília Meireles,*[96] *Sud Menucci,*[97] *Lourenço Filho*[98] *e tantos outros – encabeçados afinal pelo meu querido Anísio Teixeira, espécie de religioso "défroqué",*[99] *empenhado em americanizar o ensino, convertendo-o segundo as concepções de John Dewey,*[100] *para a experiência que afinal se revelou trágica, nos Estados Unidos, de laicização sistemática da escola – como quis Bismarck*[101] *para construir o Estado militarista na Prússia. Pois foi essa a escola pública e gratuita, tanto quanto laica e agressivamente materialista, prussiana, que deu ao povo alemão ao mesmo tempo a técnica avançada, o **know-how** extraordinário mas a falta de sensibilidade política, a desumanização, a desespiritualização que lhe permitiu aceitar e ainda mais, aderir entusiasticamente à monstruosidade que foi o nazismo, esse estupro da alma alemã.*

É espantoso que essa moça não tenha aprendido isso em Berlim – pois isso aprendi do deputado democrata-cristão que presidiu a Comissão de Educação do Bunderhaus, em Bonn. O caráter da escola pública bismarkiana preparou a Alemanha para aceitar o totalitarismo. Isso é que é preciso evitar. Quanto ao meu amor pelo ensino –

---

[92] Júlio de Mesquita Filho (1892-1969), já referido.

[93] Almeida Júnior (1892-1971), nome completo: Antônio Ferreira Almeida Júnior.

[94] Fernando Azevedo (1894-1974), educador paulista.

[95] Nóbrega Cunha, educador.

[96] Cecília Meirelles (1901-1964), já referida.

[97] Sud Menicucci, educador.

[98] Manuel Bergstrom Lourenço Filho (1897-1970), educador e psicólogo brasileiro, contribuiu para a reformulação do ensino no Brasil.

[99] "Défroqué", religioso que abandona a religião professada.

[100] John Dewey (1859-1952), educador americano.

[101] Otto Von Bismarck (18145-1888), chefe de estado alemão, vitorioso na guerra contra a França de 1870-1871.

digam os que receberam ensino primário e secundário no Rio. Se querem fazer honesto exame do assunto, consultem as fontes – e seja mais humilde a dama de Berlim, na sua suficiência. Vá, por exemplo, ao campus da Universidade do Estado, no Rio, e saiba que ali, antes, era a favela do esqueleto. Nós acabamos com a favela e doamos o terreno para o campus da Universidade. Não encontrará lá o meu nome. Mas, encontrará o campus. Pergunte quantas escolas públicas havia e quantas passou a haver cinco anos depois. Pergunte qual o primeiro Estado do Brasil onde a expressão ensino público primário e ***obrigatório*** *deixou de ser uma palavra. Pergunte como passamos de 12.000 (doze mil) vagas para estudantes secundários gratuitos para mais de 300.000 (trezentas mil) em ginásios* ***públicos*** *e em bolsas em ginásios livres. Não se trata de gloriola pessoal mas sim de não permitir que a juventude de Brasília seja desinformada e lhe venham mentir, por ignorância de fatos elementares.*

Tivemos, durante quase dois anos, de procurar esclarecer o país, de ponta a ponta, em conferências, debates, simpósios, mesas redondas, tudo quanto é forma de comunicação. Afinal, após exaustivos trabalhos na Comissão de Educação e Cultura da Câmara, conseguimos um substitutivo do substitutivo. Para obter o voto da bancada do Partido Trabalhista, naquela época infensa ao autor mais do que ao projeto, concordei em sacrificar qualquer atribuição de autoria minha ao projeto – e este passou a ser subscrito pela Comissão, antes mesmo de aprovado por esta. Na Comissão, enquanto nós defendíamos maior liberdade para a universidade, por exemplo, um professor universitário esforçava-se, com seu talento e com argumentos também respeitáveis, por manter os privilégios dos catedráticos. Esse professor era o líder do Partido Trabalhista. Chamava-se Santiago Dantas.[102]

Finalmente, a lei foi aprovada pelo Congresso e sancionada com o voto de todos os partidos e emendas de deputados que re-

---

[102] Francisco Clementino de Santiago Dantas (1911-1964), jurista e político brasileiro.

presentavam todas as correntes do Congresso. O presidente João Goulart foi levado a vetar alguns artigos. Sabe quais? Precisamente, a não ser um caso ou dois, os que surgiram do seio da comissão e não os do nosso projeto primitivo.

Se a lei foi mal aplicada, ou esquecida, ou até superada, é outra questão. Se a outros, que estão na vida pública, compete defender os princípios que ali firmamos, e que estão de pé – em vez da estúpida divisão da educação entre pública e privada, como a certa altura do século passado na França, ou a qualquer altura deste século nos países totalitários que se apossam da educação para dominar e modelar à vontade a juventude, não é problema que dependa de mim...

Já na Pontifícia Universidade Católica – de onde precisamente, partira o apelo para que fizéssemos a lei como a fizemos –, uma tese há tempos sustentou a inverdade de que o nosso projeto era o que agora lhe atribuiu essa senhora do simpósio que o ***Jornal de Brasília*** *noticiou. Oportunamente, numa nota ao pé da tradução do livro* ***As superstições da psicanálise****, procurei esclarecer essa confusão – supondo sempre que se trata de uma confusão feita de boa-fé por pessoas a quem a ideologia não deixa ver os fatos.*

Eis que agora, em Brasília – onde tantas coisas se passam no campo da educação, assim como noutros, sem que no resto do Brasil se possa levá-las em conta ou nem sequer avaliá-las, por essa espécie de segregação a que fomos condenados, eu individualmente, e a cultura brasileira como um todo, segmentada, fragmentada, tumultuada, ocupada por autoridades improvisadas, que, por fazerem um curso no estrangeiro se julgam habilitadas a pronunciamentos dogmáticos sobre fatos que desconhecem, e pretendem ensinar antes de aprender – volta essa destorção.

Não pretendo polêmicas nem tenho condições para entretê-las. Nem gosto por esse tipo de reivindicação, que parece pessoal, embora não seja. Mas, a desagregação promovida pela ideologia vem agravar a desaceleração promovida pela simples ignorância. Se ninguém diz nada, é preciso que ao menos os que não podem falar digam algo –

antes que passe em julgado a teoria de uma suposta incompatibilidade entre ensino público e ensino livre, um suposto dever do Estado de concentrar todos os seus recursos na formação de consciências unívocas, de vozes uníssonas. Não, sr. redator, tal incompatibilidade não existe. O problema da educação no Brasil continua a ser de quantidade e de qualidade, e não de ser o ensino somente público, isto é, dado em escola encarada como órgão do poder público. Os órgãos de que se forma uma comunidade têm direito a se organizar para ministrar ensino a seus filhos. Os pais têm direito de escolher o modelo de educação que querem dar a seus filhos. Estes, apenas atingida a idade da razão, têm também o direito de escolher. Ao Estado cabe fiscalizar essa outra modalidade de educação, para que haja coerência entre as duas. Mas nunca exercer o monopólio do ensino.

Foi isto o que procuramos firmar na Lei de Diretrizes e Bases da Educação; e então, a partir de certo momento, inclusive através de um debate civilizado e polido, com a participação de algumas das melhores vozes de todas as bancadas (já citei algumas, poderia acrescentar tantas outras!).

É triste e, para dizer o menos, melancólico ver uma pessoa apresentada como preparada na Alemanha, mostrar tanta ignorância da matéria sobre a qual pretende dar lições. Não lhe nego, é claro, o direito de ter opinião diversa da minha. O que nego é o direito de me atribuir opiniões que não tenho para poder disfarçar as suas.

É preciso contribuir sempre, e cada vez mais, para impedir que o preconceito ideológico, afastando-nos da realidade, desvirtue os fatos e acabe por criar uma realidade postiça sobre a qual se constrói a utopia – e a tirania do espírito, que é a pior de todas.

Atenciosamente,
Carlos Lacerda.

O ESTADO DE S. PAULO

A última batalha pública sustentada por Carlos Lacerda foi na defesa de livros e da sua editora. É a matéria tratada na ressentida carta ao jornal *O Estado de S. Paulo*. Com a preocupação de resguardar a sua biografia, procurou Carlos Lacerda desfazer a intriga comum de apresentá-lo como alienado aos interesses nacionais. E isso ele faz com a mesma veemência de outrora. A finalidade da carta seria a de desmentir a informação de que as editoras Nova Fronteira e Nova Aguillar não se preocupavam em publicar livros de autores nacionais. A relação de nomes de escritores brasileiros acolhidos pelas suas editoras, que acompanhou a carta, dispensaria qualquer argumentação, mas ele não perde a oportunidade de destacar o malefício da informação destorcida. Ainda mais num jornal da respeitabilidade de *O Estado de S. Paulo*.

O destaque fica para o fato de a Nova Fronteira ter sido a primeira, senão a única brasileira, capaz de absorver uma editora estrangeira, a tradicional Aguillar,[103] fato significativo para um país em desenvolvimento.

[103] Entrevista de Carlos Lacerda reportada pelo jornal *O Estado de S. Paulo* de 24 de maio de 1967, p. 5: "Lacerda falava na ocasião da compra da Editora Nova Aguillar como o primeiro caso ocorrido no Brasil, onde o inverso ocorre normalmente e com freqüência em outros setores; 'uma editora brasileira com condições de comprar uma estrangeira é realmente raro. E nós conseguimos'.

Carta ao jornal *O Estado de S. Paulo* em 17 de maio de 1976[104]

Rio de Janeiro, 17 de maio de 1976
Prezados Senhores,

O crescente e bem-sucedido esforço de infiltrar mentiras e intrigas de modo a desacreditar a liberdade de imprensa, tornando-a sinônimo de leviandade, instrumento de estupidez e veículo de desagregação, conseguiu recentemente duas vitórias no ***Estado****. Ambas à minha custa.*

No primeiro caso, um redator irresponsável, tolerado por um ocasional superior desatento, entrevistou um picareta que disse uma série de asneiras tais como que a editorial nacional brasileira é feita em Wall Street; que ele sim, é um editor batuta porque faz livros em casa com a mulher (viva o artesanato!). Tudo isto o ***Estado*** *acolheu impávido, como se fosse importante no momento em que grandes editores do Brasil estão sendo devorados pelo Estado e um deputado procurou obrigar os editores a publicarem autores nacionais antes que estes se resolvam a escrever livros que o público queira ler. Essa difusão da burrice já é rotina. Parece que não há nada a fazer. A desconfiança com relação à inteligência transformou-se em horror a ela.*

O extraordinário é que levado pelo seu entusiasmo, o redator atribuiu ao próprio ***Estado*** *– pois vem sem aspas de que se não quiseram privar os intrigantes – a informação de que nós não publicamos autores nacionais. Só o tal batuta que faz livros na intimidade do lar. No final desta, se fizer a sim mesmo, a mim e aos seus lei-*

[104] Esta carta foi publicada em letra miúda pelo jornal *O Estado de São Paulo* de 18 de maio de 1976, com a seguinte nota da redação: "Em atenção à velha amizade que liga o *Estado* a Carlos Lacerda. Abstemo-nos de qualquer resposta à sua carta, transcrita na íntegra. Esperamos assim ter mantido unidos amigos e concidadãos que lutam para que se reviva no Brasil a proposta de conciliar a liberdade com a autoridade, a justiça social com a paz para progredir".

*tores, o favor de publicar a verdade, o **Estado** terá uma relação (incompleta) dos autores nacionais que editamos e estamos editando, as duas editoras, a que fizemos, a Nova Fronteira e a que nacionalizamos, sob a mesma direção e controle acionário, a Nova Aguilar. Mas é triste que um redator leve o **Estado** a publicar uma mentira, ainda por cima sobre uma obra respeitável, um esforço decente, que procura levar por diante a obra pioneira de Octales Marcondes,[105] José de Barros Martins,[106] José Olympio[107] e outros também atingidos pela intriga e pela estupidez, como Alfredo Machado,[108] Zahar,[109] Enio Silveira[110] e tantos outros.*

Como leitor e ex-jornalista, permito-me lembrar: cada vez lêem-se menos os editoriais e mais as notícias. Que adiante as notas defenderem uma orientação, se as informações se colocam a serviço da tendência oposta, isto é, da mentira, da deformação intencional, da subversão ideológica e da desagregação social?

*No segundo caso, a molecagem e a má-fé subiram de tom. Infelizmente vim a ler um recorte da edição de 20 de abril do **Estado**, no qual se lê que um indivíduo, cuja única credencial para ser publicado é a de se ter tornado "correspondente" do **Estado** e seu enviado a Paris, dá uma resenha das crises políticas entre o Brasil e a França antes da recente visita do chefe do governo brasileiro ao presidente da França.*

*Como peça jornalística é pífia. Mas como intriga política é um primor. Pena que não seja a única. Pois na mesma ocasião, a revista **Veja** – da qual o **Estado** diverge tanto, na cúpula, enquanto por baixo, se entendem os seus subterrâneos informadores – publicava a mesma versão, isto é, a mesma mentira.*

---

105 Octales Marcondes Ferreira, editor, tendo se iniciado com Monteiro Lobato na Cia. Melhoramentos.

106 José de Barros Martins, editor.

107 José Olympio Pereira Filho, editor.

108 Alfredo Machado (1922-1991), editor. Dono da Editora Record, que estourou em 1959 com o sucesso do livro de Carlos Lacerda, *O poder das idéias*. Antes da Nova Fronteira, era a Record a editora que mais publicara Carlos Lacerda.

109 Jorge Zahar (1920-1998).

110 Enio Silveira, editor.

Segundo tal versão, foi com uma entrevista em Orly que eu, em missão do primeiro governo da revolução de 1964, convoquei a imprensa para insultar De Gaulle e este, insultado, quase rompeu as relações diplomáticas com o Brasil e disse que o Brasil não é um país sério. Qualquer foca decente sabe que a frase atribuída a De Gaulle foi quando da guerra das lagostas, cuja causa principal foi a proposta de elementos ligados ao governo brasileiro para se associarem a pescadores bretões darem e darem por encerrado o incidente.... Mas para os leitores do ***Estado*** *de 1976, o que o próprio* ***Estado*** *informou e opinou já não vale. O que vale, evidentemente porque o* ***Estado*** *publicou agora, é o que informa o seu enviado especial a Paris.*

Deixemos de lado o tom catastrófico que se atribui a minha entrevista em Orly, cujo texto, acompanhado da entrevista na rádio e televisão francesa, está transcrito da gravação, em livro editado pela Record, ***Palavras e Ação****, desde 1965. Mas, basta que o responsável pela revisão – ou não revisão – da matéria mandada de*

Paris consulte o excelente arquivo do ***Estado****, em vez de consultar os adulões e os intrigantes que hoje, como naquela época, querem sempre subir pisando na verdade.*

O ***Estado*** *sabe que estou privado de direitos políticos. Sabe mais, pois, sabe que recentemente fui proibido de escrever. Não preciso, pois, acentuar quanto há de covarde nesta ofensiva de insinuações, neste concerto de falsidades em que até um jornal como o* ***Estado*** *se deixa envolver. Confundido pela desculpa pela liberdade de informação e da diversidade de opiniões – que nada tem a ver com a mentira intencional e a ignorância profissional.*

De passagem, noto que vai realmente muito mal o ensino no Brasil. Um jornal como o ***Estado*** *já chega a ter que usar como correspondente em Paris, no momento em que se restabelecem relações que, parecem, foram quase levadas ao estado de guerra por minha em 1964, um tipo que desconhece a existência de Villegaignon, Colligy, Digay-Trouin e outros sujeitos que provocaram crises bem maiores entre a França e o Brasil – apesar da opinião de que o* ***Estado*** *veiculou. Em suma a culpa não será do* ***Estado*** *e sim do ensino. Devo recordar ao* ***Estado*** *que Júlio Mesquita Filho provocou com*

De Gaulle uma crise ainda maior do que a minha, ao romper violentamente com ele por haver o seu governo negado convite para entrevistas oficiais a um correspondente francês do **Estado** *– francês, mas não ignorante como o brasileiro atual.*

A única importância de tudo isto é de ter saído no **Estado**. *Recentemente, um semanário que faz a picaretagem da esquerda e esterilização da inteligência publicou que defendi Portugal contra a ditadura comunista que o ameaçou porque tenho minas em Angola e interesses na empresa Torralta. Não tenho nada disso e nem muito menos. Como no Conselho da Redação do tal semanário há duas pessoas cuja inteligência respeito, escrevi a ambas. Um respondeu-me que nada tinha com isto e julgava a direção do semanário idônea por ter sido elogiada por um sujeito que assaltou o Banco do Brasil antes de 1964, só que nesse tempo os assaltantes não eram terroristas e sim industriais progressistas, agora chamados de intelectuais. O outro, nem respondeu. Está muito ocupado coletando protestos contra a censura às suas canções de protesto que lhe rendem tanto dinheiro e tanta glória. A censura só é pimenta quando arde no seu olho. Diante da calúnia, ele é neutro – desde que a calúnia sirva ao seu esquerdismo milionário. Cito o exemplo para ver a que companhia o* **Estado** *estará condenado se deixar que se confunda a sua nobre tradição de proteção aos perseguidos e defesa da liberdade com o uso da liberdade para a intriga e a mentira; e a transformação do perseguido de hoje no triunfante perseguidor de amanhã.*

Não é possível que se deixe progredir a velha intenção, até aqui malograda, de dividir não somente amigos, mas concidadão que precisam se manter unidos se se quer fazer com que se reviva no país a proposta por si mesmo tão difícil de conciliar a liberdade com a autoridade, a justiça social com a paz para progredir.

Não só o que o **Estado** *já publicou desde 1964, desmente o que publicou a vinte de abril deste ano. Também outros fatos, testemunhos e documentos podem demonstrar que a verdade está muito longe de tudo isto. O episódio de Orly foi apenas um, ao longo esforço que fizemos para evitar o que ora se retoma, o rumo do Brasil para a confusão, a desunião, que é fatal em nome da divergência, que é* *necessária; da desinformação que é, que é traiçoeira em nome do debate que é indispensável; da adulação que é corruptora em nome do respeito, que é meritório. E assim por diante. Em suma, tudo o que ocorre quando os responsáveis se deixam desunir.*

Impossibilitado de me defender, pelas divergências e pelo dever de ser discreto ante fatos que ainda não chegou a hora de contar, acho que essa defesa não me compete. Ela compete ao próprio ***Estado de S. Paulo****. Pois a maior vítima é ele próprio, uma vez que toda mentira que ele veicula é uma traição que faz a si mesmo pela mão dos que traem a sua confiança. Mas, não só me defender ou defender-se. Não me interessa muito ser defendido, a esta altura da vida, pois nem esta me interessa muito. E talvez o* ***Estado*** *acha que não precisa se defender dos que o traem. Mas ao menos que se defenda o Brasil dessas manobras de confusão para que mais uma vez não fique prisioneiro do estúpido dilema, uma ditadura ou a ditadura oposta, uma impostura ou a impostura contrária, uma estupidez obstinadamente silenciosa ou uma estupidez em álacre balburdia.*

Eis alguns fatos que posso citar, a propósito da entrevista de Orly:

1 – Fui felicitado pelo presidente Castelo Branco por essa entrevista.

2 - A carta ao general De Gaulle foi entregue por um seu ministro, com quem almocei em casa de amigos comuns.

3 - Minha missão foi rigorosamente cumprida.

4 - Foi-me oferecida, pelo embaixador especial que veio preparar a visita de De Gaulle, a Legião de Honra como de praxe, se concordasse em recebê-lo, como governador, no Rio. Preferi dispensar a condecoração e ausentar-me do Rio, e deixar que o general chegasse sem a minha presença, para evitar que a intriga tomasse maiores proporções, sabido que esse grande homem era também um grande criador de casos. Se não fosse tão "analfabeto" o seu correspondente em Paris, conheceria a frase de Churchill, sobre a cruz mais pesada que ele carregou durante a guerra, a Cruz de Lorena, símbolo do esforço e do exemplo desse grande líder que é Charles De Gaulle, ao qual não faltaram críticas justas nem injustiças notórias.

Enquanto não se convencerem que o comunista é apenas o nazista com o sinal trocado, os democratas de todos os matizes cairão nessa tolice de acreditar que eles sejam vítimas de monstruosa perseguição. O Líbano, um país inteiro, pacífico e amorável, está sendo assassinado, e quem protesta? Por quê? Em Moçambique, entregue como uma peça de açougue, tem havido massacre, e quem protesta? Não adianta repetir o que o ***Estado*** *já sabe e tem dito. Mas, porque permitir que pelo uso de simples iniciais ou de nome que nada significam, se passe sob a autoridade e à sombra do crédito do* ***Estado****, a mentira, a deformação intencional dos fatos, a utilização da verdade para fins mentirosos?*

Falar de mágoa e de revolta contra a injustiça que me feriu poderia parecer lamúria. A esta altura nada pode me ferir mais do que já fui ferido. Se o ***Estado*** *quiser dar ao mentiroso o direito de reiterar a sua mentira, lembre-se de que não sou eu que devo explicar, mas o próprio* ***Estado****, pois é ao* ***Estado*** *que ele desmente, não a mim.*

Não conheço piores inimigos da liberdade do que esses. O adulador que Osório Borba chamava de o "polemista a favor" – hoje muito em voga; insultador de vencidos, incensador do mandão de plantão. O mentiroso por motivo ideológico que se apresenta como vítima quando na realidade é apenas o carrasco que ainda não tem o machado na mão.

Talvez, porém o pior inimigo, porém, é aquele que em nome dos direitos humanos começa por negar aos outros – pelo terror físico – o primeiro desses direitos que é o direito à vida. E pelo terror intelectual nega um direito ainda mais importante, sem dúvida mais importante, que é o medo de apanhar e a necessidade de circular: o direito de procurar a verdade e, tendo-a encontrado, não permitir que ela se transforme em mentira. Sem dúvida saber que alguém é torturado e nada poder fazer para evitá-lo, é horrível. Mas que fazer quando se impôs a alguém a tortura moral e não só não se evitar, como se permite?

O ***Estado*** *está com um mentiroso a bordo. Problema seu. Mas mentem a meu respeito. Problema também seu. Se é verdadeiro* *o que disse a entrevista com os comentários do redator anônimo e o que informou o correspondente de Paris, então tudo que o* ***Estado*** *tem dito, desde 1964, a meu respeito, inclusive sobre o incidente de Paris em 1964, foi mentira. Não preciso pois arrolar testemunhas, juntar documentos. É o* ***Estado*** *de verdade, o jornal como instituição nacional contra o* ***Estado*** *desservido e traídos por alguns sujeitos que por displicência, ignorância ou má-fé difundem mentira e torcem o pescoço da verdade.*

Entre os maiores perigos que se pode correr está o de se confundir amor próprio com o amor à coerência. A liberdade com a liberalidade. A proteção ao perseguido de hoje com o estímulo ao perseguidor de ontem e de amanhã. Quando a tolerância se coloca a serviço da desinformação, a intolerância vira sinônimo de vigilância. Quando se chegar a esse ponto, o máximo a que se pode aspirar é sair com vida. Mas com honra, paz e liberdade é que não. Trata-se, portanto, de uma escolha. Eu, por mim, fiz a minha. Paguei muito caro o preço de ter direito de calar sem ser chamado de desertor. Peço que me esqueçam. Não gosto do que estou vendo, mas gosto ainda menos do que pretendem pôr no lugar.

Atenciosamente,
Carlos Lacerda.[111]

[111] Esta carta foi arquivada com o seguinte anexo: "Como prometido, enumero alguns autores nacionais que temos editado. Adelino Magalhães, Afonso Arinos, Alphonsus Guimaraens, Antonio Bulhões, Antonio Carlos Villaça, Artur Azevedo, Aurélio Buarque de Holanda, Bernardo Guimarães, Carlos Drummond de Andrade, Carlos Lacerda (mau escritor, mas brasileiro), Carlos Nejar, Castro Alves, Cecília Meirelles, Clarivaldo Valadares, Coelho Netto, Érico Veríssimo, Euclides da Cunha, Gonçalves Dias, Graça Aranha, Horacio Macedo, Henriqueta Lisboa, Ivo Barroso, João do Rio (Paulo Barreto), Joaquim Nabuco, Jorge de Lima, José de Alencar, José Lins do Rego, Josué Montello, Ledo Ivo, Lídia Besouchet de Freitas, Machado de Assis, Maluh Ouro Preto, Manuel Bandeira, Murillo Mendes, Maria Alice Barroso, Raymundo Corrêa, Ronald de Carvalho, Rui Barbosa, Stella Leonardos, Vianna Moog, Vinicius de Moraes, Wanda Fabiano e Zelina Castelo Branco. Portanto, mais de 40 autores, além dos que estão em curso, e sem falar nos tradutores de livro atualmente os mais bem pagos no Brasil e do Conselho Editorial que consta de escritores como Paulo Ronai, Forjaz Trigueiro e artistas como Isolda, Otavio Araújo, Marcelo Grassaurari e outros. E dicionaristas. E toda uma equipe que não faz livros ocasionalmente e sim como profissão e preocupação permanente".

BIOGRAFIA DOS MESQUITA

Ficou para o fim do capítulo o esboço de um prefácio que deveria acompanhar uma importante biografia: a dos irmãos Mesquita. O desaparecimento dos originais desse livro de Carlos Lacerda sobre Júlio e Francisco Mesquita é um mistério. A família dos biografados, *O Estado de S. Paulo* e o *Jornal da Tarde*, consultados, não souberam esclarecer o destino das pastas com os documentos que compunham essa obra em dois volumes. O que resta no Fundo de Arquivo Carlos Lacerda é a informação gentilmente prestada pelo jornalista Ernesto Kawall, que colaborou na coleta de documentos, e a viu praticamente concluída. Faltava, segundo essa fonte, pouca coisa para a obra ser mandada para o prelo.

Há a informação comprovada da existência de 40 pastas[112] com textos e fotografias que iriam compor os dois volumes das biografias, com pretensão de ser "um mural da história que os biografados viveram e ajudaram construir" no Brasil, na expressão do próprio Carlos Lacerda.

Essas pastas desapareceram. Estiveram no Arquivo na Biblioteca Central da Universidade de Brasília (UnB), mas não mais lá se encontram. Na apresentação do Inventário do Fundo Carlos Lacerda, edição 2000, diz-se que tais pastas e mais o prefácio "estão legitimamente em mãos da família dos biografados", que consultada, nega peremptoriamente essa informação.

---

[112] "Às vezes, Lacerda confessava passar por momento desânimo quando encarava as 40 pastas acumuladas naquela sala do sítio de Petrópolis. (....) Mas logo se recuperava: 'quero escrever esse livro. Estou ligado a ele por muitas razões, a maior das quais, sentimental. Pois estou convencido de que com este livro muitas confusões da história contemporânea brasileira serão deslindadas'" (Matéria publicada sem assinatura no jornal *O Estado de S. Paulo*, de 22 de maio de 1977).

As razões que impediram a publicação dessa obra "praticamente" pronta continuam obscuras. Que o livro estava recebendo os retoques finais em 29 dezembro de 1975 é o seu autor que o afirma em carta-circular adiante publicada. Somente um bosquejo do prefácio foi encontrado, mas há quem dele tomou conhecimento completo e achou-o belo.[113]

Carlos Lacerda faleceu em 1977. Muito tempo, muito mais do que os poucos dias referidos nessa carta, teve ele para concluir o livro.

Carta de Carlos Lacerda aos Mesquita

Rio de Janeiro, 29 de dezembro de 1975
Carta-circular aos Mesquita...
Meus queridos amigos,

Fechou-se o ano e não abrimos o livro sobre os dois Mesquita, Julinho e Chiquinho. A esta hora vocês estão arrependidos de me terem conferido a honra desse encargo. E não adianta justificações. Tempo, viagens, preocupações diversas, solicitações do todo dia, dificuldade no levantamento das informações, coordenação destas, e principalmente a estupenda tarefa de contar a história do Brasil, notadamente a de São Paulo, de mais de meio século para tornar inteligível o significado da vida e do esforço desses dois homens.

O material que era possível obter nesse período de tempo, com as limitações que vocês podem imaginar – esses dois homens de ação deixaram na realidade muito pouca documentação, afora o manancial que é o arquivo do ***Estado*** *–, está reunido e classificado segundo os capítulos do plano geral da obra. Concebida em dois volu-*

[113] Luiz Ernesto Kawall, jornalista e colega de Carlos Lacerda nessa fase.

mes, um de fácil e corrente leitura, outro com as referências e a documentação, de modo a atender aos dois aspectos, a obra está pronta para ser escrita. Não seria possível sem os colaboradores que tive, dos quais ainda terei de lançar mão no decorrer do trabalho.

Mas escrever uma obra assim, como a entendo, não é problema só de documentação. É de um conjunto de circunstâncias, uma das quais – apenas uma – é a ***continuidade****, do tempo dedicado a escrevê-la. Essa continuidade é que me faltou. Interrompido sempre por tantas outras solicitações e urgências, viagens, trabalhos, responsabilidades, deveres, fui obrigado a concentrar em Petrópolis o material, que lá está, em caixas de papelão, todo arrumado pelo Luiz Ernesto, à espera do dia em que possa me concentrar ali, como um jogador em véspera de campeonato, e sem interrupções, desligado de outras obrigações, cumprir a missão que vocês me deram e que eu, orgulhosamente, assumi.*

Acredito que isso possa ser feito a partir das férias de carnaval. Creio ser garantido que isto aconteça, pois para isto estou tomando as providências indispensáveis. Creio que com um mês de trabalho praticamente ininterrupto posso escrever o livro, ao qual depois, naturalmente, em vagares de aperfeiçoamento, terei que dar retoques finais – estes, bem mais fáceis.

Portanto, seria um trabalho a terminar em fins de março. Mas, quero deixá-los inteiramente à vontade. Ou antes, não. Seria hipócrita dizer que se tiverem alguém que possa fazer já, etc., etc. Quero escrever esse livro. Estou ligado a ele por muitas razões, a maior das quais é a sentimental, mas não a única. Pois estou convencido de que com este livro muitas confusões da história contemporânea do Brasil serão deslindadas. Neste ponto, encontro uma das maiores atrações desse trabalho. Ainda há dias obtive um documento essencial, que me faltava, minha carta ao presidente Castelo Branco, pleiteada, obtida e levada pelo dr. Júlio. Era um documento essencial. Obtive-o do John F. Dulles, por incrível que pareça. Eis um exemplo das dificuldades.

Em suma, acabei escrevendo uma carta longa para dizer bem pouca coisa. Tudo se resume no seguinte: desculpe o atraso; em abril, sem falta, entrego o texto à editora. E desejo a todos vocês o ano melhor possível. Com um abraço de constante e fiel saudade,

Carlos Lacerda.

CL/am.

Anexo

Esboço de prefácio para a biografia dos Mesquitas, Júlio e Francisco

Esboço do Prefácio do livro do Julinho

Dois ilustres desconhecidos.[114]

Convém lembrar que não escrevo este livro para quem os conheceu, e sim, para quem os desconheceu. Ainda mais, talvez, para os que os conheceram mal. Aos seus amigos, mais numerosos do que supunham, no seu orgulho quase todo feito de timidez, competirá um dia completar as informações que pude colher e proporcionar a oportunidade de escrever uma biografia completa. Este é muito mais uma tentativa de ensaio sobre sua vida. Mas, afinal, visa muito menos evocar as personagens do que as pessoas. Duas pessoas. Uma que se acende, outra que se apaga, deliberadamente, para que melhor se veja a luz que do outro se irradia.

Apesar da admiração com que é escrito este livro, feito de tantos sentimentos positivos, espero não seja ele encara-

[114] Com esse fragmento do prefácio, encontra-se a relação das vinte fotografias que deveriam acompanhar o livro.

do como uma espécie de estátua em bronze, e sim como algo vivo, capaz de transmitir até mesmo a sensação de inacabado, de incompleto, que este livro me dá antes mesmo de escrevê-lo. A biografia de Winston Spencer Churchill – não por acaso uma das admirações dos meus dois personagens – foi escrita até o segundo volume, dos cinco planejados, por seu filho Randolph. Com a morte deste, ocupou-se do terceiro volume o historiador (...). Teve à sua disposição (...). Esse 3º dos cinco volumes ocupa-se apenas de dois anos da longa vida de Churchill: os anos cruciais de 1914 a (....). No prefácio diz o autor: (...).

Imagine agora esse autor (...) para escrever sobre a vida, a vida inteira, por fora e por dentro, de dois homens que, pelas circunstâncias e nas condições que se há de ver, participaram e influíram sobre mais de meio século da vida brasileira. Leviandades da improvisação, compensadas, ao menos parcialmente, pela dedicação de alguns amigos, seus e nossos, de sua gente, de seus antigos colaboradores, muito especialmente de (...), e (...), e ainda, do (...), diretor do arquivo de *O Estado de S. Paulo*. De minhas secretárias (...), (...), (...) e (...) sem as quais – como se costuma dizer, mas é rigorosamente exato – este livro não seria possível. E se se pode falar de inspiração, diria que ele foi feito graças à dona Marina e a Luis Carlos Mesquita. A ela devo a maior atenuante com que poderia pleitear a minha absolvição dos erros e pecados. Quando certa vez alguém lhe falava mal de mim, ela ouviu com muita atenção e com a mesma deferência disse: "Pois é, mas você sabe, eu gosto até dos defeitos dele". E o Carlão, flor do gênero humano e, como este, cheio de defeitos, cada qual melhor.

A esses dois seres dedico este esforço. Ao leitor somente peço que não me faça a injúria de encará-lo como um panegírico. Espero que o receba como uma contribuição ao conhecimento de uma época, de várias fases cruciais da vida brasileira, ou simplesmente da vida de dois brasileiros que ajudaram, em certos pontos decisivamente, a fazê-la como a sonhavam, a sonhá-la como a queriam fazer.

Ilustres, no sentido menos convencional da expressão, foram bem pouco conhecidos, na sua verdadeira natureza. Quem jamais conhecerá a fundo a face oculta dos seres, suas motivações, seus impulsos sufocados, tudo o que não exteriorizam e o que, visto de fora, contrasta com o que se verá? Todo ser é secreto e, como os *icebergs*, parecem flutuar, mas levam sobre a água apenas uma parte bem menor do que aquela que passa, invisível, na sombra densa das águas.

Por isto, a rigor, toda biografia é uma interpretação, uma tentativa.

(O fragmento encontrado no Fundo de Arquivo termina aqui.)

Capítulo 4

Cartas trocadas com Juscelino Kubitschek de Oliveira e Carlos Drummond de Andrade

Este capítulo ficou reservado para a correspondência de Carlos Lacerda trocada com Juscelino Kubitschek de Oliveira e Carlos Drummond de Andrade. A idéia de separá-las das demais e agrupá-las decorreu da convicção da importância dessas cartas. São documentos de que, de certa forma, fizeram Carlos Lacerda reconciliar-se com os políticos e com os literatos.

A sua aliança com Juscelino Kubitschek e João Goulart afastou muita gente do líder udenista: "Quase todos meus amigos me viraram as costas", escreveu ele.

O mal-estar foi muito maior entre os correligionários de Carlos Lacerda do que com os dos seus novos aliados. Muitos companheiros de Juscelino e Jango não se entusiasmaram com essa união, é verdade, mas não se voltaram contra eles. O mesmo não aconteceu com quase todos admiradores e companheiros de Carlos Lacerda, que não aceitaram a nova aliança e se posicionaram ao lado do governo ditatorial contra ele.

Indagado a respeito por um filho sobre as dúvidas que o assaltavam sobre a utilidade de gesto tão ousado diante das represálias previstas, Carlos Lacerda argumentou que o efeito da Frente Ampla[1] seria a longo prazo. Se não prosperasse imediatamente teria o mesmo destino do *Manifesto dos Mineiros* divulgado em 1943, recebido com perseguições por parte do governo ditatorial de Getúlio Vargas, mas que aca-

[1] A Frente Ampla nasceu oficialmente em 28 de outubro de 1966.

bou sendo reconhecido como o passo inicial para a sua derrubada em 1945, quando todas as oposições convergiram para esse mesmo propósito.

A união oposicionista preconizada pela Frente Ampla em 1967 levou mais tempo do que a de 1943 para dar frutos. Isso só veio ocorrer mais de vinte anos depois,[2] no início da década de 1980 com a campanha das Diretas Já,[3] e a formação, antes, do grande partido oposicionista PMDB[4]- união do MDB[5] e PP[6] -, reunindo aquelas mesmas forças políticas que Carlos Lacerda tentou unir em 1966 com a Frente Ampla. Repetindo: nesse partido oposicionista aglutinaram-se todas as forças de oposição convocadas no Manifesto de 1967.

Carlos Lacerda não viveu o suficiente para participar do sucesso sonhado por ele. Faleceu em 1977.

O distanciamento de João Goulart não precisa de explicação pela suas origens políticas. Um cresceu combatendo Getúlio Vargas e o outro surgiu com o título de herdeiro do ex-ditador.

Mas que é que distanciara Juscelino de Carlos Lacerda antes da ditadura militar?

A política partidária, sem dúvida, cada um deles em posição adversa, liderando os seus grupos e estes abrigados

---

[2] Renato Archer disse mais tarde que a Frente Ampla é que possibilitou "esta união das lideranças de oposição que se vê hoje (1982). Acho que foi uma grande contribuição dele. Uma herança de Carlos Lacerda" (Recorte da entrevista ao *Mundo Ilustrado*, arquivada na Fundamar-Fundação 18 de Março, pasta 136/2/5-2.2.).

[3] Foi em 25 de janeiro de 1984 que houve o memorável comício em São Paulo, considerado como data do início do movimento que uniu todas as forças políticas de oposição.

[4] Partido do Movimento Democrático Brasileiro, fundado em 1980, com a união do MDB e do PP.

[5] Movimento Democrático Brasileiro, fundado em 1964.

[6] Partido Popular, fundado em 1980. Seu primeiro presidente foi Tancredo de Almeida Neves.

em partidos políticos consolidados, UDN e PSD. Houve um fato que poderá ter contribuído para o distanciamento entre eles. Em 1956, Juscelino, na Presidência da República, cassou o direito de Lacerda de ir livremente à televisão. Roberto Campos salienta esse fato, que contraria a justa fama de tolerância de Juscelino, acrescentando o seguinte comentário:

> Essa vedação persistiu até que o Tribunal Superior Eleitoral declarou-a inconstitucional, em 1º de setembro de 1958. Na sua biografia falada, *Depoimento*, conta Lacerda que quando se encontrou com Juscelino em Lisboa para a formação da Frente Ampla porque, reconhecidamente democrata, Juscelino lhe tenha restringido o acesso à televisão e se empenhara em cassar-lhe o mandato. "Não sou besta", disse-lhe Juscelino – "você derrubaria o governo".[7]

Por outro lado, para permitir a aproximação deles, a tolerância e a amabilidade de seu adversário eram velhas conhecidas de Carlos Lacerda, que narra um episódio que ressalta esse aspecto da personalidade de Juscelino:

> Ainda prefeito de Belo Horizonte, quando o governo brasileiro namorava com Hitler, ele aceitou presidir a Sociedade de Cultura Inglesa, órgão comprometedor, naquela altura. Num almoço dessa sociedade, no Minas Tênis Clube, presidido por Juscelino, convidei os presentes a conspirar contra a ditadura. Eram quase todos intelectuais e quase todos funcionários públicos. Não se acanhem, disse, a Inconfidência Mineira também foi uma conspiração de funcionários públicos. Juscelino não se ofendeu e riu dos que se consideraram ofendidos com o meu convite.[8]

[7] CAMPOS, 1994, p. 820.

[8] LACERDA, 2001, p. 264.

Juscelino tentou uma aproximação em 1955, oferecendo a Lacerda a Prefeitura do Rio de Janeiro, antigo Distrito Federal,[9] em troca do seu apoio à candidatura dele à Presidência da República.

Outra tentativa frustrada de aliança ocorreu em 1959, quando Carlos Lacerda denunciou os entendimentos de Juracy Magalhães com Juscelino Kubitschek. Esse arranjo se destinava a eleger um candidato comum da UDN, PSD e PTB nas eleições de 1960.[10] O candidato seria da UDN apoiado por Juscelino, então na Presidência da República e pelo seu vice-presidente, João Goulart. Uma espécie de Frente Ampla, não aceita por Carlos Lacerda.

Foi a pertinácia de Carlos Lacerda em combater os herdeiros de Vargas e os políticos despreocupados com o uso indevido do dinheiro público que o separou de Juscelino por tanto tempo.

A tardia Frente Ampla, considerada hoje prematura, deu oportunidade ao reencontro dos dois líderes políticos e permitiu o nascimento de uma amizade que as cartas revelam. Nestas se declaram admiradores um do outro. Admiração recíproca, a recente ostensiva e a antiga mal escondida e só tardiamente confessada.

Escreve Juscelino em 4 de setembro de 1973: *feridos pelos mesmos espinhos ... surpreende-me que não tenhamos sido amigos há mais tempo.*

---

[9] "Durante a eleição de Juscelino, Hugo Gouthier era cônsul geral em Nova York e amicíssimo de Juscelino. Recebi um telefonema dele – um longo telefonema quase de duas horas – em que ele me oferecia a Prefeitura do Rio de Janeiro em troca da minha neutralidade na campanha presidencial. Ele não queria nem o meu apoio, queria apenas que eu não me metesse na campanha. Tive que explicar longamente que isto era impossível" (LACERDA, 1977, p. 174).

[10] LACERDA, 2001, p. 275.

Carlos Lacerda responde em 10 de setembro de 1973, declarando ser essa carta "um dos mais belos documentos de minha vida".

Mas nada mais Lacerda do que a outra carta, a de 14 de outubro de 1975, em que elogia o livro de memórias do amigo, mas não deixa de adverti-lo para alterar alguns ou muito pontos que ele, Lacerda, considerava "piegas" ou "impróprios".

As cartas de Carlos Lacerda são transcritas na íntegra, exceção da de 16 de setembro de 1975, por não se tratar de uma carta, mas de uma simples dedicatória; as de Juscelino publicam-se apenas algumas, permanecendo arquivados os cartões, todos com significado próprio para os missivistas e nem sempre para o público ou historiadores.[11]

A carta mais curiosa, embora não muito importante, é a que Carlos Lacerda escreve à empresa que coordenaria suas conferências nos Estados Unidos e das quais participaria o seu novo amigo Juscelino Kubitschek. Ela vai transcrita no capítulo anterior. *O documento* destaca não apenas o bom entendimento dos dois ex-adversários, unidos agora de forma sólida, mas prenuncia a disposição mútua de trabalho político comum imediato. Isto em 1967. Não tiveram chance de executar seus planos.

Em apêndice a este capítulo, vai o artigo de Carlos Lacerda escrito para a *Folha de S. Paulo* no dia seguinte à morte de Juscelino Kubitschek de Oliveira. É um retrospecto da vida de ambos, que condiz com as cartas que o antecedem.

[11] O artigo foi publicado em 29/8/1976, em seguida à morte do presidente Juscelino Kubitschek e quando ainda pesava a proibição do jornalista e político cassado de aparecer na imprensa, motivo que teve pouca ou nenhuma divulgação.

Rio de Janeiro, 4 de setembro de 1975
Meu caro Carlos Lacerda,

Surpreendentemente talvez, mas não incompreensível, a nossa amizade, como você diz na dedicatória com que nos oferece, à Sarah e a mim, o seu admirável ***Em Vez.***[12]

Lógica, sobretudo, porque ela se formou após termos nós ambos percorrido as mesmas estradas, nos ferindo com os mesmos espinhos, para atingir depois de longa e sofrida jornada, a área imensa em que se concretizaram todas as nossas experiências.

Nessa fase, melhor dizendo, dentro dessa fase desaparecem as lentes da ilusão e se sobressai a realidade nítida dos fatos.

Nossas discordâncias se extinguiram desde que nos conhecemos e então nos penetramos com a mesma objetividade com que Tácito, creio eu, buscava a verdade histórica ***sine ira ac studio****.*

Desacordos do modo de agir e interpretar sempre os houve na

terra, em todos os espaços e em todos os tempos. Discordaram de Platão ao definir o belo como o esplendor do verdadeiro. E de Cristo também. Renan negou-lhe a divindade.

Por isso, hoje, o que a mim particularmente me surpreende é que não tenhamos sido amigos há mais tempo.

Abraços fraternos e sinceros,
Juscelino.

Rio de Janeiro, 16 de setembro de 1975
Ao presidente Juscelino Kubitschek
Meu caro Juscelino,

Recebi sua bela carta do dia 4. Incompreensível como disse, precisamente no sentido de surpreendente – para muitos. Ninguém

[12] *Em vez*, livro de crônicas de Carlos Lacerda, publicado pela Nova Fronteira, 2ª edição de 1975.

explicaria melhor do que o faz em sua carta que por isto mesmo fica como um dos mais belos documentos de minha vida. É também um atestado de sua generosidade, traço superior de seu caráter.

Carlos Lacerda.

Rio de Janeiro, 7 de outubro de 1975

Meu caro Carlos Lacerda,

Chegou finalmente a hora de oferecer-lhe um livro de minha autoria,[13] *escrito talvez sem a preocupação literária, mas onde, como diria o Padre Vieira,*[14] *pus na pena toda a minha alma.*

Não lhe dará por certo o prazer que flui das criações ficcionizadas, mas pelo que tenho lido e sobretudo pelo que tenho visto, nada melhor em matéria literária do que a própria vida. Captar, trazendo para o livro, o que pude testemunhar foi uma revivência, uma incursão pelo passado que hoje me parece saudoso e romântico.

Você que tem a susceptibilidade política à flor da pele, o lerá e me perdoará o que não lhe parecer agradável.

Meu afetuoso abraço,

Juscelino.

Rio de Janeiro, 10 de outubro de 1975

Meu caro Juscelino,

Acabo de receber com sua generosa e comovedora dedicatória que inclui Letícia, pela qual fui incumbido de agradecer, dois volumes – espero que os primeiros – das suas memórias. Por enquanto li

[13] *Meu caminho para Brasília* foi escrito por Juscelino Kubitschek de Oliveira. Teve a primeira edição em 1974, a segunda em 1976 e a terceira em 1978. Todas pela Editora Bloch.

[14] Padre Antonio Vieira (1608-1697). Escritor português e orador sacro brasileiro de grande fama. Jesuíta que se destacou no Brasil e em Portugal no século XVII.

apenas, além do prefácio, o primeiro capítulo até o momento em que você é chamado por sua irmã para ver passar o enterro de seu pai. Vou levar os livros para Petrópolis hoje, e hei de lê-los passo a passo.

Tenho medo do gênero memórias pelas limitações a que obriga, pelos debates a que conduz. Mas se alguém neste país tem o que contar não terá mais do que você, cuja vida se envolveu de tal modo com a própria vida nacional. Estou ansioso para ler o livro e gostaria de voltar ao assunto.

Mas sobretudo não quero atrasar de um dia a emoção que me deu a sua dedicatória com o traço característico de sua personalidade carregada de um sentimento que tanta falta faz a este país: a generosidade. Essa qualidade tão escassa é em você abundante a tal ponto que através dela você chegou à grandeza ou seja, àquela plenitude na qual defeitos e qualidades são superados pela contribuição positiva que uma personalidade dela dotada traz ao gênero humano. Creio que entre tudo quanto fez e poderá ainda fazer, a contribuição de generosidade será sempre a maior, a mais positiva e a mais necessária

Um abraço,

Carlos Lacerda.

Rio de Janeiro, 14 de outubro de 1975

Meu caro Juscelino,

Acabei de ler o 1º volume de suas memórias, ***Meu caminho para Brasília****, remetido com a dedicatória que já agradeci em carta de 6ª feira. Estou no meio do volume "Por que construí Brasília". A este voltarei depois.*

Fiz anotar vários trechos de depoimento político, especialmente da revolução de 1932 e dos preparativos para o Estado Novo, por causa do livro que estou escrevendo sobre os irmãos Mesquita, Julinho e Chiquinho.[15]

[15] Julio Mesquita Filho e Francisco Mesquita, proprietários do jornal *O Estado de S. Paulo*, já referidos.

Do ponto de vista literário, o livro é desigual e chega a ser desnorteante. Certos trechos – o retrato de seu pai, por exemplo – são de uma sobriedade, uma linha perfeita que nos dá um retrato ao mesmo tempo contido e enternecido desse seu involuntário e inescapável modelo. Já não direi o mesmo dos trechos, algo repetidos, sobre sua mãe. Falo aqui de literatura, se considerarmos as memórias como parte dela. São repisados, e como às vezes acontece quando você se comove consigo mesmo, roçam pela pieguice. Os americanos têm uma expressão para isto: ***self pity****. Às vezes dá a impressão de que vai ficar com os olhos cheios de lágrimas ao se lembrar – um pouco derramadamente – de sua infância pobre, suas dificuldades iniciais, etc. Um relato mais corrido, mais factual, teria sido mais edificante, mais instrutivo e de melhor gosto.*

Mas, não há negar que, mesmo assim, esse relato toca fundo o coração do leitor. Certa vez, em oposição a você, creio ter dito que quem é humilde não fala tanto de sua própria humildade. É isso aí.

No fundo, a sua qualidade pode ser a humildade, mas não tanta. Pelo contrário, sinto que essa humildade é insuflada por sopro de grandeza, de predestinação. Poderia apontar-lhe muitos trechos, nesse volume assim como no da história de Brasília, em que você – um pouco subconscientemente, muito também de propósito – dá um sentido místico, aponta prodígios, sorte de milagres, coincidências, que marcam a predestinação, a premonição, a pré-cognição e tantos outros fenômenos que a parapsicologia anda investigando. Esse traço me fascina, no livro e no autor. Pois, na verdade, pelo menos tal qual me parece, um certo sentido de predestinação não é incompatível com a humildade. Basta lembrar, entre outros, Joana D'Arc.

Até certo ponto da leitura não anotei nem risquei o livro, em atenção à edição, que está bonita – imagino os cuidados do Bloch[16] *como se vê pela dedicatória, acompanhada daquela carta que completa a outra, ainda recente e tão expressiva, que você me escreveu.*

[16] Adolpho Bloch (1908-1996). Gráfico nascido na Rússia, na cidade de Jitomir. Veio para o Brasil em 1921 e se tornou empresário. Fundou a revista *Manchete*, de larga circulação.

Mas, a partir de certo momento preferi riscar à margem certos trechos. Isto agora me facilita esta carta.

Os trechos em que você se refere a Getúlio Vargas[17] *são de uma objetividade e uma isenção realmente impressionantes. Enquanto tantos que o criticaram passam a adulá-lo agora, e outros insistem em resolver erradamente o passado para ver se o continuam, você, que não o combateu, dá desse homem de Estado sobre o qual preferi calar-me desde sua morte, em respeito ao seu sacrifício, um retrato muito parecido, com a vantagem de quem o viu de perto. Creio que alguns historiadores, inclusive estrangeiros, aprenderiam muito com você, para escrever História contemporânea do Brasil fora de uma ruma de documentos unilaterais e depoimentos parciais e apaixonados. Os preparativos do Estado Novo são por você resumidos com traços muito úteis para quem quiser recompor o quadro todo. Sobre o papel do Benedito Valadares*[18] *em todos esses preparativos, você chega a ser duro – embora sempre compreensivo e, afinal, não é a verdade o que se deve ao personagem e ao leitor? "Aliás ele não era homem que se rendesse a razões alheias, quando estivessem em jogo seus próprios interesses"(página 213). A progressiva ojeriza ao Armando de Sales Oliveira,*[19] *para justificar sua transferência de governador de Minas a articulador da ditadura, é uma página de história e de psicologia política excelente.*

[17] Getúlio Dorneles Vargas, colocado à frente do movimento revolucionário, assumiu o governo do Brasil em 1930 e passou a administrá-lo discricionariamente até 1934, quando submeteu-se à Constituição, sepultada três anos depois pelo golpe de 1937, que lhe permitiu continuar a governar ditatorialmente o Brasil até 1945, quando foi deposto pelos militares, mas não impedido de voltar à política. Eleito em 1950, dividiu definitivamente a nação. Suicidou-se em 1954 e o Brasil começou a sofrer a série de golpes militares decorrentes dessa divisão implantada desde 1950. Não obstante, Getúlio Vargas é considerado por muitos historiadores, com justiça, um dos maiores estadistas brasileiros.

[18] Benedito Valadares Ribeiro (1892-1972). Governador-interventor do Estado de Minas Gerais no período de 1935 a 1945. Senador por esse Estado por duas legislaturas. Escreveu os romances *Esperidião*, *A lua caiu* e os livros de memória *Tempos idos e vividos* e *Na esteira do tempo*.

[19] Armando Salles de Oliveira (1897-1945). Governador do Estado de São Paulo que implantou a Universidade de São Paulo, em 1934. Hoje conhecida pela sigla USP.

Certas notações como "Getúlio – que nunca falava ao telefone – mandou avisar" (etc., página 216) valem por todo um capítulo. Suas duas referências mais longas à sua reputação de pé-de-valsa, (página 217, etc.), a começar pela abstenção como presidente, são duas excelentes notações também. Alguns pequenos erros de revisão, muito poucos, simples troca de letra (um na página 219, abertos em vez de abertas, etc.) não prejudicam em nada a leitura, pois até a composição a facilita.

As notações sobre o progressismo social nas constituições de 34 e 46, (páginas 226, etc.) são lembretes raras vezes enunciados, quer nos panerígicos quer nas catilinárias sobre a fase brasileira em que Getúlio Vargas governou.

No capítulo sobre o levante comunista de 1935 há alguns erros; talvez noutra edição possam ser corrigidos. Esse movimento não foi formado com Luiz Carlos Prestes "contra a situação dominante" na época a que você se refere. Ele é muito mais antigo. Há toda uma história da conversão de Prestes ao comunismo, contatado no exílio por gente do Komintern, etc. Quanto ao PC, é muito anterior (página 242). Com esse erro se empobrece o livro, no que se refere a uma visão das lutas sociais no Brasil e sua repercussão política.

Também não sei de uma Aliança Popular por Pão, Terra e Liberdade anterior à Aliança Nacional Libertadora. Ela surgiu, de fato, como sucessora da ANL, quando esta foi fechada por Getúlio.

O levante de 27 de novembro não foi, pelo menos que eu saiba, resultado da apreensão dos comunistas com a penetração de Getúlio Vargas no operariado, como você diz na página 243. No entanto, o parágrafo anterior a esse que agora cito é excelente (página 243 também).

A referência aos foguetes de assobio (página 255) faz-me lembrar os que os partidários de Zezinho Bonifácio[20] *mandaram soltar*

[20] José Bonifácio de Andrada (1904-1986). Prócer da política mineira, já referido.

contra os de Bias Fortes[21]*, quando Milton Campos foi eleito governador de Minas. Eu estava lá em Brasília e tratava de pacificar os dois lados, o ganhador e o operador; mas os foguetes não deixavam – até que houve uma proposta, de gente da UDN, para comprar o estoque comprado pela gente do Bias, que ficará sem uso devido à derrota. Incidentes desse gênero pontilham o seu livro de amostras do inesgotável folclore político mineiro-brasílico. Nesse passo você o utiliza para retratar, com precisão, o que denomina "o meu estilo político". Creio que foi essa a sua maior força – e talvez isto lhe garanta na História do Brasil um lugar mais relevante do que a própria criação de Brasília. Pois foi, sem dúvida, essa generosidade, combinada com a técnica de não responder a acusações senão com novos trabalhos e proezas, o que lhe garantiu duração e popularidade – e, afinal, feitas as contas, a despeito de suas incompletas memórias, respeito geral, inclusive de seus antigos opositores. Creio que fui testemunha e, de certo modo, parte de uma de suas raras derrotas: aquela em que a Câmara recusou dar licença para eu ser processado pela Justiça Militar por ter "revelado" o código "secreto" do Itamarati. O erro a que você foi levado destoou de tal modo de sua conduta geral e quase permanente que facilitou a sua derrota. Durante todo o tempo, e confesso que até hoje, não entendi como foi possível enredá-lo naquele episódio. Em todo caso, ele me absolve de algumas injustiças minhas em relação a você, como uma espécie de empate.*

Curioso é que neste país sem memória haja tanta gente empenhada em não entender que homens públicos não guardem rancores nem os coloquem acima do interesse público, em cujo nome divergem e lutam uns contra outros. Suas memórias são um esforço para explicar, através de um exemplo concreto e bem-sucedido, esse critério, esse elemento de grandeza sem o qual a vida pública se transforma numa pobre competição personalista e esterilizante.

[21] Francisco José Bias Fortes (1891-1971). Governador do Estado de Minas Gerais no período de 1955-1960.

O modo discreto, mas exato, embora incompleto, pelo qual você se refere ao Plano Cohen (de 1937)[22] *não me satisfez, como leitor. Quando, depois de cinco anos de proibição às rádios e televisões, por ordem do general Mourão,*[23] *por sua vez obedecendo a ordens suas, estive com o general, ele me contou tudo. Lutando para obter que as emissoras pudessem transmitir a minha palavra, acusei o general Mourão da autoria do Plano Cohen, como era do entendimento geral, agravado pelo depoimento do gen. Góis Monteiro.*[24] *Mourão propôs-me um encontro. Fui vê-lo. Ele me contou tudo – inclusive a ordem recebida de você, a ligação que tinha consigo, de pai para filho, desde a infância em Diamantina, etc. Mas, ainda uma vez, se você passa um pouco apressadamente sobre o Documento Cohen e toda a trama do Estado Novo, o final do capítulo (página 306) deixa clara a impostura que se armou contra a difícil e sempre adiada democracia brasileira.*

É difícil aceitar a qualificação de "vítima indefesa" que você dá a Valadares, na página 318, depois de tudo o que conta da atuação dele. Creio que foi antes um desses deslizes de estilo que de vez em quando lhe acontecem, quando você incorre no pecado de juntar um objetivo crônico, contumaz, a um substantivo predestinado a esse tipo de associação: ***vítima indefesa*** *é um desses casos... Assim, também o final do capítulo (página 320) conclui um pouco apressadamente, e a meu ver não com a mesma sinceridade – é difícil escrever memórias! – sobre a sua confiança na conversão ocorrida na estância (e não fazenda) de Itu.*

22 Um falso plano de suposta subversão usado como pretexto para combater o comunismo.

23 General Olympio Mourão Filho (1900-1972). Chefiou a marcha militar que derrubou o presidente João Goulart em 1964 e foi o censor de rádio e televisão que proibiu Carlos Lacerda de falar durante o governo Juscelino Kubitschek. A ele se atribuiu com frequência ser o autor do falso Plano Cohen, versão desmentida posteriormente.

24 General Pedro Aurélio de Góis Monteiro (1889-1956). Eminência política do exército brasileiro, com destaque no período ditatorial de Vargas e durante o governo do general Eurico Gaspar Dutra.

Todas as referências ao peixe vivo e seu complemento, o zunzum, afinal misturados, são da melhor memorialística. Certas observações políticas, como a da página 342 sobre o "populismo circunstancial" que se fazia passar por profunda reforma social sob o Estado Novo, são corajosas e muito oportunas. O mesmo se pode dizer do segundo parágrafo da página 343. Curioso – será um traço de mineiridade? –, você guardou a sua severidade para o Francisco Campos[25] *e toda a sua ternura pelo Capanema.*[26] *Ambos têm seus erros e ambos traços consideráveis de talento. Mas, afinal, a camisa caqui não serviu só a Campos.*

Prefiro não examinar as breves referências – aliás creio que só uma – a críticas que lhe foram feitas sobre a origem de seus bens. Na verdade, creio que nesse ponto o seu estilo político não ajudou a esclarecer pontos que, afinal, poderiam ser esclarecidos no devido tempo, se você se dignasse fazê-lo. Mas tudo isto está tão distante, e tem sido de tal modo superado, inclusive pelo que se tem visto ultimamente, que é de causar até pasmo como a gente se preocupava tanto com esse aspecto – ao qual hoje não se dá importância por se ter tornado corriqueiro. Digamos que naquele tempo exagerávamos num sentido de seriedade e exigência. Hoje, o exagero vai em sentido oposto, com a agravante de não haver fiscalização possível.

Excelente, também, a notação sobre o episódio do motorista. A figura deste entra inteira no livro, com tão simples referência.

Já vai longa esta carta e ainda o ameaço com outra, quando acabar de ler o volume sobre Brasília. Você se devia, e ao Brasil, esse relato. Dele ressalta um homem que gosta de valorizar sua figura com o relato de suas origens, de seus esforços, mas sobretudo apontando essa forma de predestinação que, de certo modo, constitui uma visão mística da missão de uma criatura no seu tempo, no seu meio.

[25] Francisco Álvares da Silva Campos (1891-1968). Político e jurista mineiro conhecido pelo apelido auto-explicativo de "Chico Ciência". Autor da Constituição outorgada de 1937 e do Ato Institucional de 1964.

[26] Gustavo Capanema (1900-1995). Ministro da Educação na ditadura Vargas. Impulsionador das artes.

Na penúltima carta, a que aconteceu com a remessa do seu livro, você diz que foi pena não nos termos conhecido melhor, há mais tempo. Sei que com isto não quer dizer que aprecia meus defeitos ou esquece meus erros. Mas também sei que com isto quer dizer que poderíamos, juntos, ter superado melhor nossos defeitos e erros, e provavelmente o que fizemos de certo e justo e útil seria multiplicado pelo esforço conjunto. Realmente, ao ler seu livro me dou conta de um sentimento que há muito me veio e do qual seria uma forma de pusilanimidade fugir ou me esconder: o sentimento de que sua amizade é boa, porque você é fundamentalmente bom. Completado por outro sentimento, este bem curioso e creio que, para muitos, paradoxal. A sensação de que, se nossos defeitos são diferentes, nossas qualidades são muito parecidas. Principalmente essa qualidade básica, a de ser um fazedor, muito mais do que um olhador. Olha, enquanto faz, mas não pode é deixar de fazer – porque nasceu para fazer. É um fazedor incoercível, irreprimível, incorrigível.

Esse transbordamento do ser, essa multiplicação em outros, *em coisas e seres que se criam e se refazem pela nossa mão, eis o que me parece um traço comum a nós dois, e bem pouco usual, aliás. O resto são medidas de grandeza que o tempo projeta e que você revela nesse livro que vai da infância ao começo da sua projeção nacional e internacional. Afora, creio, Pelé,*[27] *você é o brasileiro do qual mais se falou no mundo.*

Coube-lhe a oportunidade, que você soube provocar e aproveitar, da aceleração do processo revolucionário, isto é, transformador, do Brasil. Nesse processo vários se inserem, com maior ou menor intensidade, conforme as oportunidades que lhes foram dadas; inclusive a minha na Guanabara. Sua inserção do lado errado, isto é, do lado oligárquico e demagógico, não o impediu de se impor e, na medida do possível, superar essa limitação política para adquirir uma dimensão histórica. Talvez lhe tenha ficado, como em mim ficou também, a desagradável sensação de ter sido usado. Certa vez me

---

[27] Edson Arantes do Nascimento, Pelé, nascido em Três Corações, MG. Eleito pelo Comitê Olímpico em 1997 como "o atleta do século".

qualifiquei como uma espécie de boi-de-piranha, isto é, o que primeiro se atira para ser sacrificado e proporcionar, assim ao rebanho a oportunidade de atravessar a corrente do rio. As piranhas não poupam o atrevimento. Você conseguiu passar incólume. Creio que em Lisboa, quando nos encontramos depois de tanto tempo, lhe disse que agora completava-se a sua personalidade, com a adversidade. Pois até então só conhecera o êxito, e este, sem contraste, não basta. É na adversidade que os homens se revelam, e mais, se modelam, ou melhor, se completam. Nem mesmo ela venceu o seu otimismo, que é antes de tudo uma posição diante da vida. Para quem andou tanto e foi tão longe, e tão alto, nada parece impossível. Dir-se-ia que realmente nada é impossível. Justifica-se, assim, o otimismo.

Estamos pensando em realizar no Brasil uma coleção de livros como começou agora na França. Com um livro chamado ***Palavra de homem****, do pensador e publicista Roger Garaudy,*[28] *que foi do Partido Comunista até há pouco. Pede-se a homens públicos, intelectuais, pessoas que de algum modo influem, uma série de reflexões sobre temas predeterminados. Num total de 200 páginas, os temas são os seguintes:*

Auto-retrato – Amor – A morte – O sentido da vida – O prazer – A felicidade – A vida cotidiana – Liberdade? Libertação? – O trabalho – Os outros – O passado – O presente – O futuro – A política – A cidade ideal – Uma fé – E o resto.

Você aceitaria escrever 200 páginas para a Nova Fronteira, sobre esse temário?

Do segundo livro, o que trata de Brasília, lhe direi depois. O que já li está um pouco misturado, a lembrança pessoal, as reflexões e os sonhos, com a resenha, os episódios, a crônica. Vamos ver o que isso dá, no fim da leitura.

Pelo primeiro, renovando nesse agradecimento pela dedicatória, aceite um abraço comovido.

Carlos Lacerda

---

[28] Roger Garaudy, escritor francês, nascido em 1913. Protestante convertido ao catolicismo. Comunista durante a grande guerra e convertido ao Islamismo em 1970.

Rio de Janeiro, 9 de janeiro de 1976
Meu caro Carlos Lacerda,

Recebi agora seu telegrama, felicitando-nos pelo feliz resultado a que chegaram os exames a que se submeteu Márcia, e mal poderá calcular quanto seu gesto nos tocou, nos sensibilizou, a Sarah e a mim.

Atitude de uma grande alma como a sua.

Nestas horas é que a gente compreende o que quis dizer aquele imenso Cassiano Ricardo,[29]

"Não foram, não, os anos
Que me envelheceram,
Longos, lentos, sem frutos.
Foram alguns minutos".

Estes minutos, os da ansiedade e da aflição, são mais estirados do que as horas emperradas de quem não espera, nem tem pressa.

Estou devendo a você uma resposta à admirável crítica a meu livro. Já está pronta. Não tardará.[30]

Reafirmando-lhe meus agradecimentos, enviamos, Sarah e eu, à dona Letícia e a você um afetuoso abraço.

Rio de Janeiro, 26 de março de 1976
Meu caro Carlos Lacerda,

Estou em falta com você, devendo-lhe minhas observações[31] *sobre a judiciosa crítica a meu livro que você tão inteligentemente fez.*

Mas, como minha vida, ora aqui, ora ali, é como a sua, o seu perdão não me faltará.

[29] Cassiano Ricardo (1895-1974). Autor de *Martim Cererê*, *João Torto* e outros.
[30] Esta resposta não foi encontrada no Fundo de Arquivo Carlos Lacerda (FACL).
[31] Não foram encontradas essas observações no Arquivo.

Recebi o livro ***Um Objeto Nacional****, de Manuel Fraga Iribarne,*[32] *e agora, no seu estilo vigoroso e fluente, mais belo, mais atraente.*

Aguardando o prazer de revê-lo breve, envio-lhe e à d. Letícia, meu afetuoso abraço.

...mas acredito que o nosso exemplo frutificará

Carta de Juscelino Kubitschek a Carlos Lacerda

New York, 7 de março de 1967
Meu caro governador,

Chegando ontem da Europa, onde estive viajando durante cinco dias, encontrei uma série de informações a respeito do nosso Movimento.

As fitas gravadas que o Renato me enviou, as informações do Bê e a longa conversa que tive ontem, à noite, com o seu ex-secretário José Zobaran Filho, deram-me uma medida certa do que está acontecendo. Sua carta as completou e fez a síntese de tudo.

Meditei muito sobre as suas observações e cheguei às mesmas conclusões a que você chegou.

O que motivou o início do nosso Movimento?

A grave preocupação de ajudar a restabelecer no Brasil a paz política e o desenvolvimento, o que só seria possível, através da restauração da democracia.

Ainda temos que lutar algum tempo contra a incompreensão daqueles que consideram mais importante manter o país sob o regime em que está, do que superar divergências pessoais para atingir a grande finalidade a que nos propusemos.

---

32 Manuel Fraga Iribarne (1922-1992). Vilalba, Espanha. Morou em Cuba quando criança.

Mas acredito que o nosso exemplo frutificará e, com um esforço continuado, lograremos chegar ao ponto desejado.

Estou plenamente de acordo com a sua opinião. O Movimento deve encaminhar-se para a formação do Partido. As nossas conversas em Lisboa, das quais participou a brilhante inteligência de Sandra Cavalcanti, nos indicaram o rumo que estamos seguindo.

Por enquanto, é um Movimento Abolicionista. Mas, mesmo depois de atingido o objetivo, ele só continuaria sendo defendido por uma organização política permanente que recolhesse força e inspiração no sentimento popular.

O Renato[33] *também tem razão, quando considera o nosso Movimento como uma preliminar indispensável para a partida mais importante.*

A receptividade, felizmente, tem sido muito boa, sinal de que o povo compreendeu o que desejamos.

Considero muito mais fácil transformar o Movimento em um Partido, do que caminharmos diretamente para a formação deste.

Acho também de uma importância decisiva, a Constituição da Primeira Comissão Organizadora. E os nomes que vocês mandaram não poderiam ser melhores.

Outro ponto muito importante para mim é que este primeiro passo se torne efetivo antes do dia 15 de março. "A marcha de mil milhas começa com um passo." Já demos o primeiro.

Acredito que nós deveríamos, a partir de agora, ir providenciando as medidas necessárias, de acordo com a legislação que disciplina a firmação dos Partidos. A tarefa mais difícil, talvez seja depois da posse do novo presidente.

O período de expectativa vai se prolongar por algumas semanas ou meses, e muita gente ficará aguardando o desdobramento dos acontecimentos, antes de se definir.

---

[33] Renato Archer (1922-1996). Integrante da Frente Ampla, como representante de Juscelino de Oliveira. Nesta qualidade, participou da reunião de Carlos Lacerda com João Goulart em Montevidéu.

Depois da data de sua carta – 19 de fevereiro – houve um fator novo que me impôs uma pausa: a operação a que Márcia[34] vai se submeter em Houston. É uma intervenção grave e que me reterá naquela cidade até passar a fase do pós-operatório.

Todos os argumentos que me mandou sobre a minha volta, correspondem, exatamente, ao que estou pensando. Aguardarei, assim, mais alguns dias, para assentar a minha decisão.

Não creio, porém, que esse período seja longo.

A seqüência de suas providências por um lado, e a atuação do Renato, mais explicitamente no meu campo, assegurarão, estou certo, um êxito mais do que razoável.

Aqueles outros amigos íntimos que estão sempre em contato com você e com o Bê[35] mandaram-me, também, uma série de opiniões que coincide com a sua.

Estamos assistindo à rápida geração de um grande Movimento que não nasceu para combater ninguém, mas sim para criar uma atmosfera que facilite ao Brasil, a volta ao regime democrático e ao estabelecimento de um ambiente de paz indispensável à retomada do desenvolvimento.

As esperanças que cercam o novo presidente aumentam-lhe muito as responsabilidades.

Considero uma felicidade para o Brasil que ele as saiba recolher e as transforme em instrumentos para a nova marcha.

O que me disse na sua carta está de acordo com o que eu venho observando. Os meus escritórios aqui e em Lisboa estão o dia inteiro sempre cheios de brasileiros que me visitam. E não encontrei ainda nenhuma discrepância a respeito da esperança do que todos aguardam, o advento do novo governo.

Estou com pouco tempo porque não quero perder o portador de hoje, parece-me que já me manifestei sobre os pontos mais importantes de sua carta, ou seja:

---

[34] Filha de Juscelino Kubitschek.

[35] Não identificado.

1º – Apressar a formação da primeira comissão destinada a orientar a Frente Ampla.

2º – Promover todas as medidas necessárias à fundação do novo partido.

3º – Conservar, em torno do novo governo, um ambiente de simpatia que lhe permita superar as graves dificuldades que vai encontrar.

4º – Não fugirmos aos compromissos originais do pacto de Lisboa, isto é, estabelecer para a Frente Ampla, a Paz – Democracia – Desenvolvimento como legenda definitiva.

5º – Minha volta –, que depende desse episódio novo que surgiu agora, com a operação de Márcia.

Gostei muito do seu discurso de saudação ao Brunini.

As idéias que estão ali são a estrutura do manifesto que a Frente Ampla deverá lançar.

Já conversei com mrs. Warner[36] *sobre as conferências. Em breve, remeter-lhe-ei o esquema.*

Com os cumprimentos muito afetuosos, mando-lhe um cordial abraço, retribuindo também no seu nome e no de Sarah, os cumprimentos de d. Letícia.

Do seu amigo,

Juscelino Kubitschek de Oliveira.

CARLOS DRUMMOND DE ANDRADE[37]

As cartas de Carlos Drummond de Andrade concederam a Carlos Lacerda o título que ele há muito buscava e que os círculos intelectuais lhe negavam. Expulso da política, seu

---

[36] O esquema das conferências negociadas por Carlos Lacerda está na carta à sra. Selma W. Warner, de 4 de maio de 1957, transcrita em capítulo anterior.

[37] Carlos Drummond de Andrade, nascido em Itabira, Minas Gerais, em 1902 e falecido no Rio de Janeiro, em 1987.

habitat verdadeiro, tentava abrigar-se nos meios literários, que ele ironicamente denominava república das letras:

> *...Outra circunstância, esta muito pessoal, e que a outros, que não os muito sensíveis, pareceria fútil, concorre para tornar a sua carta preciosa. É que eu já temia morrer sem ser admitido no que dantes se chamava a república das letras. E isto, sobre ser uma tanto ou quanto secreta aspiração, era antes de tudo uma justificação, além de uma tentativa de durar mais do que um artigo ou um discurso. Fazia isto parte do que chamei, em livro, a condenação do heresiarca. Eis que você me redime e me confere – com que atestado! – um visto para entrar nesta república, na qual – ao menos por comparação – existe ainda uma relativa liberdade – pelo menos aquela a que se referia o Portinari quando o embaixador (creio que o Cerrutti) lhe disse, no Jóquei Clube, que o fascismo dava muita liberdade aos artistas: a liberdade disse ele (e me contou) a gente não recebe, toma.*[38]

As cartas selecionadas para este livro não são completamente inéditas. Pelo menos partes delas já foram transcritas em reportagens de jornais e revistas pelo interesse que despertaram quando delas a imprensa tomou conhecimento. A carta a que damos maior destaque pelas razões contidas em seu conteúdo é a de Carlos Lacerda a Carlos Drummond em 31 de dezembro de 1976, conhecida de pouca gente. Ela traz o desabafo de quem se julgava injustiçado, queixa que ele irá repetir publicamente em fevereiro de 1977, ao fazer a introdução do conto *O licenciado*, mais tarde inserido na coletânea *Contos inéditos*.

> Filho pródigo das letras, depois de penoso analfabetismo político, fui condenado por dez e mais anos a duas penas: ganhar a vida com o suor do rosto alheio e ver a referida vida com

[38] Carta de Carlos Lacerda a Drummond em 31 de dezembro de 1976.

total, ou quase, liberdade de julgamento. Nunca fui admitido na outrora e impropriamente chamada república das letras, que na realidade consiste numa série de principados, ducados e outros latifúndios, senão enquanto fazia papel de arcanjo no coro angélico da esquerda festiva. Desde que achei a esquerda um equívoco pelo menos tão grande quanto a direita - esta pelo menos intelectualmente mais digna e menos cretina, embora antipática - fui expulso da literatura. Pois o primeiro a não cultivá-la fui eu mesmo, embalado nos tropos da retórica, nos gargarejos da oratória e na mania de fazer, em vez de dizer como se faz.[39]

Por estarem também dentro do contexto deste capítulo, publicamos trechos da carta da filha de Carlos Lacerda, Maria Cristina, ao jornal *O Estado de S. Paulo*, de 24 de outubro de 1978, em que reproduz o que Carlos Drummond de Andrade lhe escreveu depois da morte de Carlos Lacerda. Nenhum necrológio poderá superar as palavras do poeta.

Rio, 25 de dezembro de 1975
Carlos Lacerda,

Agradeço-lhe vivamente, e à Nova Fronteira, o magnífico exemplar de ***Ode marítima****, de Fernando Pessoa,*[40] *com que me distinguiram neste Natal. Realmente, é um fino objeto de arte, a que Otávio Araújo*[41] *deu contribuição relevante, para maior glória do poeta. Parabéns à arte gráfica de nosso país.*

A afirmação de que "não gosto de você" seria pelo menos exagerada, se não fosse, como é, totalmente errada. Ninguém é indiferente

[39] LACERDA, 2003, em Apêndice com o título "Testamento"...

[40] Fernando Pessoa (1888-1935). *Ode marítima*, entre outras.

[41] Otávio Araújo, nome completo de Octávio Ferreira de Araújo, nascido em 1916. Convidado por Carlos Lacerda, ilustrou a edição de luxo da *Ode marítima*, de Fernando Pessoa.

ao "chameur" irresistível que você é; mesmo os que dizem detestá-lo, no fundo, gostam de você, gostam pelo avesso, mas gostam.

Quanto a mim, tenho presente que fomos bons camaradas na luta pela ABDE,[42] *e que lhe dei o meu voto para governador (voto de que não me arrependi, em face dos lances criativos de seu governo). Apenas discordei de posteriores atitudes políticas de você. O que é comum na vida e não afeta o relacionamento pessoal. Certo?*

O abraço cordial, a admiração e os bons votos do seu Carlos Drummond de Andrade – Rua Conselheiro Lafayette, 60, apartamento 701, Rio.

Rio, 26 de dezembro de 1976
Prezado Carlos Lacerda,

Ainda que você não tivesse outros títulos – tem vários – a ser inscrito na memória de nossa terra e gente, bastaria este, de autor de ***A casa do meu avô*** *para garantir-lhe esse lugar, que importa mais do que os lugares convencionalmente tidos como importantes.*

Seu livro não tem apenas o valor de refletir uma funda emoção que se enriquece de reflexão: é também um despertador de vivências brasileiras, provocando ecos, recordações e revelações em todo leitor que também teve uma "casa de seu avô" e uma infância como parece que não se usa mais, porque tudo é massificado ou proibido (inclusive subir na árvore).

A essa riqueza de informação sobre o viver no interior e numa casa propriamente dita, que é a marca de seu livro, outra se faz notar, é a alta qualidade do texto, que as fotos do seu filho Sebastião[43] *ilustram com uma dignidade e uma beleza de imagens realmente admiráveis.*

---

[42] Associação Brasileira de Escritores.

[43] Sebastião Lacerda, segundo filho de Carlos Lacerda, nascido em 1941, homônimo do avô Sebastião Paiva de Lacerda.

Pelo magnífico presente de Natal, o meu abraço de agradecimento, acompanhado de votos de alguma coisa de possível em 1977, – deve haver – se procurarmos bem.

Cordialmente,

Carlos Drummond de Andrade.

1976 - De Carlos Lacerda para Carlos Drummond de Andrade

Rio, 31 de dezembro de 1976

Meu caro Drummond,

Sua carta foi o que tornou desnecessário, neste fim de ano, quanto a mim, procurar algo de bom que esteja acontecendo – como você sugere. Pois logo descobri o que me aconteceu de bom, foi ela. A cópia fotostática que fiz para meus filhos guardarem é testemunha.

Sei que você não gosta que usem, divulgando-as, palavras que escreve em particular. Talvez não chegue ao extremo do Mário de Andrade em uma de cujas cartas encontrei de que considerava filho-da-puta quem divulgasse suas cartas; o que não impediu, até por ignorância dessa repulsa prévia, muita divulgação delas.

Em todo caso, é por isto que não ouso pedir licença para tornar públicas tão encorajadoras, sobretudo tão consistentes, palavras sobre ***A casa de meu avô***[44] *e de seus dois autores, o do texto e o das fotografias. Acredito que Sebastião tenha ficado tão comovido quanto eu. E nenhum de nós mais do que Maria Cristina – que tem por você, além de admiração pelo poeta, um terno e tocante respeito pela pessoa Carlos Drummond – e Letícia, que além dos seus próprios sentimentos, bem percebeu o quanto fico devendo a essa carta. Ainda mais neste momento da vida. Há quem considere triste esse livro. Não, triste sou eu. E ainda mais: ando eu. Pois há nestes tempos*

---

[44] Editora Nova Fronteira, 1976.

motivo real de alegria? Sua alegoria a propósito do menino punido, por subir numa árvore com um tiro policial, refere-se à vida em geral e particularmente à dureza para com a infância de toda criatura. Mas sem dúvida, essa proibição de toda gratuidade, esse horror ao espontâneo e à sua graça, se agrava sob certas condições como a que nos agarrou a todos e a esta altura já não sabe como abrir as garras sem nos largar lá de cima e nos estatelar, a todos, na pedra lisa da estupidez.

Outra circunstância, esta muito pessoal, e que a outros, que não os muito sensíveis, pareceria fútil, concorre para tornar a sua carta preciosa. É que eu já temia morrer sem ser admitido no que dantes se chamava a república das letras. E isto, sobre ser uma tanto ou quanto secreta aspiração, era antes de tudo uma justificação, além de uma tentativa de durar mais do que um artigo ou um discurso. Fazia isto parte do que chamei, em livro, a condenação do heresiarca. Eis que você me redime e me confere – com que atestado! – um visto para entrar nesta república, na qual – ao menos por comparação – existe ainda uma relativa liberdade – pelo menos aquela a que se referia o Portinari quando o embaixador (creio que o Cerrutti) lhe disse, no Jóquei Clube, que o fascismo dava muita liberdade aos artistas: a liberdade disse ele (e me contou) a gente não recebe, toma.

E se ainda posso acrescentar algo, sua carta também me devolveu um tempo – depois ferido e pisado – em que as pessoas se encontravam no mesmo apreço por uma criação da inteligência, pelo que por alguma razão lhes parecia digno de respeito e de estímulo. Não sei como evitar neste ponto uma aparência de pedantismo. Ou, antes, sei. Simplesmente releio sua carta e me sinto recompensado. Muito. Prefiro ter a pretensão de haver merecido uma carta assim, vinda de você, do que – por exemplo – ser anistiado... Se for uma ilusão minha, se não der todo desconto devido à sua generosidade, tanto melhor. Se eu merecesse ficaria vaidoso. Não mereço, fico, somente, comovido.

Um abraço,

Carlos.

Trechos da carta de Carlos Drummond de Andrade a Carlos Lacerda transcritos por Maria Cristina Lacerda Simões e publicados pelo *O Estado de S. Paulo*, seção de "Cartas do Leitor", do dia 24 de outubro de 1978

(...) Carlos, se fosse somente escritor e tivesse perseverado numa exclusiva atividade literária, não daria a medida do homem excepcional que ele foi. Sua vida teria sido menos dramática, ele não teria decepções, não seria acuado e amordaçado, mas perderíamos a experiência do homem público que coexistia em sua natureza e se harmonizava perfeitamente com o escritor. São tão raros entre nós (raríssimos) os casos de escritor-político que nos acostumamos a dissociar as duas atividades e achamos um tanto estranha a espécie. Contudo, ela me parece a que melhor poderá exercer a política, elevando-a a um plano de idéias e enriquecendo-a de sensibilidade, dois atributos que o político de craveira comum, desgraçadamente típico do nosso atraso social, não possui.

Está claro que a irrupção de um intelectual como seu pai na cena política (e um intelectual com a personalidade fortíssima que o caracterizava) causaria o maior mal-estar, o assombro, o medo e a irritação que ele provocava. Medo que não resultaria só de suas qualidades de bravura e impulsividade, mas principalmente, a meu ver, de que ele não era um militante político qualquer – era um intelectual, um homem profundamente diferente da fauna corriqueira, animal estranho e perturbador porque usava acima de tudo a inteligência e não a manha. Inteligência que às vezes se voltava contra ele mesmo, pois não era bitolada pela conveniência e abria uma área de crítica de análise mordaz e rutilante, quando a melhor tática era a do silêncio e da omissão. Esses jogos de espírito nunca lhe seriam perdoados, porque inferiorizavam o adversário, incapaz de competir com ele neste terreno. (...)

Eu por mim não gostaria que o período brasileiro em que me coube viver houvesse transcorrido sem a presença de Carlos Lacerda no quadro político nacional, a que ele trouxe uma vibração inesque-

cível, como agente vigoroso de grandes transformações. Era um homem que espremia tumores quando necessário. Nem sempre pude me sentir a seu lado, e atribuo isso mais a uma questão de diferença de temperamentos, mas não podia deixar de admirar o ímpeto que ele punha nas suas campanhas – ímpeto que agora é explicado de maneira tão cabal neste "Depoimento" confessional, tão rico de humanidade e interioridade (...). (...) Saí da leitura do livro com a impressão de que o fenômeno Lacerda não se esgotava nem na vida intelectual nem na ação política. Ele era rico demais, numeroso demais para ser apenas escritor ou apenas político. Foi as duas coisas e nisso está o selo da grandeza de sua personalidade. O julgamento do homem político será feito pela história, quando já apagadas as paixões mas a admiração pela figura que concentrou tantos dotes eu a tenho e manifesto. (...)

Apêndice[45]

Quando fui a Lisboa apertar a mão do exilado que combatera quando ele estava no poder, sabia que teria de esperar algum tempo até que chegassem a compreender a razão do nosso gesto de entendimento civilizado e democrático. Estes dias, estarrecido – pois minha capacidade de me assombrar com a estupidez é ilimitada –, assistia a utilização do aniversário da renúncia do Jânio Quadros à Presidência pelos que pretendem convencer o povo de que a democracia no Brasil é impossível.

Além da deformação de fatos, da deturpação odienta de intenções e episódios, com o visível propósito de provocar maiores divisões, a moral dessa indecente comemoração pare-

[45] Este artigo de Carlos Lacerda foi publicado na *Folha de S. Paulo* no dia seguinte à morte de Juscelino, 23 de agosto de 1976.

ce ter sido esta: Viu? O único presidente eleito pela oposição, democraticamente, não conseguiu governar e teve de renunciar. Parece que se pretende convencer os brasileiros de que o país só vai para frente se não for perturbado pelo fantasma da democracia - que tira o sono de Macbeth. Assistia-se, estes dias, às cabriolas dos contorcionistas da História para fazer crer que a democracia é impossível.

O acidente em que morreu o presidente Juscelino repõe a verdade perante a nação. Pois recorda, brutalmente, que no Brasil, Juscelino foi a prova de que a democracia, tanto quanto necessária, é possível. Seus erros não foram maiores do que os que são praticados pelos que renegaram seus compromissos com a democracia. Seus acertos, sim, foram muito maiores. Na desgraça, ele cresceu. E na própria morte, deixou uma lição, a de que é impossível, isso sim, substituir líderes autênticos por praticantes da arte de adular e das astúcias banais de que qualquer intrigante é capaz.

Juscelino teve o que mais falta faz a um país em qualquer tempo, e muito mais nas suas horas difíceis: um toque de grandeza. Ele foi grande na generosidade. Ele soube perdoar, soube esquecer. Com toda a força na mão, as Forças Armadas à sua disposição, seus inimigos emudecidos e ameaçados, ele pediu ao Congresso que desse anistia aos que de armas na mão se rebelaram contra o seu governo.[46] Combatê-lo foi difícil, precisamente por que ele em vez de se vingar, procurava compreender. Mais fácil foi se tornar seu amigo, no exílio, quando o abandonaram tantos dos que hoje se converteram a uma revolução que infelizmente tornaram necessária, mas estão tornando insuportável porque, afinal, contraria a melhor vocação do povo brasileiro.

---

[46] Carlos Lacerda se equivoca, e não pela primeira vez, nessa interpretação. A anistia solicitada favorecia também os militares que articularam o golpe que depôs Carlos Luz e impediu Café Filho e não apenas os militares que tentaram o golpe contra a sua posse.

A vocação para a liberdade – que foi uma das vocações de Juscelino. A vocação para a tolerância, que ele praticou até excessivamente, mas com a qual se engrandeceu em vez de se amesquinhar. A vocação de apreço pela inteligência.

Certa vez ele disse que Deus o privara do sentimento do medo. Poderia ter acrescentado que também o privou da capacidade de invejar e de odiar. Sua cordialidade era tão brasileira, que faz desejar não tenha morrido com ele essa característica, entre todas a melhor, do povo donde saiu o filho de dona Júlia.

O clima de intriga e difamação, os renitentes resíduos de ódio e prevenção beneficiaram os mesquinhos, os covardes e os adulões. Não beneficiam, porém, o povo como um todo. Nem há como invocar patriotismo para implantar o ódio como princípio e a divisão como fim. Juscelino terá dado provas de quanto um líder democrático é capaz de errar e de dar certo. Mas, sobretudo, provou que a existência de líderes democráticos é indispensável a um país. De líderes que acreditam no valor da liberdade, na utilidade da divergência. Celebram-no por ter feito Brasília. Mas há que celebrá-lo ainda mais por ter demonstrado aos brasileiros que a democracia é possível. E desde que possível, indispensável.

Agora, exatamente nesta hora, foi como se a morte fosse o discurso que não pôde fazer. Marcado pela coragem jovial, a generosidade cordial e a tolerância, que é o mais difícil dos sinais de grandeza de um homem de Estado.

Por isso, se me honro de ter mantido a oposição no cumprimento do dever que se impôs, o de alertar para os erros e se preparar para substituí-los, honro-me ainda mais de ter sido seu amigo quando já não podia dar nada, senão compreensão e respeito, que de sua parte não me faltaram.

Ainda acredito que, afinal, chegarão a compreender a razão de nosso entendimento. É um processo lento de compreensão, tumultuado pela adulação, pela inveja, pelas intenções maliciosas e pelas astúcias traiçoeiras com as quais uma nação é capaz de ser paralisada, mas não defendida. Nenhuma nação se defende com quem não acredita na sua mais profunda vocação. A vocação do brasileiro é eminentemente de cordialidade e de confiança. Um povo guiado pela prevenção não consegue aquela união que comporta divergências, mas exige, antes de tudo, compreensão. Juscelino provou que a democracia era possível. Tratava-se de defendê-la, aperfeiçoando-a. Não suprimindo-a, nem disfarçando a sua destruição com uma retórica cedera e fastidiosa. Ele, que foi hábil sem ser ingênuo, vivo sem ser traiçoeiro, foi fiel aos seus compromissos – vários dos quais o levaram à desgraça política. Mas foi sobretudo fiel à sua vocação.

Será tão difícil aprender-lhe a lição, agora que ele já não mete medo? Ou ainda se terá medo da sua aliciante simpatia, da sua firme decisão de confiar no poder da ação? Se não existe esse medo, é fácil demonstrá-lo aplicando sua lição: reunir os brasileiros. Restabelecer a fraternidade entre eles. Rechaçar as seduções corruptoras da adulação e da lisonja, assim como as tentações da cólera e das prevenções sistemáticas. A liberdade comporta riscos. Mas, o maior risco da liberdade consiste em negá-la aos outros e tomá-la toda apenas para si.

O povo enganou-se menos, apesar de tudo, na escolha dos que iam representá-lo, do que a escolha feita pelos que afastaram o povo dessa decisão por julgá-lo incapaz e se julgarem mais capazes do que ele. Enquanto tudo ia no melhor dos mundos, essa usurpação parecia até a muitos, tolerável a alguns, indispensável. E agora? Agora se compreenderá a falta que faz um líder democrático experimentado, como foi Juscelino Kubitschek de Oliveira.

Não adianta adulterar os fatos da história recente nem tentar ignorá-los. Vem a brutalidade da morte e obriga a recordá-los não apenas na sua expressão passageira, mas no seu significado mais profundo. Toda vida que se extingue deixa uma lição. Haverá nas de Juscelino aspectos negativos – também estes não aprendidos, pelo visto e sabido. Mas o positivo é mais duradouro e mais importante, até porque mais raro. Na vida e obra de Juscelino o aspecto positivo que não deve ser renegado nem pelos que serviram ao seu governo, nem pelos que, afinal, não conseguiram muito mais do que repetir as suas metas e adotar o seu tema favorito – o desenvolvimento.

A lição que Juscelino deixa é a de que é possível desenvolvimento com liberdade. E do exílio, da cassação, em suma, da derrota, também fica uma lição: se de fato se quer bem ao país e se respeita o povo, não há rancor nem ressentimento capaz de conter impulso de união e a necessidade do entendimento.

O povo não viu Juscelino anistiado. Isso não impediu que o consagrasse. Não será essa, então, a maior lição que ele deixa aos seus sucessores? Não é preciso concordar para conviver. Mas até para discordar é preciso conviver. Urge restabelecer entre os brasileiros a confiança e o ânimo, abalados por tantos equívocos. Nada é mais fácil de dirigir do que um povo desconfiado. Ninguém se engana mais do que os que se consideram infalíveis.

Rio, 23 de agosto de 1976.

Apêndice 1

Artigo sobre Romeu e Julieta, objeto da carta de John dos Passos

A subversão de Romeu e Julieta[1]

Um manifesto de rebelião da juventude contra a futilidade do ódio que divide o mundo e a profundidade do amor, pelo qual as pessoas sobrevivem ou morrem, surgiu numa nova versão cinematográfica de *Romeu e Julieta*, a tragédia que Shakespeare foi buscar no poema de Brooke *The tragical history of Romeu and Juliet*. De 1562, quando o poema foi publicado, a 1595, quando provavelmente William Shakespeare o transformou no drama de amor e ódio em Verona, não houve muita modificação. Nem ao longo desses séculos, enquanto *Romeu e Julieta* foi visto apenas como um drama de amor de dois adolescentes esmagados pela incompreensão dos pais e vítimas de um espantoso equívoco nas mãos inocentes do frade Lourenço. Nem quando Norma Shearer, já madura, e o velho e grande Leslie Howard levaram ao cinema a tragédia de Verona. Nem mesmo agora, na mão dos cineas-

[1] Transcrito do livro de Carlos Lacerda *O cão negro* (1971, p. 25-33).

tas russos, quando *Romeu e Julieta* se transforma no processo de ascensão da burguesia e decadência da nobreza medieval de Verona. Um italiano, o mesmo que recriou A megera domada, deu agora à tragédia de Romeu e Julieta a dimensão que, talvez, Shakespeare lhe quisera atribuir. Franco Zeffirelli, ao dirigir esse filme na adaptação de Franco Bussati e Massolino d'Amico, não somente criou uma obra de insuperável beleza como deixou marcado, sem nenhuma deformação, o sentido revolucionário dessa obra: o drama do amor que pelo sacrifício pacifica um povo no qual os ódios dominantes mantêm a opressão e o medo.

Até agora vi cinco vezes essa obra. Na primeira, dormi todo o tempo, na segunda ouvi levantarem-se da platéia os soluços e prantos da moçada escolar que, na sexta de tarde, encheu a platéia do cinema Paris, defronte do Hotel Plaza, em Manhattan; os adolescentes foram ver seus heróis lutarem e morrerem pelo seu amor. Na terceira, saindo aos poucos de seus inefáveis recantos, a música, a continuidade, a composição de cada cena como um QUANDO?, a expressão de cada sentimento, formaram um tal conjunto, tão poderoso e exigente, que não tenho senão como tentar transmitir a todos essa lição de amor e sacrifício, essa declaração contra a futilidade do ódio que só aproveita aos mesquinhos e exclui todo aquele que for capaz de grandeza.

Todo mundo mais ou menos conhece a história de Romeu e Julieta. Ela era uma menina – ainda não viu passarem os catorze anos, diz seu pai – na Verona do fim da Idade Média. Era a filha do velho Capuleto, cuja família odiava os Montecchios, um dos que tinha um filho único, o ardente e sonhador Romeu, sujeito a paixões e devaneios, presa de melancolia e sonhos inexpressos.

Vivem a matar-se Capuletos e Montecchios, por tudo e por nada. Numa festa em que se intromete, em casa dos mortais inimigos, Romeu encontra Julieta. A súbita paixão leva ao casamento clandestino, enquanto Julieta recusa casar com o Conde Paris, a quem o pai a quer amarrar. Para livrar-se da tirania e incompreensão paterna, agravada pela submissão e indiferença da mãe, Julieta segue o plano do frade Lourenço, que destila umas ervas e lhe dá a beberagem para que a menina tenha morte aparente. Depois que despertar, irá encontrar, no mausoléu da família, Romeu exilado para Mântua por ter matado em duelo o provocador Montecchio, Teobaldo, depois que este, numa querela de nada, matou o jovem e sarcástico Mercutio, parente do príncipe de Verona e inseparável amigo de Romeu. O frade manda avisar Romeu do estratagema, mas um equívoco no recado, um desencontro, faz com que Romeu, entrando no mausoléu do Montecchios, julgue Julieta morta; junto a ele, se suicida. Ao acordar, Julieta vê morto a seu lado o seu amor, e junto a ele também morre. Os corpos, acompanhado pelas duas famílias rivais, passam diante do príncipe de Verona, a quem cabe, antes do Coro, as palavras finais da tragédia: "... E o céu encontra meios de matar por amor suas alegrias".

Também o príncipe perdeu gente sua, por fraqueza diante da querela. "Todos estão punidos", exclama. No filme, o eco na praça medieval repete as palavras terríveis. Uma série de símbolos acompanha o andamento da tragédia, para lhe dar sentido e conseqüência: o frade apaga a vela depois que Julieta entra no estranho torpor que imita a morte, e quando a vela fumegante ele depara, é como a premonição da morte de Julieta – e o fim de todo o seu esforço para salvar o amor naquele mundo de ódio. Quando Romeu entra no cemitério, toma uma pedra, e a pedradas arromba a porta do mausoléu no qual, deitados sobre as pedras tombais, apodrecem os suntuosos defuntos da nobreza de Verona. E se para os olhos de amor com os quais contempla Julieta, "fora dos muros de Verona o mundo não existe", aí está a prova do contrário: Romeu e Julieta lançaram, agora, um manifesto do povo da flor contra a guerra e o ódio dos privilégios, dos egoísmos, dos orgulhos impudentes, das ambições desenfreadas, da gente sem alma que despreza a violência e o ímpeto do amor adolescente, mas cultiva o ímpeto e a violência de seus preconceitos senis.

Para a beleza do espetáculo e a eficácia do manifesto, contribuem o ritmo da história, alguns cortes do texto, o desenvolvimento de algumas cenas. Mas, principalmente, a beleza dos dois jovens, que fazem de *Romeu e Julieta* uma visão, uma só visão, de sucessivos mestres. As cenas ora lembram Van Eyck, ora Piero della Francesca; Romeu nu, deitado junto a Julieta pudicamente coberta pelo lençol nupcial, é como um bronze de Donatello; e Julieta, a sensualidade inocente de uma criança que acaba de descobrir o amor e vai procurá-lo, exigente, com o mesmo infantil afã com que pede ao frade pressa na entrega da poção que vai fazê-la adormecer; Julieta parece um Caravaggio, menina e sensual, dizendo: "Quero já, quero agora, me dê, me dê!". Todos os trechos que todo mundo mais ou menos conhece, nas linhas de Shakespeare, revivem nesta versão com uma força nova, que faz daquelas imortais palavras, feitas de simplicidade vibrante, às vezes, e outras de altissonante eloqüência, cânticos de amor que os amantes não esquecem. A aurora que vem escancarando as portas da longa noite da entrega e da posse, o canto da cotovia – "não, é o rouxinol noturno", diz Julieta e num tom já de jovem macho dominante, seguro de si, marido e senhor, Romeu garante: "É a cotovia, meu amor" – depois Julieta, ao ver a luz do sol que traz os inimigos do seu amor, concorda, é a cotovia, é preciso separar-se, partir, antes que matem o seu amor, exausto e satisfeito, mas já antecipando a saudade e outros tormentos.

Como todo Shakespeare, este é cheio de presságio e premonições, Romeu teme, "pois minha mente varia, alguma conseqüência que ainda pende das estrelas". Como todo Shakespeare, há momentos de inefável lirismo, feito das palavras mais simples e até de um jogo de palavras, como no baile dos Capuletos, quando Romeu fala de Julieta como um templo e de seus lábios como peregrinos – "dois rubros peregrinos" – e Julieta toma a palavra para brincar com ela, à espera do beijo: "Bom peregrino (...) os santos têm mãos que as mãos dos peregrinos tocam, a palma contra palma é o beijo dos santos." E Romeu insiste: "Não têm lábios os santos?" E Julieta: "Ah, peregrino, lábios têm para rezar." E Romeu: "Bela santa, deixe os lábios fazerem o que fazem as mãos." E Julieta, depois que Romeu purga nos seus lábios os pecados do amor, faminta, com a pressa e a curiosidade de menina que descobriu o amor, reclama: "Pecado dos meus lábios? (...) Dá-me de novo esse pecado meu." Nem falta a moderna, humorística observação de Julieta, depois do primeiro beijo: "Você beija como mandam os livros."

Nem um momento se afasta a versão de Franco Zeffirelli do dever de ser fiel à história desse amor feito de ímpeto, de arrebatamento, suave a dois, tempestuoso em face do mundo, defendendo-se até o último recurso, a morte que assegura a união contra a dureza e incompreensão do mundo. Suas duas crianças se amando, com a seriedade precoce, que só os outros jovens aceitam, ou uma ou outra alma compassiva, como a ama ou o frade, ambos desastrados no seu vão propósito de ajudar.

Sem qualquer pretensão de quebrar a beleza dessa história de amor inigualada, o que agora ressalta, como se

Shakespeare fosse um autor do dia, com um vigor atual, uma força nítida e fremente, é o drama da incompreensão de muitos à resistência às vezes mal expressa, e o sacrifício às vezes desvairado dos moços para reformar, pelo amor, o mundo que o ódio corrompeu.

Não é uma guerra de gerações, não são moços contra velhos, pois há velhos compassivos, compreensivos, como o frade e a ama, repito, e moços cuja insolência e bravura consistem em defender o mundo que apodrece com preconceitos odientos, em privilégios rebuscados, o mundo da festa colorida mas também do mercado arrasado pelo choque das facções e a luta, com repolhos e pimentões, depois com lanças e espadas, dos bandos rivais que se devoram, em Verona cujos muros foram demolidos. Fora de Verona, caro Romeu, existe todo um mundo, mas não muito diferente.

É uma guerra dos que ainda são puros contra a impureza, que consideram inarredável parte essencial do mundo. Há um exagero tal de pureza nessa luta que tudo se concentra nela. O amor é impudico e animal, a menina procura o beijo, o rapaz sobe ao balcão e entra na sua alcova, a sensualidade não reprimida não é apenas aquela do alvorecer do Renascimento, vestida de veludos e coloridos de púrpura como quadros de Ticiano e de azuis de lápis azúli como afrescos do Giotto, as túnicas, os véus, a roupa marcadamente máscula, na qual os atributos do homem são salientados, e a das mulheres, assexuadas em público, guardando seus segredos para a noite em amorosa companhia.

É uma guerra de jovens contra o esforço que sobre eles se faz para corrompê-los, para conformá-los à imagem e semelhança dos mitos e dos sistemas que mantêm, como estátuas de pedra, a orgulhosa podridão dos donos de Verona, dos donos do mundo.

Nesse esplendor que nem as próprias lágrimas encobrem, o texto de Shakespeare ganha um novo relevo e se torna tão atual que pode substituir os manifestos chinfrins e os comunicados arrogantes da reação. Não é apenas de amor essa fala tão bela, por vezes tão simples e outras tantas refinadas. Simples como: "É a minha dama. Oh, é meu amor (...) Oh, fala de novo, anjo que brilha!" Não são apenas as palavras dos presságios, é a cólera santa com que o moço os enfrenta: como Romeu ao saber que Julieta está morta: "Então eu desafio a minha estrela!"

É a visível, cada vez mais sensível ligação entre esse amor adolescente e a luta pela sua afirmação num mundo de ódio e destruição, no qual a suntuosidade das fórmulas, como a do vestuário, não mais encobre nem a imundície do conformismo nem o vazio da estupidez, dos que nada compreendem, dos que resistem a toda mudança, dos que em todo sacrifício vêem apenas um esforço vão, portanto inútil, logo pernicioso - pois para essa gente só o êxito é justo e só é justo o que lhes garante o egoísmo, o privilégio, o poder imerecido. O poder ainda que podre...

No prólogo, Shakespeare anuncia esse caráter da tragédia:

> De antigas querelas irrompem novos motins.
> Onde sangue civil torna civis mãos maculadas.
> ... Um par de amantes cujas estrelas se cruzaram dá a vida
> (...) E com sua beleza eterna a briga dos parentes.

Mais do que a voz grega do coro, a tardia e imponente indignação de Escalus, o príncipe de Verona, dá a medida dessa luta maior: Vós, homens, vós bestas, que apagais o fogo desse ódio mortal. Com as fontes rubras que de suas próprias veias correm.

E Romeu, com as antíteses tão do gosto romântico:

Tem muito que ver com o ódio, muito mais com o amor;
Então, o amor em luta! Ó ódio amoroso!
Ó coisa alguma do nada primeiro criada,
Ó pesada leveza, ó vaidade tão séria,
Plumas de chumbo, cintilantes fumo, fogo frio, mórbida saúde.

E Julieta, ao ficar convencida de que não pode odiar Romeu só por ele ser Montecchio, e ela, Capuleto:

... És o que és, não Montecchio
O que é Montecchio em ti não é a mão nem o pé
Nem braço nem rosto nem outra parte qualquer
Do que pertence ao homem. Ó, toma outro nome!
Que é num nome? Aquilo a que chamamos rosa
Com outro nome inda o mesmo perfume teria.

Ou Romeu, diante do mausoléu, que é um dos vários símbolos da pretensa estabilidade perene, da fátua ambição de perpetuar a suntuosa, engelhada sucessão de múmias, entre as quais Teobaldo, o moço que serviu a esses preconceitos e por eles morreu, já foi colocado – e Julieta, adormece, resplandece. “Pois limites de pedra não bastam para o amor conter. E o que pode o amor fazer, deve o amor tentar.”

E Julieta, que adverte: “(Mas) se te encontrarem, te matam.”

E o moço Benvólio, que procura saber do pai de Romeu o que atormenta o filho, ouve do velho esta resposta: BENVÓLIO – Meu nobre tio, conheceis a causa? MONTECCHIO – Nem sei nem consigo dele próprio sabê-la.

No entanto o velho desejaria: “Pudéssemos ao menos saber de onde vem sua tristeza. De bom grado daríamos a cura que pudéssemos.”

Aqui se concentra, a meu ver, o núcleo de tragédia no que ela tem de generalizada e de atual. Romeu e Julieta não são apenas símbolos de dois amantes românticos, são símbolos do romantismo da juventude, agora reacendido, como um incêndio no qual ela prefere queimar-se a ceder. A rebelião da juventude, por juventude chamando todos os que crêem que o mundo pode ser melhorado, que o ódio não é parte inseparável da criatura, que a civilização só tem sentido se melhora o homem e não apenas a potência do motor ou o tipo do automóvel, a produtividade do trabalhador ou o guarda-roupa do ministro, essa rebelião é um movimento romântico. Românticas as roupas extravagantes, romântica a barba (que Victor Hugo[2] adotou no seu exílio em Londres, quando deu como pretexto para usar a moda da época, "proteger a garganta contra o frio"); romântica a atualidade de Jean Jacques Rousseau,[3] românticas essas roupas que os anúncios chamam "edwardianas", mas são as roupas de Chopin[4] e as calças compridas de George Sand;[5] romântica a concepção do mundo, deformada pela sensibilidade aguda, dando como inata a bondade do homem perturbada pela civilização; mais realista o esforço por valorizar a bondade como um atributo da civilização, uma conquista do homem e da mulher.

Aí estão Montecchios e Capuletos, em luta mortal por seus orgulhos, ferozes privilégios, néscios impulsos, estes sim, primitivos, na sua própria ferocidade, no seu ímpeto sem luz, nem coragem sensível, sua brutalidade facciosa, sua falaz vanglória. Os moços tumultuosos, que enchem a praça com o pó de suas querelas, desafiam a pedradas as lanças do prín-

[2] Victor Marie Hugo (1802-1885).

[3] Jean Jacques Rousseau (1712-1778).

[4] Frédéric Chopin (1810-1849).

[5] George Sand, nome real: Aurore Dupin (1804-1876).

cipe, lutam a esmo, insultam e morrem, cobertos de opróbrio pelos seus carrascos, querem amar em paz, gostariam de que os entendessem os que sem se entender quiseram; não procuram a morte, querem o amor, mas morrem por amor se com a morte puderem explicar o que os senhores não conseguiram, por seus aflitos apelos, entender.

Como o condenado mundo desses senhores, dormi na primeira vez em que vi refletida nessas cores maravilhosas, nessa infinita beleza, a tragédia de Verona, a tragédia dos nossos dias.

Tinha viajado muito, velei a noite toda, o vôo do jato me perturba, o fuso horário desnorteia, não era momento para ver tais portentos. Mas vejo agora, e ouço o pranto que se levanta da platéia jovem. Não é apenas o pranto pelo amor vicário, o amor por procuração, projetado nos adolescentes de Verona, nos seus corpos que se perfilam no alvo lençol contra a luz da cinzenta madrugada. É a lágrima dos que sentem que aquele é o seu próprio drama, a sua história de esforço para se fazer entendido por quem se recusa a entender ou, concordando, não sabe o que fazer do próprio entendimento a que chegou.

Sim, há turbulentos, há provocadores, como Teobaldo, ou sarcásticos devastadores, como Mercutio, ambos afinal vítimas de suas próprias e extremadas posições. Há o sorriso deslumbrado do pajem Baltazar, que aprende a guerra dos mais velhos como se fosse uma nova brincadeira. Mas, no cerne desse tumulto, no centro desse furacão de paixões e aflições, há uma serenidade feita de amor e transcendente beleza, em contraste com a fúria impotente e a bestial dureza daqueles que, por se recusarem a compreender, destroem a carne de sua carne.

Receio, afinal, ter sido vítima de uma ilusão. Quem sabe não é nada disso, é apenas uma bela história de amor mais uma vez levada à cena, a história dos meninos de Verona e suas solenes famílias, apostadas em rivalidade para saber quem manda mais, quem mete mais medo a quem. Mas penso que não. Penso que meu coração, tão provado, não me enganou ao comparar a tragédia de Verona, nessa nova apresentação, com a tragédia da juventude do nosso tempo, ansiosa de amor e transformada em labareda de ódio, ateando fogo aos paióis do egoísmo e da estupidez que alimentam os ócios daqueles arrogantes que têm, na mão, a precária força, com a qual terminarão destruindo seus próprios filhos, por medo de que seus filhos destruam essa apatia, essa pétrea estultice, esse mausoléu em que deitam para apodrecer em paz, intumescidos de orgulho, logo murchos de ansiedade e depois, múmias, múmias, múmias.

Pode ser que me engane, mas Deus me conserve esse divino engano, essa capacidade tormentosa de ver o que muitos se recusam a ver, de procurar entender, por baixo da comunicação cortada, do silêncio imposto, da revolta sufocada, dos artifícios e desafios da ordem, falsa porque imposta, o essencial dessa tragédia do desencontro entre dois mundos, um que é capaz de morrer para salvar a beleza da vida, outro que nem sabe viver mas, incapaz de morrer, acaba matando o amor, e a inteligência, que resume e representa todo o valor do mundo.

Cada cena dessa encarnação cinematográfica de *Romeu e Julieta* é uma lição de beleza. Mas quando diante dos corpos estendidos lado a lado, todos se sentem punidos, porque todos responsáveis por aquele terrível sacrifício de dois jovens, Franco Zeffirelli suprimiu as palavras desnecessárias com que Shakespeare celebra a reconciliação e traduziu-as pelo gesto simples do encontro sumário, do leve aperto de mão, do abraço sentido, das teorias de Montecchios e

Capuletos que desfilam, na sombra, de junto da padiola dos amantes mortos, para fora da tela, para Nova York, Rio de Janeiro, Brasília, Recife, São Paulo, Saigon, Hanói – e a estância do Alecrim.[6]

[6] Nome do sítio de Carlos Lacerda em Petrópolis.

Referências bibliográficas

Livros publicados e a publicar de Carlos Lacerda

BRASIL E O MUNDO ÁRABE – Artigo/1948 - Correspondência para jornais brasileiros sobre o conflito no Oriente Médio em decorrência da implantação artificial do Estado de Israel.

BRASIL – ENTRE A VERDADE E A MENTIRA – 1965 - Editora Bloch. Este livro corresponde a três cartas: duas ao presidente da República Castello Branco e uma ao Deputado Herbert Levy, presidente da UDN.

BRASILEIRO NA TERRA DO TIO SAM, UM – Coletânea de artigos/1956 assinados com pseudônimo de João Silva. Editora O Globo.

CAMINHO DA LIBERDADE, O – Folhetim/1958 - Editora Gráfica do Ouvidor. Defesa do seu mandato de deputado perante a Comissão de Justiça da Câmara Federal; doze horas de duração. A publicação traz o notável parecer do deputado Milton Campos.

CÃO NEGRO, O – Crônicas/1971 - Editora Nova Fronteira.

CARLOS LACERDA NA TRIBUNA DA IMPRENSA: CRÔNICAS SOBRE A CONSTITUINTE DE 1946 – 2000 - Editora Nova Fronteira. Organização de Sérgio Braga.

CARTA FECHADA A HUMBERTO DE CAMPOS – Edição esgotada da R.A. (*Revista Acadêmica*), av. Mem de Sá, 78, Rio de Janeiro. No final há o esclarecimento: "Esta carta foi uma conferência inaugurando o Centro de Defesa da Cultura Popular".

CASA DE MEU AVÔ, A – 4ª ed. em 1977 - Editora Nova Fronteira. Desse livro foram tiradas edições de luxo com fotografia de Sebastião Lacerda para a Confraria do Livro.

COMO FOI PERDIDA A PAZ – Estudos e crônicas/1946 - Editora Ipê.

CONTOS INÉDITOS – co-edição Editora Universidade de Brasília, Fundação 18 de Março (Fundamar) e Imprensa Oficial de São Paulo, 2003.

CRÍTICA E AUTOCRÍTICA – 1966 - Editora Nova Fronteira. Contém a "Carta a um Amigo Fardado, Frente Ampla, que há por de trás da frente e o protesto que o povo canta".

DEPOIMENTO – 1977 - Editora Nova Fronteira. Entrevista a diversos jornalistas, organizada, anotada e selecionada por Cláudio Lacerda de Paiva.

DESAFIO E PROMESSA – O RIO SÃO FRANCISCO – edição/1964. Editora Record. Este livro foi escrito em duas etapas: em 1937, quando o autor com 24 anos, fugindo da polícia, subiu o rio São Francisco na companhia de estudantes a pretexto de fazer a campanha de José Américo de Almeida para a Presidência da República em 1937. Revisto e complementado na edição de 1964.

DISCURSOS PARLAMENTARES – Seleta/1982 - Editora Nova Fronteira. Seleta de discursos com longa apresentação de José Honório Rodrigues.

EM VEZ... – Crônicas/2. ed.,1975, pela Nova Fronteira

EXPLICAÇÃO AO LEITOR – Prefácio do livro de Maurício Lacerda, *História de uma covardia*, Nova Fronteira, 1980. Páginas 7 a 10.

EXPOSIÇÃO ANTICOMUNISTA – 1939 - Esta reportagem encomendada pelo Partido Comunista Brasileiro é que deu motivo à expulsão de Carlos Lacerda do partido, embora nunca tivesse sido registrado ou a ele se filiado oficialmente. Publicada pelo *Observador Financeiro*, nº 36 e reproduzida na íntegra em apêndice ao livro *Depoimento*, de Carlos Lacerda.

IMPROVISO NO CAMINHÃO DO POVO E O CAMINHO DA LIBERDADE – Disco em vinil, s/d – em colaboração com Afonso Arinos de Mello Franco. Discursos gravados em discos de vinil incluídos na série preparada pelo Senado Federal com os discursos de José Bonifácio, o Moço, Joaquim Nabuco e Ruy Barbosa.

LINHA DE YENAN E AS FORÇAS ARMADAS – Folhetim/1957 – Edição Tribuna da Imprensa. Segundo Stefan Baciu, no livro *Lavradio 98*, página 85, Lacerda tomou conhecimento de uma conferência do autor, Eudóxio Ravines, que visitava o Rio, "leu longos trechos dela no congresso e mais tarde publicou o folheto 'O caminho do Yenan e as Forças Armadas', que foi vendido nas bancas de jornais como pão quente".

LUZ PEQUENINA, UMA – Contos editados pela *Revista Acadêmica*, provavelmente apresentados para o concurso Humberto de Campos.

MINHAS CARTAS E AS DOS OUTROS, co-edição Editora Universidade de Brasília-Fundamar (no prelo).

MISSÃO DA IMPRENSA, A – Conferência/1950 - Editora Agir. Livro dedicado a Carlos Alberto de Nóbrega e a Luiz Camilo de Oliveira.

NACIONALIDADE DE VERDADE E DE MENTIRA: A ENCAMPAÇÃO DA TELEFÔNICA – 1963 - Oficinas Gráficas da Penitenciária Professor Lemos de Brito, Rio de Janeiro.

ORGANIZAÇÃO COOPERATIVA DA DEMOCRACIA, A –"Tese, no prelo", título assim mencionado na contra-capa de *O Brasil e o mundo árabe* – 1948. Provavelmente o mesmo artigo-ensaio sobre o cooperativismo na Suíça, publicado no *Observador Econômico e Financeiro* encomendado por Valentim Bouças.

PALAVRA E AÇÃO – Discursos e entrevistas/1965 - Editora Record.

PAIXÃO E CRIME – 1965 - Editora Nova Fronteira. Prefácio do jurista Romeiro Neto com a frase consagradora: "orador de pompas asiáticas".

PODER DAS IDÉIAS, O – Distribuidora Record/1962 - Um livro feito de discursos, como governador, com um prefácio e notas finais.

O êxito de venda deste livro foi o início do sucesso da Editora Record.

QUARESMAS DO BRASIL – Duas páginas por Carlos Lacerda e dez pranchas em guache por Germano Zimber, Nova Fronteira/RJ,1971, apenas 100 exemplares.

QUILOMBO DE MANUEL CONGO, O – Novela histórica, 1934 - Reeditado pela Editora Lacerda em 1998. As edições registram o nome do autor Marcos, um dos pseudônimos de Lacerda. Esse livro traz uma dedicatória esplêndida: "Rio Paraíba, rio da escravidão, cujas águas profundas, tropeçando nas pedras do teu caminho, vão levando generosas a mancha da escravidão / Rio Paraíba, que não te fizeste navegável para não servir aos opressores dos meus irmãos escravos / Rio Paraíba da minha infância, cujas enchentes afogam a miséria dos meus irmãos camponeses / Rio Paraíba que vais correndo para não ver a miséria que vive pelas tuas margens, / Este livro é teu."

RATO FIÚZA, O – Documentário, 1946. Rio: Editora Moderna – Esta publicação foi resultado da campanha contra o candidato do partido comunista Iêdo Fiúza à Presidência da República em 1945. Conforme depoimento do líder comunista mineiro, Armando Ziller, "o estrago na candidatura não foi maior porque o povo brasileiro era analfabeto".

REFORMA AGRÁRIA – Plaqueta, sem data. Ainda não foi encontrado o original desta publicação. Talvez seja o mesmo trabalho intitulado "Educação e latifúndio" – Tese/1933.

REFORMA E REVOLUÇÃO – 1964 - Editora Record.

RETRATO DE UMA CIDADE DEVASTADA – Discurso/1960 - Editora Rio.

ROSA É UMA ROSA É UMA ROSA, UMA – Artigos e entrevistas/1966 Editora Record.

ROSAS E PEDRAS DO MEU CAMINHO – Co-edição Editora Universidade de Brasília-Fundamar 2001 – acrescida de capítulos inéditos, encontrados no Arquivo Cartas Lacerda do que foi publicado pela Revista Manchete em 1967.

TRAIÇÃO E MARCHA - Artigo/1955 - Caderno Tribuna da Imprensa de 29/10/55.

3 PEÇAS INÉDITAS - O RIO, UMA BAILARINA SOLTA NO MUNDO E AMAPÁ OU O LOBO SOLITÁRIO - co-edição Editora Universidade de Brasília, Fundação 18 de Março (Fundamar) e Imprensa Oficial de São Paulo, 2003.

VIA SACRA, A - Obra inacabada/1978 - Editora Revista Liturgia e Vida. Este serviço de espiritualidade foi pedido por uma amiga que realizava trabalho pastoral. Estava revendo a publicação, mas morreu antes de terminá-la.

VISÃO DA SECA NO NORDESTE - Coleção de artigos/1951 - Editora Tribuna da Imprensa, resultado da "Campanha Ajude o teu irmão".

XANAN E OUTRAS HISTÓRIAS. Ed. Francisco Alves, 1959. Dez contos, volume de 162 páginas. Na contracapa a informação: "Em preparo - "Novos Contos". Talvez entre estes, os que vieram a ser publicados pela Editora Universidade de Brasília em 2003, em convênio com a Fundação 18 de Março (Fundamar) com o título *Contos inéditos*.

Livros traduzidos por Carlos Lacerda

BEM AMADO, O - Neil Simon, título original *Come blow your horn*. Peça levada à cena no Rio, em 1963, no Teatro Santa Rosa, quando o tradutor era governador do Rio de Janeiro.

CARACTERES - 1936 - De La Bruyère. Em *Rosas e pedras de meu caminho*, 2º Capítulo, disse Lacerda: "fez-me um grande bem traduzir esse livro publicado com o pseudônimo de Luiz Fontoura."

COMO VENCER NA VIDA SEM FAZER FORÇA - 1964, título original *How to suceed in business without really trying*. Consoante John Foster Dulles, esse "hit" do palco nova-iorquino foi traduzido por Carlos Lacerda na noite de 30 para 31 de março de 1964 para relaxar a tensão pelos acontecimentos políticos que ameaçavam o Palácio da Guanabara.

DANÇA DA MORTE, A – Augusto Strimberg.

DEUS EXISTE - EU O ENCONTREI – André Frossard, tradução e prefácio.

DIA EM QUE LINCOLN MORREU, O ou *Esta noite vou matar Lincoln* de Jim Bishop. Editora Seleções.

EM CIMA DA HORA. CONQUISTA SEM GUERRA – 1963 - Suzanne Labin, título original *I'est moins cinq*. Prefácio de Carlos Lacerda, Editora Record.

ESTRATÉGIA DA PAZ – John Kennedy. Apenas o prefácio da tradução portuguesa é de Carlos Lacerda, conforme informação de Roberto Campos em *A lanterna de popa: memórias*. Editora Topbooks, p. 818.

ESCAMBO E A ESCRAVIDÃO, O - RELAÇÕES ECONÔMICAS DE PORTUGUESES E ÍNDIOS NA COLONIZAÇÃO DO BRASIL (1500-1580) – Alexandre Marchand. Tradução e notas de Carlos Lacerda para a primeira edição de 1943. Editora Cia. Nacional, volume 225 da Brasiliana em 1980.

ESTADOS UNIDOS DE ONTEM E DE HOJE, OS, Roy F. Nichols e outros. Tradução de Carlos Lacerda e Fernando Tude de Sousa, Cia. Editora Nacional, 1944

FBI – DE ONTEM E DE HOJE de Don Withead, Biblioteca das Seleções (livro condensado).

FEVEREIRO SANGRENTO: A REVOLUÇÃO DE 1934 NA ÁUSTRIA – s/d, de Ilya Eherenburg. Tradução e prefácio. Editora Alba.

HEREGE, O – Miguel Delibes (romance).

HOMEM QUE FAZIA MILAGRES, O – H. Wells. Conto.

HOMEM TRANSFORMADO PELO HOMEM, O – Jean Bernard.

JEFFERSON – Conforme referência em *Rosas e pedras do meu caminho*, Cap. 9º, a tradução foi feita em parceria com Fernando Tude de Souza. Livro não localizado.

JÚLIO CÉSAR - William Shakespeare. Rio: Nova Fronteira.

LIMÃO, O - 1969 - Mohammed Mrabet. Adaptado do original magrebino (árabe do norte da África) por Paul Bowles, em colaboração com o autor. Tradução e apresentação. Editora Nova Fronteira.

MEMÓRIAS DE UMA ESQUIZOFRÊNICA - M. A Sechehaye.

MINHA MOCIDADE - 1941 de Winston Spencer Churchill. Título original *My early life - a roving comission.* O prefácio é de 1930. Editora Norte-Sul.

ORAÇÃO SOBRE A ACRÓPOLE - 1971, de Ernest Renan. Transcrita no livro de crônicas *O cão negro*, editora Nova Fronteira.

PEDRO E LÚCIA - de Romain Rolland. Editora Globo, 1946. Coleção Tucano.

POR QUE CORRES, ULISSES - Antônio Galla

RÚSSIA DE STALIN - PROGRAMA DO REGIME SOVIÉTICO - 1948 - Prefácio e tradução.

SUPERSTIÇÃO DA PSICANÁLISE - Pierre Debray-Ritzen. Com a colaboração de Maria Thereza Corrêa de Mello.

TRIUNFO, O - 1968 - Romance de John Kenneth Galbraith, título original: *The triumph.* Prefácio e tradução. Edição Nova Fronteira

UM OBJETIVO NACIONAL PARA A ESPANHA - Manuel Fraga Iribane.

VIDA DE MIGUEL ÂNGELO, A - 1944 - Romain Rolland. Capa de Santa Rosa. Editora Leitura.

Obras e artigos sobre Carlos Lacerda

ALBITE ULRICH, Maria Atayde. *Carlos Lacerda e a UDN - 1955-1965.* Dissertação de Mestrado - Pontifícia Universidade Católica - PUC, Porto Alegre/1984.

ALVES, Hermano. Carlos Lacerda. *O Estado de S. Paulo*, São Paulo, 24 maio 1977.

BACIU, Stefan. *Lavradio, 98*. Rio de Janeiro: Nova Fronteira, 1982.

BALDESSARINI, Hugo. *Crônica de uma época* (de 1850 ao atentado contra Carlos Lacerda). Getúlio Vargas e o crime de Toneleros. São Paulo: Companhia Editora Nacional, 1957.

BUENO, Fernando. *Esse incrível Lacerda.* Rio de Janeiro: Iniciativa, 1963.

CAMPOS, Roberto de Oliveira – Um momento de empatia humana, *A lanterna de popa*, Topbook, 1994.

CAÓ, Epitácio. *Comunista da traição.* 2. ed. Guernasa, 1964.

CARVALHO, Sócrates Times de. *Carlos Lacerda, ano VIII.* Recife: Companhia Editora de Pernambuco, 1985.

CHAGAS, Carlos. A revolução sem Lacerda. *O Estado de S. Paulo.* São Paulo, 25 maio 1977.

CHAGAS, Paulo Pinheiro. *Esse velho vento da aventura – memórias*, J. Olympio, 1977.

CORRÊA, Pedro do Lago. Caricaturas brasileiras.

CRUVINEL, Tereza. Lacerda – um enigma 24 anos após a sua morte. *O Globo*, Rio de Janeiro, 6 maio 2001.

DICIONÁRIO HISTÓRICO BIOGRÁFICO. Verbete Carlos Lacerda – 1930-1983. 2. ed. FGV, 2000. A primeira edição foi pela Revista Forense/ 1984.

DULLES, John Foster W. *Carlos Lacerda. A vida de um lutador.* Rio de Janeiro: Nova Fronteira, 1992 e 1999. 2 v.

DULLES, John W. Foster. *Carlos Lacerda, brazilian crusader.* Austin: University of Texas, 1996. 2 v.

EDITORIAL do *Jornal do Brasil* de 22 maio 1977. Autoria de Wilson Figueiredo.

EDITORIAL do Jornal *O Estado de S. Paulo* de 22 mai. 1977.

GALVÃO, Flávio. Do jornalismo à política, pela democracia em *O Estado de S. Paulo* de 22 maio 1977.

GASTÃO, Marques. *O novo rumo do Brasil.* Lisboa: Companhia Editora Nacional, 1965.

GONÇALO, Júnior. Exílio histórico de Carlos Lacerda - Suplemento do jornal *Gazeta Mercantil* de 12 jul. 1998.

GUTEMBERG, Luiz. O enigma indecifrado - Carlos Lacerda, *Jornal de Brasília* de 8 set. 1999.

LACERDA, Carlos. *A casa de meu avô.* Rio de Janeiro: Nova Fronteira, 1976.

LACERDA, Carlos. *Depoimento.* Rio de Janeiro: Nova Fronteira, 1977.

LACERDA, Carlos. *Rosas e pedras do meu caminho.* Co-edição Editora Universidade de Brasília e Fundamar, 2001.

LAURENZA, Ana Maria de Abreu. *Lacerda x Wainer: o corvo e o bessarabiano.* São Paulo: Senac, 1998.

LEONAN, Carlos. Dr. Lacerda, *Jornal do Brasil* de 14 dez. 1995.

MAGALHÃES, Mauro. *Carlos Lacerda: o sonhador pragmático.* Rio de Janeiro: Civilização Brasileira, 1993.

MENDONÇA, Marina Gusmão de. *Trajetória política de um demolidor de presidentes.* Carlos Lacerda 1930-1968. São Paulo: Universidade de São Paulo, 1998. Tese (doutorado).

MOTTA, Marly da Silva. *(Re) introduzindo a história oral no Brasil.* Editora Xamã - FGV, 1996.

MOTTA, Marly da Silva. *Os desafios contemporâneos da história oral,* Unicamp, 1997.

MOTTA, Marly da Silva. *Estratégia da ameaça: as relações entre o governo federal e a Guanabara durante o governo Carlos Lacerda.* Fundação Getúlio Vargas, 1997.

MOTTA, Marly da Silva. *Rio de Janeiro continua sendo...*, 1997, Mimeografado.

MOTTA, Marly da Silva. *Rio de Janeiro em três perfis*, 1999 - FGV.

NOGUEIRA, Octaciano. A esfinge que devorou a si mesma. *O Estado de S. Paulo*, 27 jun. 2000.

PAGANINI, Joscana - Arquivo (quase confidencial) de Carlos Lacerda. *Jornal de Brasília* de 8 ago. 1999.

PAIVA, Cláudio Lacerda de. *Uma crise de agosto: o atentado da rua Toneleros*. Rio de Janeiro: Nova Fronteira, 1994.

PAIVA, Cláudio Lacerda. *Carlos Lacerda e os anos sessenta - oposição*. Rio de Janeiro: Nova Fronteira, 1998.

PAIVA, Cláudio Lacerda. *Carlos Lacerda, 10 anos depois*. Rio de Janeiro: Nova Fronteira, 1987.

PEDREIRA, Fernando. Saudações de Isaías. *O Globo*, de 15 abr. 2001.

PINHEIRO NETO, João. *Carlos Lacerda. Um raio sobre o Brasil*. Rio de Janeiro: Gryphus, 1998.

REBELLO FILHO, Antonio Dias. *Carlos Lacerda, meu amigo*. Rio de Janeiro: Record, 1980.

RIBEIRO, Leo Gilson, Um leão enjaulado aguardando libertação final. *Jornal da Tarde* de 23 mai. 1977.

RODRIGUES, José Honório - *Apresentação dos discursos parlamentares de C. Lacerda*. Brasília: Câmara dos Deputados, Ed. Nova Fronteira 1982.

SILVA, Octacilio Paula e - Dois grandes jornalistas. Chateaubriand e Carlos Lacerda. *Jornal Estado de Minas* de 10 ago. 1998.

SIQUEIRA, Cyro - Breve introdução a Carlos Lacerda. *O Estado de Minas* de 6 jul. 1991 - Tribilização de um continente - 27 abr. 1991 - Uma ascensão frustrada - 28 jul. 2001.

UNIVERSIDADE DE BRASÍLIA - UNB - BIBLIOTECA CENTRAL - BCE - INVENTÁRIO DO FUNDO CARLOS LACERDA. Brasília, 2000.

VIDIGAL, Pedro Maciel. *Juscelino, a UDN e Carlos Lacerda.* Belo Horizonte: Imprensa Oficial, 1956.

VILLAÇA, Antônio Carlos. *O livro de Antônio,* J. Olympio/1984.

Livros citados

AMARAL, Aracy (Org.) *Correspondências*: Mário de Andrade - Tarsila do Amaral. São Paulo: IED/EdUSP, 1999.

ANDRADE, Mário. *Pequena história da música brasileira.* Editora Livraria Martins, 1944.

BALDESSARINI, Hugo. *Crônica de uma época* - de 1850 ao atentado contra Carlos Lacerda: Getúlio Vargas e o crime da Toneleros. São Paulo: Editora Nacional, 1957.

BURGAUD, Marco. *A economia dos mandarins.*

CAMPOS, Roberto de Oliveira. A moeda, o governo e o tempo.

CAMPOS, Roberto de Oliveira. *Economia, planejamento e nacionalismo*, 1963.

CAMPOS, Roberto de Oliveira. *Pontos de vista.* São Paulo: Senac, 2000.

CASTELLO BRANCO, Carlos. *Os militares no poder.* Rio de Janeiro: Nova Fronteira, 1976.

CASTELLO, José. *Valor*, São Paulo, 8 de abril de 2004.

CONY, Carlos Heitor. *O beijo da morte.* Rio de Janeiro: Objetiva, 2003.

CORRÊA, Pedro do Lago. *Caricaturas brasileiras.*

CORRÊA, Villas Boas. *Conversa com a memória.* Rio de Janeiro: Objetiva, 2002.

COUTO, Ronaldo Costa. *História indiscreta da ditadura e da abertura*: Brasil 1964-1985.

DANTAS, Lourenço. *História vivida*, 3 vols. São Paulo: O Estado de S. Paulo (1981-1982).

DULCI, Otávio. O golpe que calou o Brasil!, *Jornal do Brasil*, 11 de abril de 2004.

ENCICLOPÉDIA BARSA.

FALCÃO, Armando. *Tudo a declarar*. Rio de Janeiro: Nova Fronteira, 1989.

FERREIRA, Aurélio Buarque de Hollanda. *Dicionário Aurélio*.

GASPARI, Elio. *A ditadura escancarada*. São Paulo: Cia. das Letras, 2002.

__________. *A ditadura derrotada*. São Paulo: Cia. das Letras, 2003.

__________. *O Globo*. Rio de Janeiro, 1º de abril de 2004.

__________. *A ditadura envergonhada*. São Paulo: Cia. das Letras, 2002.

KUBITSCHEK DE OLIVEIRA, Juscelino. *Meu caminho para Brasília*. Bloch, 1974.

LINS E SILVA, Evandro Cavalcanti. *Salão dos passos perdidos*. Rio de Janeiro: Nova Fronteira, 1997.

LOUZEIRO, José. *O anjo da fidelidade*: a história sincera de Gregório Fortunato. Francisco Alves, 2000.

MARTINS, Luiz. *Um bom sujeito*: memórias.

MORAIS, Fernando. *Olga*. Editora Alfa-Ômega, 1985.

__________. *Chatô, o rei do Brasil*. São Paulo: Cia. das Letras, 1994.

MOURÃO FILHO, Olympio. *Memórias*: a verdade de um revolucionário. Porto Alegre: L&PM, 1978.

NUNES, Cassiano. *Monteiro Lobato (1882... 1948) vivo*. Correspondência organizada por Cassiano Nunes. Edição fora do comércio promovida pela MpM Propaganda. Record, 1986 - 12 mil exemplares apenas.

OLIVEIRA, Flávia. *O Globo*, 28 de março de 2004.

PASSARINHO, Jarbas. *Um híbrido fértil*: memórias. Editora Expressão Cultural, 1996.

SANTOS, Carlos Alberto de Barros. *Nos descaminhos da memória*. Imprensa Oficial, 2002.

SARNEY, José. *O Estado de Minas*, 26 de maio de 2004.

SILVA, Artur Vieira Rezende. *Phrases e curiosidades latinas*. E. Baldassarinni & Semprini, 1926.

SILVA, Hélio. *1964: um tiro no coração*. 1978.

SKIDMORE, Thomas. *Brasil* : de Castello a Tancredo. Rio de Janeiro: Paz e Terra, 1988.

SKIDMORE, Thomas. *Brasil*: de Getúlio a Castelo. Rio de Janeiro: Ed. Paz e Terra, 1975.

SPINOLA, General Antônio. *Portugal e o futuro*. Rio de Janeiro: Nova Fronteira, 1974. Prefácio de Carlos Lacerda.

VERÍSSIMO, Érico. *Brazilian Literature*: an outline. New York: The Macmillan Company, 1945.

VIANNA, Filho. *O governo Castello Branco*. Rio de Janeiro: Livraria José Olympio Editora, 1975.

VILLA, Marco Antônio. *Jango: um perfil* (1945-1964). Rio de Janeiro: Globo, 2003.

WAINER, Samuel. *Minha razão de viver*. Rio de Janeiro: Record, 1987.

YOUNG, Jordan. *Brasil 1954-1964*: fim do ciclo militar. Rio de Janeiro: Nova Fronteira, 1973.

Pequena biografia das pessoas citadas

Abramo, Lívio (1903-1992) - Gravador, ilustrador, desenhista. Durante o período varguista, ingressou na política e filiou-se ao Partido Comunista, do qual foi expulso em 1932. Entre inúmeras ilustrações, citamos a do livro *Pelo Sertão*, de Afonso Arinos, publicado em 1949. Ganhou o prêmio do Salão Nacional de Belas-Artes, em 1951.

Abreu, Casimiro José Marques de (1839-1860) - Poeta. Entre suas publicações encontramos *Camões e Jau* e *As primaveras*.

Agripino Filho, João (1913-1988) - Ministro das Minas e Energia do governo Jânio Quadros e governador da Paraíba (1966-1971). Deputado federal por esse Estado em várias legislaturas.

Aleixo, Pedro (1901-1975) - Político mineiro que presidia a Câmara Federal, quando esta foi fechada pelo golpe de 1937, e vice-presidente da República quando foi impedido de tomar posse na vacância do cargo para o qual fora eleito indiretamente na chapa encabeçada pelo marechal Arthur da Costa e Silva.

Alkmim, José Maria (1901-1974) - Advogado, jornalista e político mineiro. Ocupou o cargo de vice-presidente da República no governo Castello Branco.

Almeida, Armando d' - Diretor de uma firma de relações públicas que criou a empresa Agência Inter-Americana para traduzir e publicar no Brasil material vindo dos Estados Unidos por meio da Coordenação dos Assuntos Inter-Americanos.

Almeida, José Américo de (1887-1980) – Escritor paraibano. Escreveu romances, novelas, ensaios, poesia e um livro de memórias.

Almeida, Paulo Mendes de (1905-) – Escritor e crítico de arte paulista. Junto com Carlos Lacerda, entre outros trabalhos, adaptou para o rádio *O Sítio do Pica-Pau Amarelo*, de Monteiro Lobato, e o programa *Os mil e um contos*, na rádio Gazeta.

Almeida Júnior, Antônio Ferreira de (1892-1971) – Educador. Um dos signatários do Manifesto dos Pioneiros da Educação Nova. Autor de *Escola pitoresca e outros trabalhos, E a Escola primária?*, entre outros.

Almeida Júnior, José Ferraz de (1850-1899) – Pintor. Algumas obras: *Amolação interrompida, Nhá Chica* e *Violeiros.*

 Alves, Aluisio (1921-) – Político riograndense-do-norte.

Alves, Antônio Frederico de Castro (1847-1871) – Poeta baiano. Podemos elevar, dentre outras obras, *Espumas flutuantes, Os escravos* e *Gonzaga.*

Alvim, José Joaquim de Sá Freire (1909-1981) – Prefeito da capital federal, Rio de Janeiro (1958-1961), nomeado por Juscelino.

Amado, Gilberto (1887-1969) – Jornalista, político, diplomata, poeta, ensaísta, cronista, romancista e memorialista brasileiro. Escreveu, dentre outras obras, *A chave de Salomão e outros escritos* (1914), *Dança sobre o abismo* (1932) e *Assis Chateaubriand* (1953).

Amado, Jorge (1912-2001) – Jornalista, romancista e memorialista baiano. Escreveu *Capitães da areia, A bola e o goleiro* e *Gabriela, cravo e canela*, entre outros.

Amaral, Osvaldo Teixeira do (1904-1974) – Pintor, professor, crítico e historiador de arte. Algumas obras: *Mascaradas, Roupa estendida* e *Pescador.*

Amaral, Tarsila do (1886-1973) - Pintora paulista com grande renome internacional. Entre suas obras podemos destacar o *Abaporu*, quadro brasileiro com o maior valor monetário, *São Paulo*, de 1924, e *A família*, de 1925.

Andrada, José Bonifácio Lafaiete de (1904-1986) - Político mineiro.

Andrade, Auro de Moura (1915-1982) - Político paulista.

Andrade, Carlos Moraes - Político e irmão de Mário de Andrade. Fundador, juntamente com seu irmão, da Sociedade de Cultura Artística. Deputado federal por São Paulo.

Andrade, Carlos Drummond (1902-1987) - Poeta mineiro. Escreveu, entre outras obras, *Alguma poesia*, *Brejo das almas* e *Sentimento do mundo*.

Andrade, Doutel (1920-1991) - Político e jornalista.

Andrade, José Oswald de Sousa (1890-1954) - Poeta, romancista e dramaturgo paulista. Um dos organizadores da Semana de Arte Moderna. Algumas obras: *Pau-Brasil*, *O homem e o cavalo* e *Serafim Ponte-Grande*.

Andrade, Mário Raul de Moraes (1893-1945) - Escritor paulista. Escreveu, entre outras obras, *Paulicéia desvairada*, *Macunaíma* e *Será o Benedito!*

Andrade, Rodrigo Mello Franco de (1898-1969) - Fundador do Instituto do Patrimônio Histórico e Artístico Nacional (Iphan).

Andreazza, Mário David (1918-1998) - Militar transformado em político com a ditadura de 1964. Idealizador da Transamazônica e da Ponte Rio-Niterói.

Araújo, Octávio Ferreira de (1926-) - Pintor, gravador, desenhista, ilustrador paulista. Trabalhou como auxiliar de Cândido Portinari e, a convite de Carlos Lacerda, ilustrou edição de luxo da *Ode marítima*, de Fernando Pessoa.

Assis, Joaquim Maria Machado de (1839-1908) - Cronista, contista, dramaturgo, jornalista, poeta, novelista, romancista, crítico e ensaísta.

Escreveu, entre outras obras, *Tu, só tu, puro amor, A mão e a luva* e *Queda que as mulheres têm para os tolos*. Um dos fundadores da Academia Brasileira de Letras.

Ataíde, Tristão de (Alceu Amoroso Lima) (1893-1983) - Pseudônimo. Escritor e líder católico. Escreveu, entre outros trabalhos, *Em busca da liberdade, Revolução, reação ou reforma?* e *A experiência reacionária*. Membro da Academia Brasileira de Letras.

Aulicino, Carlos Alberto - Jornalista, trabalhou em *O Estado de S. Paulo*.

Azevedo, Aluísio Tancredo Gonçalves de (1857-1913) - Caricaturista, jornalista, romancista e diplomata. Escreveu, entre outros livros, *O cortiço* e *O homem*. Membro da Academia Brasileira de Letras.

Azevedo, Artur Nabantino Gonçalves de (1855-1908) - Jornalista, poeta, contista e teatrólogo. Escreveu, entre outras obras, *A capital federal* e *Plebiscito e outros contos*. Membro da Academia Brasileira de Letras.

Azevedo, Fernando (1894-1974) - Educador, ensaísta e sociólogo. Foi o principal introdutor das concepções do sociólogo francês Émile Durkheim no Brasil, em *Princípios de sociologia*. Foi um dos signatários do Manifesto da Educação Nova, elevando a educação como o principal problema brasileiro. Autor, entre outros, de *As ciências no Brasil* e *Sociologia educacional*.

Balzac, Honoré de (1799 - 1850) - Escritor francês. Escreveu, entre outras obras, *A mulher de trinta anos, Ilusões perdidas* e *Eugênia Grandet*.

Bandeira Filho, Manuel Carneiro de Souza (1886-1968) - Professor, poeta, cronista, crítico e historiador literário pernambucano. Escreveu, entre outras obras, *Libertinagem*, em 1930, *Mafuá do malungo*, em 1948, e *Estrela da tarde*, em 1960. Membro da Academia Brasileira de Letras.

Baleeiro, Aliomar de Andrade (1905-1978) - Político baiano. Deputado Constituinte, pela UDN, em 1946. Presidente do Supremo Tribunal Federal, em 1971.

Barbosa, dom Marcos (Lauro de Araújo Barbosa) (1915-1997) - Nome religioso. Monge beneditino, poeta e cronista. Algumas obras: *Poemas do reino de Deus* (1962), *Autos de Natal* e tradutor de *O pequeno príncipe*, de Saint Exupéry. Membro da Academia Brasileira de Letras.

Bardi, Pietro Maria (1900-1999) - Historiador, crítico de arte, escritor e jornalista italiano. Presidente de honra do Museu de Arte de São Paulo (Masp), fundado por ele e Assis Chateaubriand.

Barreto, Afonso Henriques de Lima (1881-1922) - Funcionário público, romancista e jornalista. Escreveu, entre outras obras, *Triste fim de Policarpo Quaresma, Recordações do escrivão Isaías Caminha* e *Cemitério dos vivos.*

Barreto, José Tinoco (1925-1999) - Juiz auditor da Justiça Militar.

Barros, Adhemar Pereira de (1901-1969) - Político paulista. Governou o Estado de São Paulo por três vezes.

Barros, Fernão Pais de - Bandeirante que descobriu uma das minas de ouro, em 1750, no reinado de dom José I.

Barroso, Ivo (1929-) - Escritor mineiro nascido em Ervália. Poeta e tradutor.

Bastos, Joaquim Justino Alves (1900-1990) - Militar.

Batista, Fulgêncio (Fulgêncio Batista y Zaldivan) (1901-1973) - Sargento na vida militar. Presidente de Cuba (1934-1940) e ditador (1952-1958). Derrubado por Fidel Castro.

Beauvoir, Simone (1908-1986) - Escritora e líder feminista. Esposa de Jean-Paul Sartre. Escreveu, entre diversas obras, *Os mandarins, O sangue dos outros* e *A velhice.*

Belmonte (Benedito Bastos Barreto) (1897-1947) - Nome artístico. Chargista paulista de grande fama. O seu principal personagem foi Juca Pato.

Belo, Newton (1907-1976) - Governador do Maranhão, eleito em 1961. Foi sucedido por José Sarney.

Beltrão, Hélio Moreira Pena (1915-1997) - Administrador.

Bernardes, Arthur da Silva (1875-1955) - Estadista mineiro. Presidente do Estado de Minas Gerais em 1918 e presidente da República no período de 1922 a 1926.

Bernardes Filho, Arthur (1906-1981) - Político mineiro. Senador pelo Estado de Minas Gerais e ministro da Indústria e Comércio no efêmero governo Quadros.

Bevilaqua, Pery Constant (1899-1990) - Militar. Pertenceu ao Estado-Maior das Forças Armadas no governo Castello Branco.

Bilac, Olavo Brás Martins dos Guimarães (1865-1918) - Escritor. Escreveu, entre outras obras, *Sagres*, *Lira acaciana* e *O caçador de esmeraldas*.

Bismarck, Otton Von (1815-1898) - Chefe de Estado alemão, vitorioso na guerra contra a França.

Bittencourt, José Alexínio (1905-1961) - Militar.

Bittencourt, Paulo (1895-1971) - Diretor do *Correio da Manhã*.

Bloch, Adolpho (1908-1996) - Escritor e gráfico nascido na Rússia, cidade de Jitomir. Veio para o Brasil em 1921 e tornou-se empresário. Fundou a revista *Manchete*, de larga circulação.

Bopp, Raul (1898-1984) - Jornalista e poeta. Algumas obras: *Cobra Norato*, *Patinuam* e *Samburá*.

Borba, Osório (1903-1971) - Jornalista brasileiro. Fundador, juntamente com José Lins do Rego, do semanário *Dom Casmurro*.

Borges, Jorge Luiz (1898-1986) - Escritor argentino.

Bouças, Valentim Fernandes (1891-1964) - Empresário, economista e financista brasileiro.

Boucoud, Charles - Professor em Lyon, França.

Braga, Rubem (1913-1990) - Escritor capixaba. Considerado uns dos maiores cronistas brasileiros. Escreveu, entre outras obras, *O conde e* *o passarinho, A borboleta amarela, Ai de ti, Copacabana* e *Um pé de milho.*

Braga, Zora Seljan - Mulher de Rubem Braga

Brandi, Antônio Jesus - Deputado argentino.

Brito, Luiz Roberto Veiga (1927-1987) - Engenheiro carioca.

Brito, Manoel Francisco do Nascimento (1922-2003) - Diretor do *Jornal do Brasil.*

Brizola, Leonel de Moura (1922-2004) - Engenheiro de formação e político de vida longa. Governador do Rio Grande do Sul, na década de 1960, e do Estado do Rio de Janeiro, na década de 1980.

Bronzeado, Luiz (1924-2000) - Político, advogado e magistrado paraibano.

Brunini Filho, Raul (1919-) - Repórter da *Rádio Globo* e político carioca.

Bulhões, Octávio Gouvêa de (1906-1990) - Economista. Ministro da Fazenda do governo Castello Branco. Criador da Instrução 113 da Sumoc, no governo Café Filho, que permitia a importação de equipamento sem controle cambial.

Bussati, Franco - Cineasta italiano que colaborou no *script* do filme "Romeu e Julieta" de Franco Zampari.

Buzaid, Alfredo (1914-1991) - Ministro da Justiça no governo militar.

Café Filho, João Fernandes (1899-1970) - Jornalista e político. Vice-presidente do Brasil, no segundo mandato de Getúlio Vargas. Com o suicídio do presidente, assumiu o governo.

Callado, Antônio (1917-1997) - Jornalista, escritor e dramaturgo. Membro da Academia Brasileira de Letras.

Calazans, Mário Benedito (1911-) - Clérigo e político paulista. Senador pelo Estado de São Paulo.

Calcutá, Madre Tereza de (Agnes Gonxha Bojaxhiu) (1910-1997) - Nome religioso. Líder religiosa.

Câmara, dom Jaime de Barros (1894-1971) - Cardeal do Rio de Janeiro.

Câmara, dom Hélder Pessoa (1909-1999) - Arcebispo.

Camões, Luís Vaz de (1517-1580) - Poeta português. Escreveu, entre outras obras, *Os lusíadas, Anfitriões* e *Filodemo.*

Campos, Francisco Álvares da Silva (1891-1968) - Político e jurista mineiro, conhecido pelo apelido auto-explicativo "Chico Ciência". Autor da Constituição outorgada de 1937 e de ato institucional de 1964.

Campos, Milton Soares (1900-1972) - Líder da UDN e governador de Minas Gerais de 1947 a 1951. Ministro da Justiça do governo Castello Branco.

Campos, Roberto de Oliveira (1917-2001) - Economista, diplomata e professor. Foi ministro extraordinário para o Planejamento e Coordenação Econômica do governo Castello Branco. Membro da Academia Brasileira de Letras.

Cândido, Antônio (Antônio Cândido de Melo e Sousa) (1918-) - Escritor, crítico, ensaísta e professor universitário. Uns dos fundadores do Partido dos Trabalhadores (PT). Escreveu, entre outras obras, *Literatura e sociedade.*

Capanema Filho, Gustavo (1900-1995) - Político mineiro. Ministro da Educação na ditadura Vargas. Impulsionador das artes e padrinho de Oscar Niemeyer.

Cardim, Elmano (1891-1979) - Proprietário do *Jornal do Comércio* do Rio de Janeiro. Membro da Academia Brasileira de Letras.

Cardoso, Adauto Lúcio (1904-1974) - Político e jurista carioca. Militante da política udenista. Presidiu a Câmara Federal quando esta foi fechada a mando do governo militar. Ministro do Supremo Tribunal Federal, no período da ditadura militar.

Carmo, Aurélio Corrêa do (1922-   ) - Governador do Estado do Pará (1961-1964).

Carneiro, Levi Fernandes (1882-1971) - Advogado, jurista, político e ensaísta. Escreveu, entre outras obras, *O livro de um advogado*, em 1943, *Uma experiência de parlamentarismo*, em 1965, e *Em defesa de Rui Barbosa*, em 1967. Membro da Academia Brasileira de Letras.

Carrol, Madeleine (1906-1987) - Atriz. Esposa do diretor do grupo *Time-Life*, Andrew Heiskell.

Carvalho, Ferdinando (1918-   ) - Militar da chamada linha dura do Exército.

Carvalho, Flávio Resende de (1899-1973) - Artista plástico formado em engenharia civil. Um dos fundadores do Clube dos Artistas Modernos (CAM).

Carvalho, Otelo Saraiva de (1937-   ) - Militar português. Participante da Revoluções dos Cravos. Um dos membros do triunvirato de generais que comandou o país em 1975.

Carvalho, Sérgio Ribeiro Miranda de (1930-1994) - Militar. Brigadeiro da Aeronáutica. Conhecido como Sérgio Macaco. Envolvido no "Caso Para-Sar", Esquadrão Aeroterrestre de Salvamento, que teria de cumprir missões criminosas, que seriam atribuídas aos comunistas e adversários do regime militar. Por se negar a participar, foi transferido para Recife e, logo depois, cassado pelo AI-5.

Cascardo, Herculano (1900-1967) - Político. Um dos fundadores do Partido Socialista Brasileiro.

Cascudo, Luiz da Câmara (1898-1967) - Folclorista. Autor de mais de cem livros, além de crônicas em revistas e jornais. Autor de *Dicionário do folclore brasileiro*, *Made in África* e *Prelúdio da cachaça*.

Cassiano Ricardo (Cassiano Ricardo Leite) (1895-1974) - Poeta paulista. Escreveu, entre outras obras, *Dentro da noite* (1915), *Vamos caçar papagaios* (1926) e *Os sobreviventes* (1971).

Castello Branco, Marechal Humberto de Alencar (1897-1967) – Presidente da República que substituiu João Goulart após o golpe de 31 de março de 1964. Faleceu em desastre de avião, quando regressava de uma visita à fazenda da escritora Raquel de Queirós, no Ceará.

Castro, Fidel (Fidel Alejandro Castro Ruz) (1926-   ) – Político e ditador cubano.

Castro, Moacir Werneck de (1915-   ) – Escritor. Escreveu, entre outras obras, *O Libertador: a vida de Simon Bolívar, Mário de Andrade: exílio no Rio* e *Europa 1935.*

Castro, Oswaldo Carijó de (1911-1983) – Político paulista. Ministro do Trabalho, Comércio e Indústria do governo Vargas.

Cavalcanti, Luís de Souza (1913-   ) – Governador de Alagoas de 1961 a 1966.

Cavalcanti, Sandra (Sandra Martins Cavalcanti de Albuquerque) (1927-   ) – Deputada federal pelo Rio de Janeiro de 1987 a 1995. Secretária de Serviços Sociais do governo Carlos Lacerda. Primeira presidente do Banco Nacional de Habitação (BNH). Escreveu *A escalada da segurança.*

Cavalheiro, Edgard (1911-1958) – O mais conhecido biógrafo de Monteiro Lobato, que ficou com o arquivo do criador do *Sítio do Pica-Pau Amarelo.*

Chardin, Teilhard de (1881-1955) – Teólogo controvertido do século XX. Expulso da Ordem dos Jesuítas.

Che Guevara (Ernesto Guevara de la Serna) (1928-1967) – Médico argentino. Companheiro de Fidel Castro na revolução de Cuba e membro de seu governo.

Check, Chiang Kai (1887-1975) – General chinês que tentou deter o avanço comunista na China continental e que acabou refugiando-se, em 1949, em Formosa (Taiwan), a chamada China nacionalista.

Chekhov, Anton Pavlovitch (1860-1904) – Escritor russo. Escreveu, entre outras obras, *A gaivota.*

Chesterton, Gilbert Keith (1874-1936) - Escritor inglês. Escreveu, entre outras obras, *A sabedoria do padre Brown*, *Ortodoxia* e *Doze tipos*.

Chopin, Frédéric (1810-1849) - Compositor. Entre suas obras mais famosas encontram-se *Noturno op. 9 nº 2*, *Valsa op. 81 nº 1* e a *Grande valsa brilhante*.

Churchill, Winston Leonard Spencer (1874-1865) - Herói que comandou a Resistência inglesa contra o nazismo na guerra de 1939-1945.

Cintra, dom Sebastião Leme de Oliveira (1882-1942) - Arcebispo do Rio de Janeiro. Organizador e dirigente da Liga Eleitoral Católica (LEC).

Coelho, Danton (1907-1961) - Político gaúcho que exerceu a chefia de política de São Paulo depois da Revolução Constitucionalista de 1932. Ministro da Justiça de Getúlio Vargas, em 1951.

Coelho, Plínio Ramos (1920-2001) - Governador do Estado do Amazonas (1955-1959 e 1963-1967).

Combes, Émile (1835-1921) - Político francês. Líder da campanha anti-clerical para separar o Estado da Igreja.

Conrad, Joseph (1857-1924) - Escritor inglês. Escreveu, entre outros livros, *O coração das trevas*, *Juventude* e *Tufão*.

Corção, Gustavo Braga (1896-1977) - Escritor e líder católico. Autor de *A descoberta do outro*, *Lições de abismo*.

Costa, Canrobert Pereira da (1985-1955) - Militar. Ministro da Guerra do governo Dutra.

Costa, Fernando de Sousa (1886-1946) - Político. Ministro da Agricultura de 1937 a 1941 e interventor do Estado de São Paulo de 1941 a 1945.

Costa, Osvaldo - Jornalista da Rádio Gazeta.

Couto, Ronaldo Costa (1942-   ) - Economista mineiro. Ministro do Interior (1985-1987). Governador do Distrito Federal em 1985, ministro do Gabinete Civil do presidente da República (1987-1989) e ministro do Trabalho de 1988 a 1999, no governo José Sarney.

Cunha, Vasco Leitão da (1890-1984) - Ministro do Exterior. Embaixador em Cuba no governo de João Goulart.

Dantas, Francisco Clementino de Santiago (1911-1964) - Jurista e político brasileiro.

Dantas, Pedro (Francisco de Paula Prudente de Moraes Neto) (1904-1977) - Pseudônimo. Jornalista e poeta. Colunista político do *Diário Carioca.*

Daudet, Louis Marie Alphonse (1840-1897) - Escritor francês. Escreveu, entre outras obras, *As cartas de meu moinho* e *As aventuras prodigiosas de Tartarin de Tarascon.*

Denys, Odílio (1892-1985) - Militar presente no movimento de 1964.

Davi - Casado com Clarissa, filha de Érico Veríssimo.

De Gaulle, Charles André-Joseph-Marie (1890-1970) - Militar e estadista. Grande chanceler da Ordem da Libertação (França). Comandante do exército, promovido a general, liderou o movimento França Livre contra a ocupação alemã na II Guerra Mundial. Assumiu o governo francês por mais de uma vez. Em 1958, apresentou uma nova Constituição, aprovada em plebiscito. Eleito presidente da Quinta República.

Delfim Neto, Antônio (1928-) - Economista paulista. Ministro da Fazenda (1967-1971) e da Agricultura em 1978, deputado em várias legislaturas.

Dercy Gonçalves (Dolores Gonçalves da Costa) (1907-) - Atriz e comediante de grande popularidade. Participou, entre outros filmes, de *A grande vedete, Com minha sogra em Paquetá* e *Se meu dólar falasse.*

Denis, Odilon (1892-1985) - Militar.

Dewey, John (1859-1952) - Educador americano.

Di Cavalcanti (Emiliano Augusto Cavalcanti de Albuquerque e Melo) (1897-1976) - Pintor, ilustrador, caricaturista, gravador, muralista, cenógrafo. Entre suas obras encontramos *Baile popular, Ciganos* e *Retratos de Maria.*

Dickens, Charles (1812-1870) - Escritor inglês. Escreveu, entre outras obras, *Oliver Twist, Loja de antiguidades* e *Notas americanas.*

Dom Pedro II (Pedro de Alcântara João Carlos Leopoldo Salvador Bibiano Francisco Xavier de Paula Leocádio Miguel Gabriel Rafael Gonzaga) (1825-1891) - Segundo e último imperador do Brasil. Reinou por quase cinqüenta anos.

Dostoievski, Fiodor Mikhailovitch (1821-1881) - Escritor russo. Escreveu, entre outras obras, *Memórias do subsolo, O jogador* e *Crime e castigo.*

Druon, Maurice - Escritor francês. Escreveu, entre outras obras, *O menino do dedo verde e A lei dos varões.*

Duarte, Paulo Alfeu Junqueira (1899-1984) - Cronista, memorialista, ensaísta, tradutor e político. Algumas obras: *Sob as arcadas, O resto não é silêncio...* e *Memórias: vou-me embora pra Pasárgada.*

Dumas, Alexandre Davy de la Pailleterie (1802-1870) - Escritor francês. Escreveu, entre outras obras, *Os três mosqueteiros, O conde de Monte Cristo* e *A rainha Margot.*

Dutra, Elói (1916-1990) - Jornalista e político. Vice-governador do Estado da Guanabara.

Dutra, Eurico Gaspar (1883-1974) - Militar e político. Presidente da República no período de 1946 a 1951.

Ellington, Duke (1899-1974) - Famoso instrumentista americano

Falcão, Armando Ribeiro (1919-) - Ministro da Justiça nos governos de Juscelino e Castello Branco.

Faria, Otávio de (1908-1980) - Escritor. Entre outras obras: *Tragédia burguesa, Mundos mortos* e *Nossos clássicos: Coelho Neto.*

Farias, Osvaldo Cordeiro de (1906-1982) - Militar na categoria de "híbrido fértil" consoante qualificação de Jarbas Passarinho em seu livro de memórias com esse título. Participou da revolução de 1930, da deposição de Getúlio Vargas em 1945, da sua quase deposição em 1954, da resistência à posse de João Goulart e da revolução de 1964. Ocupou muitos cargos públicos, inclusive a de interventor.

Farqhuar, Percival (1864-1953) - Empresário americano com atividade em várias partes do mundo. No Brasil, participou da fundação da Light & Power, de estradas de ferro, da Itabira Iron e Acesita - Aços Minas Gerais.

Feijó, Germinal - Político paulista. Integrante da Esquerda Democrática. Deputado nas legislaturas de 1947-1951 e 1959-1963. Criou, com Antônio Cândido e Paulo Emílio Salles Gomes, o Grupo de Ação Radical, em 1942.

Fernandes, Elza (1918-1936) - Nome verdadeiro: Elvia Cupelo Colônio. Esposa do secretário-geral do Partido Comunista do Brasil, Antônio Maciel Bonfim. Morta por estrangulamento, a mando do PCB, a título de queima de arquivo.

Fernandes, Hélio (1924-) - Jornalista, diretor e proprietário do jornal *Tribuna da Imprensa*, fundado por Carlos Lacerda. Adquiriu-o em troca de assumir as dívidas da empresa. Irmão do genial Millôr Fernandes.

Fernandes, Mário Lorenzo - Secretário do governo Carlos Lacerda no período de 1961 a 1965.

Fernandes, Raul (1877-1968) - Político e jurista do Estado do Rio de Janeiro. Deputado estadual pelo Rio de Janeiro, deputado federal, embaixador do Brasil em Bruxelas e um dos fundadores da União Democrática Nacional (UDN).

Ferrari, Fernando (1921-1963) - Político gaúcho.

Ferraz, Gildo Corrêa - Procurador-geral da República.

Ferraz, Octávio Marcondes (1896-1990) - Engenheiro. Presidente da Eletrobrás no governo militar.

Ferreira, Octales Marcondes – Editor, tendo se iniciado com Monteiro Lobato na Cia. Melhoramentos.

Ferreira Neto, Antônio Rogê (1922-1991) – Político paulista.

Figueiredo, Guilherme (1915-1997) – Escritor. Escreveu diversas obras, entre elas, *Um deus dormiu lá em casa, Guerra geral ou listrada* e *Tratado geral dos chatos.*

Figueiredo, Jackson (1891-1928) – Professor, jornalista, crítico, ensaísta, filósofo, político e líder católico. Fundador do *Centro Dom Vital.* Escreveu, entre outras obras, *A coluna de fogo* e *A reação do senso.*

Figueiredo, João Baptista (1918-1999) – Presidente da República (1979-1985). No seu governo foi promulgada a Lei de Anistia nº 6.683 de 1979.

Fontes, Lourival (1899-1967) – Político sergipano. Destacou-se como chefe do Departamento de Propaganda (DIP) do governo ditatorial de Vargas e mais tarde como chefe do gabinete do governo Vargas eleito em 1950.

Fontoura, João Neves da (1889-1963) – Político gaúcho.

Fortes, Francisco José Bias (1891-1971) – Político mineiro. Governador de Minas Gerais no período de 1956-1961.

Fortunato, Gregório (1900-1962) – Militar combatente dos revolucionários de 1932. Chefe da Guarda Pessoal do presidente Gétulio Vargas. Foi preso como mandante do atentado contra o jornalista Carlos Lacerda.

France, Anatole (Jacques-Anatole-François Thibault) (1844-1924) – Nome literário. Romancista e poeta francês. Escreveu, entre outras obras, *A justiça dos homens* e *A rebelião dos anjos.* Prêmio Nobel de Literatura de 1921.

Francis, Paulo (Franz Paulo Tannim) (1930-1997) – Jornalista brasileiro que veio a ter grande projeção depois que foi requisitado pela rede Globo como seu correspondente de Nova York.

Franco, Virgílio de Mello (1897-1948) - Líder democrático mineiro de expressão nacional. Incentivador do Manifesto dos Mineiros, de 1943, marco inicial do movimento para a derrubada do ditador Getúlio Vargas.

Franco Sobrinho, Afonso Arinos de Mello (1905-1990) - Jurista, memorialista e político.

Frank, Waldo (1889-1967) - Escritor americano.

Freire, Paulo Reglus Neves (1921-1997) - Educador. Produziu vasta obra sobre educação e pedagogia: *Pedagogia do oprimido, Sobre educação: diálogos, Educação como prática da liberdade* e outros.

Freitas, Newton (-1996) - Jornalista. Trabalhou com Di Cavalcanti, Rubem Braga, Caio Prado Júnior e Carlos Lacerda no comitê de redação do semanário *Marcha*, em 1935.

Freud, Sigmund (1856-1939) - Médico, pai da psicanálise. Algumas

obras: *O mal-estar da civilização, O ego e o id* e *Esboço da psicanálise.*

Freyre, Gilberto de Melo (1900-1987) - Sociólogo e historiador. Obras principais: *Casa grande & senzala* (1933), *Sobrados e mocambos* (1936), *Ordem e progresso* (1959), *Quase política* (1950).

Frossard, André (1915-1995) - Ensaísta e acadêmico francês. Escreveu, entre outros livros, *Não esqueçam o amor: paixão M. Kolber, Não tenham medo!: diálogo com João Paulo II* e *Deus existe, eu o encontrei.*

Furtado, Celso Monteiro (1920-2004) - Superintendente da Sudene (1959-1961) e ministro do Planejamento do governo João Goulart (1962-1964). Cassado pela revolução de 1964.

Galhardo, Carlos (1913-1985) - Famoso cantor brasileiro, nascido em Buenos Aires.

Gallotti, Antônio (1908-1986) - Representante da empresa canadense Light & Power no Brasil por muito tempo. Negociou com o governo brasileiro o patrimônio dessa empresa, sucedida por Brascan Participações e Investimentos.

Galvão, Nei (1902-1990) – Político do Partido Social Democrático (PSD). Ministro da Fazenda no governo João Goulart.

Garaudy, Roger (1913-) – Escritor francês. Protestante convertido ao catolicismo. Comunista durante a Grande Guerra e convertido ao islamismo em 1970.

Gaspari, Elio (1944-) – Jornalista e escritor, nascido em Nápoles, Itália. Veio para o Brasil ainda criança. Trabalhou nos jornais *Novo Rumo, A Notícia, Diário de São Paulo, Jornal do Brasil* (onde escreveu o obituário de Carlos Lacerda) e na revista *Veja*. Escreveu, entre outras obras, a série *Ilusões armadas, Versões e ficções – o seqüestro da história* e *70/80 cultura em trânsito: da repressão à abertura.*

Geisel, Ernesto (1906-1996) – Militar. Presidente da República no período de 1969 a 1974.

Godinho, Antônio de Oliveira (1920-1992) – Padre, político e pesquisador mineiro. Deputado estadual por São Paulo em 1959, entre outras legislaturas. Escreveu *O museu de arte sacra de São Paulo.*

Gogol, Nikolai Vasilevich (1809-1852) – Escritor russo. Escreveu, entre outras obras, *Almas mortas, Taras bulba* e *O inspetor geral.*

Gomes, Alfredo de Freitas Dias (1922-1999) – Teatrólogo e escritor. Autor de *A comédia dos moralistas, O bom ladrão* e *Meu reino por um cavalo.*

Gomes, Eduardo (1896-1981) – Militar. Marechal-do-Ar. Candidato à Presidência da República por duas vezes.

Gomes, Paulo Emilio Salles (1917-1977) – Professor e escritor. Autor de *Cinema: trajetória no subdesenvolvimento, Humberto Mauro: Cataguases, Cinearte* e *Jean Vigo.*

Gomes, Severo Fagundes (1924-1992) – Industrial e político paulista.

Gordon, Lincoln (1913-) – Embaixador dos Estados Unidos no Brasil de 1961 a 1966.

Górki, Máximo (Alksei Maksimovich Peshkov) (1868-1936) - Pseudônimo. Escritor russo. Escreveu, entre outras obras, *Os inimigos, Leão Tolstói* e *Pequenos burgueses.*

Goulart, João Belchior Marques (1919-1976) - Político gaúcho. Ministro do Trabalho no governo Vargas. Duas vezes vice-presidente e alçado ao poder com a renúncia de Jânio Quadros.

Guilherme, Olympio - Jornalista e escritor. Diretor do *Observador Econômico e Financeiro.*

Gudin Filho, Eugênio (1885-1986) - Economista. Ministro da Fazenda de Café Filho.

Guedes, Luiz Carlos (1905-1986) - Militar. Comandante das tropas em Minas Gerais no movimento de março de 1964.

Guimarães, Ulysses (1916-1992) - Político paulista com participação destacada na oposição ao regime militar. Foi presidente na Constituinte brasileira de 1986/1988, com evidente influência sobre o governo José Sarney.

Heck, Sílvio de Azevedo (1905-1988) - Militar.

Heiskell, Andrew - Redator e mais tarde diretor do *Time-Life.*

Hirata, Sumissu (1904-1974) - Político. Deputado federal pelo Estado de São Paulo por várias legislaturas.

Hollanda, Sérgio Buarque de (1902-1982) - Historiador e crítico literário. Escreveu, entre outras obras, *Raízes do Brasil, Visão do paraíso* e *Caminhos e fronteiras.*

Horta, Arnaldo Pedroso D' (1914-1973) - Gravador, crítico de arte. Escreveu, juntamente com Rubem Braga, *Dois repórteres no Paraná.* Foi o primeiro brasileiro a ser premiado no Salão de Veneza, em 1954.

Houaiss, Antônio (1915-1999) - Professor, diplomata, filólogo, lexicógrafo e ensaísta. Algumas de suas obras: *A nova ortografia da língua portuguesa, O que é língua?* e *Elementos de bibliologia.*

Hugo, Victor (1802-1885) - Escritor. Entre suas obras mais famosas se encontram *O corcunda de Notre-Dame* e *Os miseráveis.*

Huxley, Aldous Leonard (1894-1963) - Escritor inglês. Escreveu, entre outras obras, *Admirável mundo novo, As portas da percepção: o céu e o inferno* e *Sem olhos em Gaza.*

Iribarne, Manuel Fraga (1922-1992) - Escritor nascido em Vilalba, Espanha. Morou em Cuba quando criança.

Jafet, Ricardo Nami (1907-1958) - Político paulista. Presidente do Banco do Brasil no período de 1951 a 1953.

Jefferson, Thomas (1743-1826) - Político americano, terceiro presidente dos Estados Unidos da América, redigiu a Declaração de Independência.

Jobim, Antônio Carlos (1927-1993) - Compositor musical.

Jobim, Danton (1906-1978) - Jornalista.

Johnson, Lindon (1908-1969) - Político americano. Presidente dos Estados Unidos da América em 1963.

Jorge, José Guilherme Araújo (1914-1987) - Poeta e político acreano. Escreveu, entre outras obras, *Amo!* (1938), *Brasil, com letra minúscula* (1961) e *Cantiga do só* (1964).

Julião, Francisco (Francisco Julião Arruda de Paula) (1915-1999) - Político. Líder das Ligas Camponesas.

Jung, Carl Gustav (1875-1961) - Fundador da escola analítica de Psicologia. Escreveu *Memórias sonhos e reflexões, Eu e o inconsciente, O homem e seus símbolos,* entre outros.

Jurema, Abelardo Araújo (1916-1999) - Político. Ministro da Justiça do governo Jango.

Kawall, Luiz Ernesto - Jornalista e memoralista. Trabalhou junto com Carlos Lacerda na *Tribuna da Imprensa.* Fundador do Museu de Imagem e Som (MIS).

Kelly, José Eduardo Prado (1904-1986) - Chefe político da UDN, ministro da Justiça no governo do presidente Carlos Luz e ministro de Estado do governo Café Filho.

Kennedy, John Fitzgerald (1917-1963) - Político americano. Filho de uma rica família católica ligada ao Partido Democrata. Presidente dos Estados Unidos em 1960. Morto em uma visita a Dallas.

Kipling, Rudyard (1865-1936) - Escritor indiano, educado na Inglaterra. Escreveu, entre outras obras, *O livro da selva*, *Kim* e *O menino lobo*. Ganhou o Prêmio Nobel de Literatura em 1907.

Krieger, Daniel (1909-1990) - Senador, líder do governo Castello Branco.

Kruchev, Nikita Sergueivitch (1894-1971) - Primeiro-ministro soviético e secretário-geral do Partido Comunista.

Kubitschek, Juscelino (Juscelino Kubitschek de Oliveira) (1902-1976) - Médico e político mineiro. Ocupou a Presidência da República no período de 1956 a 1961.

Kubitschek, Márcia - Filha de Juscelino Kubitschek.

Lacerda, Letícia Abruzini - Esposa de Carlos Lacerda.

Lacerda, Maurício (1888-1959) - Político e escritor. Pai de Carlos Lacerda. Autor do livro *A história de uma covardia*, Editora Nova Fronteira, de 1980.

Lacerda, Sebastião (1942-   ) - Editor. Segundo filho de Carlos Lacerda. Com o irmão Sérgio sucedeu ao pai na direção da Editora Nova Fronteira.

Lacerda, Sérgio Abruzini (1939-1992) - Filho mais velho de Carlos Lacerda que sucedeu ao pai na direção da Editora Nova Fronteira.

Lacerda Filho, Maurício (1913-1976) - Irmão mais velho de Carlos Lacerda, que dele se distanciou certa vez, mas dele se reaproximou.

Lage, Henrique (1881-1941) - Armador e industrial. Fundador da Companhia Docas de Imbituba, em 1922.

Lagerlöf, Selma Ottilia Lovisa (1858-1940) - Escritora sueca. Escreveu, entre outras obras, *O cocheiro da morte*. Prêmio Nobel de Literatura em 1909.

Leal, Vítor Nunes (1914-1985) - Ministro do Supremo Tribunal Federal.

Lebret, Louis Joseph (1897-1966) - Clérigo dominicano, belga de nascimento. Criador do *Movimento economia humanista.*

Leite, Roberto Teixeira (1930-) - Crítico de arte. Autor do *Dicionário crítico da pintura no Brasil*, de 1988.

Levy, Herbert (1911-2002) - Político paulista e diretor do jornal *Gazeta Mercantil.*

Lima, Afonso Augusto de Albuquerque (1919-1981) - Militar, general-de-divisão. Ministro do Interior no governo Costa e Silva.

Lima, Francisco Negrão de (1901-1981) - Político mineiro e diplomata. Governador da Guanabara na sucessão de Carlos Lacerda, em 1965.

Lima, Hermes (1902-1978) - Jornalista, jurista, professor, político, ensaísta e memorialista. Ministro das Relações Exteriores no governo João Goulart. Escreveu, entre outras obras, *Tobias Barreto, a época e o homem* (1939), *Travessia* (1974) e *Anísio Teixeira, estadista da educação* (1978).

Lima, João Frazen de (1897-1994) - Advogado e político mineiro. Signatário do Manifesto dos Mineiros, de 1943.

Lima, Jorge Matheus de (1893-1953) - Poeta alagoano. Escreveu, entre outras obras, *O anjo*, *Guerra dentro do beco* e *Invenção de Orfeu.*

Lima Sobrinho, Alexandre Barbosa (1897-2000) - Advogado, jornalista, ensaísta, historiador, professor e político. Escreveu, entre outras obras, *Desde quando somos nacionalistas* e *Máquinas para transformar cruzeiros em dólares.* Membro da Academia Brasileira de Letras e da Associação Brasileira de Imprensa.

Linhares, José (1886-1957) - Exerceu a Presidência por convocação das Forças Armadas, como presidente do Supremo Tribunal Federal, tendo em vista a deposição do titular Getúlio Vargas.

Lins, Álvaro de Barros (1912-1975) - Professor, jornalista, crítico literário, ensaísta e diplomata pernambucano. Embaixador do Brasil em Portugal. Algumas obras: *Alguns aspectos da decadência do Império*, 1939; *Missão em Portugal - Diário de uma experiência diplomática*, 1960; e *Os mortos de sobrecasaca*, 1963. Membro da Academia Brasileira de Letras.

Lins, José Luiz Magalhães (1929-) - Banqueiro. Diretor-presidente do Banco do Rio de Janeiro S.A., em 1979. Decano do Tribunal de Contas do Estado do Rio de Janeiro.

Lins, Miguel Monteiro de Barros (1911-1995) - Advogado. Contemporâneo de Carlos Lacerda no Clube da Reforma quando ainda estudantes.

Lobato, José Bento Monteiro (1892-1948) - Escritor paulista. Dedicado às literaturas adulta e infantil. Algumas de suas obras: *Urupês*, *O escândalo do petróleo e do ferro*, *Reinações de Narizinho* e *D. Quixote das crianças.*

Lodi, Euvaldo (1896-1956) - Industrial e político. Foi estudante da Escola de Minas e Metalurgia de Ouro Preto. Presidiu a Federação das Indústrias do Rio de Janeiro e, também, a Confederação Nacional da Indústria (CNI).

Lomanto Júnior, Antônio (1924-) - Governador da Bahia eleito em 1961.

Lopes, José Machado (1900-1990) - Militar. General que se insurgiu contra os militares que queriam impedir a posse de João Goulart.

Lopes, Lucas (1911-1994) - Político e engenheiro mineiro. Ministro da Fazenda do governo Kubitschek.

Lott, Henrique Duffles Teixeira (1894-1984) - Militar e político. Ministro da Guerra nomeado por Café Filho em 1954, a quem depôs em 1955. Candidato à Presidência da República derrotado por Jânio Quadros em 1960.

Lourenço Filho, Manoel Bergström (1897-1970) – Educador e psicólogo paulista, defensor da educação para todos. Um dos idealizadores do movimento Nova Escola.

Luz, Carlos Coimbra da (1894-1961) – Político mineiro. Deputado federal. Eleito presidente da Câmara dos Deputados em 1955. Assumiu a Presidência da República por ter o presidente Café Filho se licenciado para tratamento de saúde. Deposto da Presidência pelos militares neste mesmo ano.

Machado, Alfredo (1922-1991) – Livreiro. Dono da Editora Record.

Machado, Guilherme (1916-1975) – Político mineiro. Um dos fundadores da Faculdade de Ciências Econômicas e Administração de Minas Gerais.

Maciel, Leandro (1897-1984) – Político sergipano. Sua indicação para vice-presidente da República motivou a primeira renúncia de Jânio Quadros.

Madureira, Pedro Paulo Senna – Editor e companheiro de Carlos Lacerda na Editora Nova Fronteira, na última fase da vida dele. Diretor da Editora Girafa.

Magalhães, Dario de Almeida (1908-) – Advogado.

Magalhães, Eliézer (1899-1971) – Empresário e político. Irmão de Juraci Magalhães.

Magalhães, Juraci Montenegro (1905-1973) – Militar e político cearense. Embaixador do Brasil em Washington no início da ditadura militar.

Magalhães, Mauro (1926-) – Deputado estadual pelo Estado da Guanabara. Líder da UDN e cassado em 29 de abril de 1969.

Magalhães, Raphael de Almeida (1930-) – Vice-governador do Estado da Guanabara no governo Carlos Lacerda.

Magalhães Júnior, Sérgio (1916-1991) - Político.

Maia, José Joaquim da (-1788) - Estudante participante da Inconfidência Mineira. Estudava na França e pediu audiência reservada a Thomas Jefferson, então embaixador; os dois trocaram rica correspondência acerca da conjuração.

Malan, Pedro Sampaio (1943-) - Economista. Presidente do Banco Central do Brasil (1993-1994) e ministro da Fazenda (1995-2001).

Malraux, André (1901-1976) - Político e escritor francês. Escreveu, entre outras obras, *A condição humana*, *A esperança* e *O caminho real.*

Mamede, Jurandir Bizarria (1906-1998) - Militar. Comandante da Escola de Comando e Estado-Maior do Exército (Eceme). Um dos pilares do movimento de 1964.

Mangabeira, João (1880-1964) - Político, jurista e jornalista baiano. Um dos fundadores da Esquerda Democrática, mais tarde transformada em Partido Socialista Brasileiro (PSB).

Mangabeira, Otávio Cavalcanti (1886-1960) - Engenheiro civil, jornalista, professor, político, diplomata, orador e ensaísta baiano. Algumas obras: *Halley e o cometa do seu nome*, 1910, e *Tradições navais do Brasil*, 1930. Membro da Academia Brasileira de Letras.

Mansfield, Katherine (1888-1923) - Escritora neozelandesa. Escreveu, entre outras obras, *Festa ao ar livre e outras histórias*, *Je ne parle pas Francais e outros contos* e *Diário e cartas.*

Mao Tsé-tung (1893-1976) - Político e poeta. Líder comunista chinês que comandou a Grande Marcha. Um dos fundadores do Partido Comunista Chinês. Presidiu a República da China Popular de 1954 a 1959.

Maquiavel, Nicolau (1469-1527) - Escritor, diplomata e pensador político nascido na península itálica. Escreveu, entre outras obras, *O príncipe* e *A mandrágora: Belfagor, o arquidiabo.*

Mariani, Clemente (1900-1981) - Político e banqueiro baiano. Deputado constituinte em 1934 e em diversas outras legislaturas. Ministro da Fazenda do efêmero governo Quadros.

Marinho, Roberto Irineu (1904-2003) - Fundador das Organizações Globo, tendo por carro-chefe a TV Globo, associada ilegalmente ao *Time-Life* no início de sua expansão. Membro da Academia Brasileira de Letras.

Maritain, Jacques (1882-1973) - Filósofo, escritor e líder católico francês. Entre sua vasta obra podemos elevar: *Arte e escolástica*, *Humanismo integral* e *O camponês do Garona.*

Martins, Ivan Pedro - Romancista e jornalista.

Martins, José de Barros (1909-1992) - Editor brasileiro. Fundador da Martins Editora em São Paulo.

Martins, Luiz (1907-1981) - Escritor, jornalista, crítico e funcionário público. Autor, entre outras obras, de *Lapa* e *A fazenda.*

Mathias, Philippe Auguste (1838-1889) - Escritor francês. Conhecido como conde de Villiers de l'Isle-Adam. Escreveu, entre outras obras, *Contos cruéis* e *A Eva futura.*

Maugham, William Somerset (1874-1965) - Escritor francês. Escreveu, dentre outras obras, *O pecado de Liza*, *Servidão humana* e *O véu pintado.*

Maurois, André (Émile Salomon Wilhelm Herzog) (1885-1967) - Escritor. André Maurois era seu pseudônimo, tornando-se seu nome legal em 1947. Escreveu, entre outras obras, *O país das 36 mil vontades* e *Diário de uma viagem pela América Latina.*

Maupassant, Henri René Albert Guy de (1850-1893) - Escritor francês. Escreveu, entre outras obras, *Contos fantásticos: o horla e outras histórias*, *Bola de sebo e outros contos* e *Forte como a morte.*

Mazilli, Pascoal Ranieri (1910-1975) - Político, advogado e jornalista paulista. Deputado federal por São Paulo e presidente da Câmara em diversos mandatos, razão pela qual ocupou a Presidência da República por duas vezes.

Médici, Emílio Garrastazu (1905-1981) - Militar gaúcho. Chefiou o Conselho de Segurança Nacional (CSN) no governo Costa e Silva. Foi eleito indiretamente para o cargo da Presidência do Brasil em 1969.

Meirelles, Cecília Benevides de Carvalho (1901-1964) - Educadora e grande poetisa carioca. Escreveu, entre outras obras, *Viagem* e *Romanceiro da Inconfidência.*

Melo, Arnon de (1911-1983) - Político. Foi governador de Alagoas (1951-1956) e senador (1963-1981). Sócio de Roberto Marinho na construção do primeiro *shopping center* do Rio de Janeiro e pai de Fernando Collor.

Melo, Jaime Portela de (1912-1984) - Militar paraibano. Chefe do gabinete militar no governo Costa e Silva.

Melo, Nelson de (1899-1989) - Militar. Participou da Força Expedicionária Brasileira (FEB), em 1944.

Melo, Tarcílio Vieira de (1913-1970) - Político baiano.

Melo Neto, João Cabral de (1920-1999) - Poeta e diplomata pernambucano. Sua obra, entre vários títulos, constituiu-se de *Pedra do sono, O rio* e *A escola de facas.* Membro da Academia Brasileira de Letras.

Mello, Francisco de Assis Chateaubriand Bandeira de (1892-1968) - Jornalista e empresário. Fundador dos *Diários Associados,* grande cadeia de jornais brasileiros. Pioneiro da televisão no Brasil.

Mendonça, Lúcio Eugênio de Menezes e Vasconcelos Drummond Furtado de (1854-1909) - Advogado, jornalista, magistrado, contista e poeta. Escreveu, entre outras obras, *Névoas matutinas* e *Horas do bom tempo.* Um dos fundadores da Academia Brasileira de Letras.

Mendonça, Marina Gusmão de. Autora de *O demolidor de presidentes,* 2003.

Menegheti, Ildo (1895-1985) - Governador do Rio Grande do Sul (1955-1959 e 1963-1967).

Mesquita, Alfredo (1907-1986) - Teatrólogo. Fundador do primeiro curso técnico para atores, na USP, e da Livraria Jaraguá.

Mesquita Filho, Júlio (1892-1969) - Jornalista e diretor de *O Estado de S. Paulo* e fundador do *Jornal da Tarde.*

Miranda, Murilo (1912-1971) - Poeta e cunhado de Rubem Braga.

Miranda, Yeda Braga - Esposa de Murilo Miranda e irmã de Rubem Braga.

Moacyr, Noêmia Mourão (1912-1992) - Pintora, cenógrafa, e desenhista paulista. Ilustrou jornais internacionais como *Le Monde* e *Paris Soir.* Algumas peças: *Mulher* e *Mulata.*

Molotov, Vyaceslau Mihajlovic Skrjabin (1890-1986) - Ministro russo. Participou da negociação para a assinatura do pacto de não-agressão com a Alemanha nazista.

Monteiro, Pedro Aurélio de Góis (1889-1956) - Militar. Eminência política do Exército brasileiro, com destaque no período ditatorial de Vargas.

Montello, Josué (1917-) - Prolífico e excelente escritor. Membro da Academia Brasileira de Letras. Escreveu, entre outros, *Memórias póstumas de Machado de Assis.*

Montoro, André Franco (1916-1999) - Professor universitário, advogado, servidor público e procurador paulista. Presidente de honra e um dos fundadores do Partido da Social Democracia Brasileira (PSDB). Foi deputado, senador e governador de São Paulo.

Moog, Clodomir Viana (1906-1988) - Escritor gaúcho. Autor, entre outras obras, de *Um rio imita o Reno, Pioneiros e bandeirantes, Em busca de Lincoln.* Membro da Academia Brasileira de Letras.

Moraes, Eneida Costa de (1903-1971) - Poetisa.

Moraes, Marcus Vinicius da Cruz de Mello (1913-1980) – Poeta. Algumas obras: *A arca de Noé – poemas infantis*, *Para viver um grande amor: crônicas e poemas* e *Jardim noturno: poemas inéditos*.

Moraes, Rubem Borba de (1899 -1986) – Jornalista.

Morais, Ângelo Mendes de (1894 – 1990) – Militar. General e prefeito do Distrito Federal.

Morais, Fernando (1912-) – Escritor. Autor, entre outras obras, de *Cem quilos de ouro e outras histórias de um repórter*, *Chatô, o rei do Brasil* e *Olga*.

Moss, Gabriel Grumm (1904-1989) – Militar. Brigadeiro-do-ar. Ministro da Aeronáutica no governo Jânio Quadros.

Mota Filho, Cândido (1897-1977) – Político paulista. Ministro da Educação do efêmero governo de Café Filho e nomeado por este para o Supremo Tribunal Federal. Membro da Academia Brasileira de Letras.

Mourão Filho, Olympio (1900-1972) – Militar. Chefiou a marcha militar que derrubou o presidente João Goulart em 1964. Censor de rádio e televisão, no governo de Juscelino Kubitschek, para impedir o uso deles por Carlos Lacerda.

Müller, Filinto Strubing (1900-1973) – Militar e político. Chefe de polícia do Distrito Federal e senador pela Arena. Morreu em um acidente aéreo em território francês.

Nabuco, Joaquim (Joaquim Aurélio Barreto Nabuco de Araújo) (1849-1910) – Diplomata, político, jornalista, historiador e literato. Escreveu, entre outras obras, *O abolicionismo*, *Um estadista do Império* e *Minha formação*. Um dos fundadores da Academia Brasileira de Letras.

Nasser, Gamal Abdel (1918-1970) – Assumiu o poder ao participar do golpe contra o rei Farouk em 1952. Foi eleito o primeiro presidente do Egito em 1956. Nacionalizou o Canal de Suez em 1956, provocando uma série crise mundial. Foi derrotado na Guerra dos Seis Dias iniciada por ele contra Israel, em 1967.

Nava, Pedro da Silva (1903-1984) - Memorialista, médico e poeta bissexto. Poema: "O defunto". Memórias: *Chão de ferro*, *Baú de ossos*, *Balão cativo*, *Beira-mar*, *Galo das trevas.*

Neme, Mário (1918-1973) - Escritor e historiador paulista.

Neves, Berilo (1901-1974) - Cronista mundano de muito sucesso na década de 1930. Conhecido como o Pitigrili brasileiro, por ter como tema as mulheres. Livro mais conhecido: *A costela de Adão.*

Neves, Francisco Carlos de Castro (1914-1974) - Ministro do Trabalho em 1961 do governo Jânio Quadros.

Neves, Tancredo de Almeida (1910-1985) - Político mineiro. Eleito governador de Minas Gerais em 1983 e presidente do Brasil em 1979.

Nunes, Janari Gentil (1912-1984) - Militar e político. Governador do Amapá (1943-1956).

Oliveira, Antônio Gonçalves de (1910-1992) - Jurista.

Oliveira, Armando Salles de (1887-1945) - Engenheiro e jornalista paulista. Fundador da Universidade de São Paulo (USP). Diretor de *O Estado de S. Paulo* e governador do Estado de São Paulo.

Oliveira, José Geraldo de (1915-1999) - Militar.

Oliveira Neto, Luiz Camilo de (1904-1953) - Historiador brasileiro. Diretor do Serviço de Documentação e da Biblioteca do Itamaraty (1940-1943 e 1945-1953). Coordenador e signatário do Manifesto dos Mineiros em 1943. Pertenceu ao Conselho Editorial da *Tribuna da Imprensa.*

Olympio, José (1902-1990) - Editor.

Ovalle, Jayme Rojas de Aragón y (1894-1955) - Músico paraense.

Pacheco, Rondon (1919-) - Político mineiro. Foi ministro chefe do Gabinete Civil no governo Costa e Silva. Governador de seu Estado em 1971.

Padilha, Raymundo (1899-1988) - Político fluminense nascido no Ceará. Deputado pela UDN e governador do Estado do Rio de Janeiro durante a ditadura militar. Antes militou nas hostes integralistas ao lado de Plínio Salgado.

Padre Cícero (Cícero Romão Batista) (1844-1934) - Líder religioso do Nordeste brasileiro a quem se atribui milagres não reconhecidos pela Igreja Católica.

Passarinho, Jarbas Gonçalves (1920-) - Militar, político e escritor. Foi eleito governador do Pará e nomeado ministro do Trabalho do governo Costa e Silva. Entre suas obras, destacamos *Terra encharcada.*

Passos, John Roderigo dos (1896-1970) - Escritor americano. Autor da trilogia *USA*, cujo primeiro tomo se denominou *O paralelo 42*, seguido de *Noventa e nove* e, por último, *As altas finanças.*

Passos, Oscar (1902-1994) - Militar. Interventor do Acre (1941-1942). Deputado e senador. Último presidente do MDB.

Paz, Alberto Gainza (1899-1977) - Jornalista argentino, diretor do jornal *La Prensa.*

Pedro, Allim (1907-1975) - Político. Prefeito do Distrito Federal (1954-1955).

Pedrosa, Mário (1900-1981) - Crítico de arte, socialista, jornalista, professor e escritor.

Peixoto, Alzira Vargas do Amaral (1914-1992) - Filha de Getúlio Vargas e esposa do almirante Ernani Amaral Peixoto, importante prócer político fluminense.

Peixoto, Enaldo Cravo (1920-1985) - Engenheiro alagoano. Foi um dos impulsionadores da engenharia sanitária no Brasil, tendo atuado nos setores público e privado. Algumas obras de destaque: Nova adutora do Guandu e Túnel Rebouças.

Peixoto, Ernani do Amaral (1905-1985) - Militar e engenheiro. Foi interventor federal no Estado do Rio de Janeiro em 1937. Uns dos fundadores do Partido Social Democrático(PSD).

Peixoto, Júlio Afrânio (1876-1947) - Médico legista, político, professor, crítico, ensaísta, romancista, historiador literário. Entre suas obras, destacamos *O haikai japonês ou epigrama lírico* e *Lufada sinistra.*

Pelé (Edison Arantes do Nascimento) (1940-   ) - Mineiro de Três Corações. Eleito, pelo Comitê Olímpico em 1997, o atleta do século. Com 57 títulos e 1.281 gols, ele é o maior artilheiro do futebol profissional.

Pellacani, Dante (1923-1981) - Líder sindical na década de 1960. Diretor do Departamento Nacional da Previdência Social no período de 1962 a 1963. Presidente da Comando Geral dos Trabalhadores (CGT) de 1962 a 1964. Foi exilado em 1966.

Pereira, Astrogildo (1890-1964) - Político e escritor. Líder comunista. Uns dos fundadores do Partido Comunista Brasileiro (PCB).

Perón, Juan Domingo (1895-1974) - Militar e político argentino. Participou do golpe em 1943 que derrubou o general Farrell. Viveu no exílio por dezoito anos na Espanha.

Pessoa, Fernando Antônio Nogueira (1888-1935) - Poeta português. Escreveu, entre outras obras, *Ode marítima, Livro do desassossego* e *Cartas de amor.*

Picchia, Paulo Menotti del (1892-1988) - Escritor paulista. Escreveu, entre outras obras, *Poemas do vício e da virtude, Juca mulato* e *O deus sem rosto.*

Pinay, Antoine (1891-1994) - Ministro da Fazenda da 5ª República Francesa (1958), sob a chefia do general De Gaulle.

Pinto, Carlos Alberto Alves Carvalho (1910-1987) - Governador de São Paulo e ministro da Fazenda do governo João Goulart.

Pinto, Eber Teixeira - Militar. Participou do seqüestro do avião "Constellation", da Panair do Brasil, e forçou o piloto a desviar para Aragarças, onde estavam rebelados outros oficiais da Aeronáutica, em 1959.

Pinto, Heráclito Sobral Fountoura (1893-1991) - Advogado católico. Defensor de Prestes e Harry Breger.

Pinto, José Magalhães (1909-1996) – Político e banqueiro. Governador do Estado de Minas Gerais (1961-1965). Ministro do Exterior no governo Costa e Silva.

Pinto, Olavo Bilac (1908-1985) – Político e jurista mineiro. Proprietário da Editora Revista Forense. Era presidente do partido político União Democrática Nacional (UDN), quando houve a prorrogação do mandato de Castello Branco. Nomeado mais tarde ministro do Supremo Tribunal Federal pelo governo militar.

Pirandello, Luigi (1867-1936) – Professor e escritor, autor de teatro e prosador. Escreveu, entre outras obras, *Um, nenhum e cem mil, Kaos e outros contos sicilianos* e *O velho deus*. Prêmio Nobel de Literatura em 1934.

Prado, Lourenço de Almeida Prado – Médico e monge.

Poe, Edgar Allan (1809-1849) – Escritor e crítico literário americano. Escreveu, entre outras obras, *Histórias extraordinárias, O corvo e suas traduções* e *A carta roubada e outras histórias de crime e mistério.*

Portinari, Cândido Torquato (1903-1962) – Pintor, gravador e ilustrador. Algumas obras: *Bandeirantes na mata, Anjo mau* e *A chegada de D. João VI.*

Prado Júnior, Caio (1907-1990) – Economista, advogado, filósofo, cientista político, historiador e escritor brasileiro. Escreveu, entre outras obras, *Formação do Brasil contemporâneo* e *A revolução brasileira.* Um dos fundadores, juntamente com Monteiro Lobato, da Editora Brasiliense.

Prestes, Júlio (Júlio Prestes de Albuquerque) (1882-1946) – Candidato vitorioso à Presidência da República na eleição de 1930, sem efetuar a posse. Exilado na Europa, retornou ao Brasil somente em 1945.

Prestes, Luiz Carlos (1898-1990) – Engenheiro e militar. Líder comunista. Secretário do Partido Comunista Brasileiro de 1945 a 1979. Apelidado de “Cavaleiro da Esperança”, sendo integrante da “Coluna Prestes”.

Quadros, Jânio da Silva (1917-1992) - Presidente da República (1961), governador de São Paulo (1955-1959) e prefeito da capital paulista por duas vezes, 1953-1954 e 1986-1989.

Ramalhete, Clóvis (Clóvis Ramalhete Maia) (1912-1995) - Advogado e jornalista. Atuou, também, no magistério. Pertenceu, na condição de juiz, à Corte Permanente de Arbitragem de Haia. Por solicitação do governo federal, elaborou *Mar de 200 milhas* - parecer sobre a legitimidade de ato unilateral para a ampliação de mar territorial.

Ramos, Graciliano (Graciliano Ramos de Oliveira) (1892-1953) - Escritor alagoano. Um dos principais romancistas da segunda fase do Modernismo, representante do regionalismo. Algumas obras: *Caetés*, *Vidas secas* e *Linhas fortes*.

Ramos, Nereu de Oliveira (1888-1958) - Político catarinense. Como vice-presidente do Senado Federal, assumiu a Presidência da República, em virtude do impedimento do presidente Café Filho e do presidente da Câmara dos Deputados Carlos Luz.

Rangel, Lúcio do Nascimento (1914-1979) - Crítico, jornalista e musicólogo.

Rao, Vicente (1892-1978) - Político paulista. Serviu à ditadura de Vargas como ministro da Justiça e Negócios Interiores.

Rebelo, Edgard de Castro (1884-1970) - Jurista e professor.

Rebelo, Marques (Edi Dias da Cruz) (1907-1973) - Nome literário. Jornalista, contista, cronista, novelista e romancista. Escreveu, entre outras obras, *A estrela sobe* e *O espelho partido: a guerra está entre nós*. Membro da Academia Brasileira de Letras.

Rego, José Lins do (José Lins do Rego Cavalcanti) (1901-1957) - Jornalista, romancista, cronista e memorialista. Escreveu, entre outras obras, *Menino de engenho*, em 1932, *Histórias da velha Totônia*, em 1936, e *Riacho doce*, em 1939. Membro da Academia Brasileira de Letras.

Reis, Elpídio - Tesoureiro do jornal *Tribuna da Imprensa*.

Reis, Hércules Correia dos (1929-) - Líder sindical atingido pelo AI-5. Escreveu, em 1995, *Memórias de um stalinista.*

Renard, Jules (1864-1910) - Escritor francês. Escreveu, entre outros livros, *Foguinho, Poil de Carotte* e *Histoires Naturelles.*

Resende, Otto Lara (1922-1992) - Escritor e jornalista. Escreveu, entre outras obras, *Bom dia para nascer* e *O príncipe e o sabiá e outros perfis.*

Ribeiro, Benedito Valadares (1892-1972) - Governador-interventor do Estado de Minas Gerais no período de 1935 a 1945. Senador por este Estado por duas legislaturas. Escreveu os romances *Esperidião, A lua caiu* e os livros de memória *Tempos idos e vividos.*

Ribeiro, Carlos Alberto Flexa (1914-1991) - Político carioca dedicado à educação. Um dos fundadores da Escola de Desenho Industrial do Rio de Janeiro. Escreveu *A história da educação na França* (1948) e *Educação no Brasil* (1967).

Ribeiro, Darcy Guimarães (1922-1997) - Antropólogo e político mineiro. Uns dos fundadores do Museu do Índio e da Universidade de Brasília (UnB). Ministro da Educação no governo Hermes Lima e chefe do Gabinete Civil de João Goulart. Algumas obras: *Noções das coisas* e *Diários dos índios.*

Ribeiro, Joaquim (1907-1964) - Folclorista carioca.

Ribeiro, Nina (Emílio Antônio Souza Aguiar Ribeiro) (1938-) - Deputado estadual da Guanabara e deputado federal pela Arena.

Riff, Raul (1913-1999) - Político gaúcho. Assessor de imprensa de João Goulart.

Rilke, Rainer Maria (1875-1926) - Escritor austríaco. Considerado, por muitos, um dos poetas modernos mais importantes e inovadores da literatura alemã. Algumas obras: *Cartas de um jovem poeta* e *O amor de Madalena.*

Rio, João do (João Paulo Emílio Cristóvão dos Santos Coelho Barreto) (1881-1921) - Pseudônimo. Escritor carioca. Escreveu contos, novelas, um romance e peças teatrais. Algumas obras: *As religiões no Rio* e *Os dias passam...*

Rodrigues, José Honório (1913-1987) - Historiador. Publicou, entre outras, as obras *Historiografia e bibliografia do domínio holandês no Brasil* (1949), *Vida e história* (1966) e os seis volumes de *Independência, revolução e contra-revolução* (1975-1976).

Rodrigues, Miguel Crispim da Costa (1874-) - Militar argentino, naturalizado brasileiro. Um dos líderes do movimento de 1930, formou a seguir a Coluna Miguel Costa-Prestes.

Rodrigues, Rui Octavio - Juiz de Direito.

Rolland, Romain (1866-1944) - Escritor francês. Prêmio Nobel de Literatura. Algumas obras: *Vida de Miguel Ângelo* e *Jean-Christophe.*

Rónai, Paulo (1906-1992) - Escritor e tradutor, nascido em Budapeste, Hungria. Escreveu, entre outras obras, *A tradução vivida* e *Antologia do conto húngaro.*

Rosa, João Guimarães (1908-1967) - contista, novelista, romancista e diplomata mineiro. Escreveu, entre diversas obras, *Sagarana*, *Grande sertão: veredas* e *Estas estórias.*

Rosemblat, Mauricio - Nascido na Argentina e educado no Brasil. Empresário ligado à Editora Globo de Porto Alegre, tendo se transferido para o Rio de Janeiro dentro da mesma profissão.

Rousseau, Jean-Jacques (1712-1778) - Filósofo, nascido em Genebra. Escreveu, entre outras obras, *O contrato social* e *Discurso sobre a origem da desigualdade.*

Saint-Exupéry, Antoine-Marie-Roger de (1900-1944) - Escritor e militar francês. Escreveu, entre outras obras, *O pequeno príncipe.*

Salazar, Antônio de Oliveira (1889-1970) - Ditador português.

Sales Filho, Antônio Carlos (1912-1987) - Político paulista filiado ao antigo PRP e depois à Arena.

Sales, Walter Moreira (1912-1991) - Banqueiro. Ministro da Fazenda no governo parlamentarista de João Goulart.

Salgado, Clóvis (Clóvis Salgado da Gama) (1906-1986) - Político, médico e professor mineiro. Governador do Estado de Minas Gerais em 1955.

Salgado, Plínio (1895-1975) - Jornalista, escritor e político. Fundador da Aliança Integralista Brasileira (AIB), cujo ideário se baseava no fascismo italiano.

Saki, Hector Hugh Munro (1870-1916) - Escritor britânico. Autor de, entre outros livros, *A janela aberta.*

Sampaio, Cid Feijó (1910-) - Político pernambucano. Governador do Estado de Pernambuco (1959-1963).

Sand, George (Amandine Lucie Aurore Dupin) (1804-1876) - Pseudônimo. Escritora francesa. Escreveu, entre outras obras, *O pântano do diabo.*

Santa Rosa Júnior, Tomaz (1909-1956) - Pintor, cenógrafo, decorador, figurinista, ilustrador, artista gráfico, gravador, professor e crítico de arte.

Santos, Adalberto Pereira dos (1905-1984) - Militar. Integrou o governo Costa e Silva como ministro do Exército, sendo também vice-presidente do governo Geisel.

Sátiro, Ernani (Ernani Aires Sátiro e Sousa) (1911-1986) - Político de destaque, reeleito deputado federal pela Paraíba mais de uma vez. Presidente da UDN quando esta foi extinta pelo ato adicional nº 2. Poeta, cronista, romancista, ensaísta e fazendeiro. Obras: *O canto do retardatário*; *O quadro-negro*, 1954; *Mariana*, 1957.

Schacht, Horace Greely Hjalma (1877-1970) - Presidente do *Reichsbank*, Banco Central da Alemanha Nazista. Ministro da Economia de Hitler. Preso em 1944, suspeito de alta traição pelo Estado nazista e por tramar a morte do ditador.

Schmidt, Augusto Frederico (1906-1965) - Poeta, empresário e político. Fundador da Editora Schmidt. Foi representante do Brasil na

Operação Pan-Americana, delegado do Brasil na ONU e embaixador na Comunidade Econômica Européia.

Scliar, Carlos (1920-2001) - Grande pintor gaúcho. Convocado em 1944 para integrar a Força Expedicionária Brasileira (FEB) na guerra da Europa.

Segall, Lasar (1891-1957) - Pintor lituano radicado no Brasil. Entre suas obras, destacamos: *Leitura*, 1910, *Paisagem brasileira*, 1925 e *Greve*, 1956.

Shakespeare, William (1564?-1616?) Escritor inglês. Escreveu, entre outras obras, *Macbeth*, *Muito barulho por nada* e *A megera domada*.

Shaw, George Bernard (1856-1950) - Escritor irlandês. Escreveu, entre outras obras, *De volta a Matusalém* e *Socialismo para milionários*. Prêmio Nobel de Literatura em 1925.

Shaw, Paulo Varnordem - Empresário concorrente de Armando d'Almeida, este diretor da Agência Inter-Americana.

Siqueira, Cyro - Jornalista e crítico de cinema.

Silva, Arthur da Costa e (1902-1969) - Militar. Eleito indiretamente presidente do Brasil (1967-1969).

Silva, Evandro Cavalcanti Lins e (1912-2003) - Jurista, ministro do Supremo Tribunal Federal e chefe da Casa Civil do Governo João Goulart. Cassado pelo movimento de 1964.

Silva, Golbery do Couto e (1911-1987) - Militar. Chefe do Sistema Nacional de Informações (SNI) no governo Castello Branco e muito influente no governo Geisel, do qual foi chefe da Casa Civil.

Silva, Hélio (1904-1995) - Médico e historiador. Escreveu mais de 90 obras. Converteu-se em beneditino no ocaso de sua vida.

Silva, Luiz Gonzaga do Nascimento (1915-) - Advogado e político carioca. Ministro da Previdência no governo militar.

Silva, Renato Bayama Archer da (1922-1996) - Deputado federal pelo Estado do Maranhão. Integrante da "Frente Ampla" e fiel companheiro de Juscelino Kubitschek de Oliveira. Uns dos fundadores do Partido do Movimento Democrático Brasileiro.

Silva, Sérgio Milliet da Costa e (1898-1966) - Poeta paulista. Algumas obras: *En Singeant, Oh! Valsa latejante...* e *...Carta à dançarina.*

Silveira, Enio (1925-1996) - Editor. Diretor da Editora Civilização Brasileira, que abriu concordata por pressão do governo militar. Sócio de Monteiro Lobato na Editora Melhoramentos.

Silveira, Joel (1918-) - Jornalista e escritor. Escreveu, entre diversas obras, *Conspiração na madrugada, II Guerra: momentos críticos* e *A camisa do senador.*

Simenon, George (1903-1989) - Escritor belga que viveu a maior parte de sua vida, desde os dezenove anos, na França. Mestre em romances policiais, sendo umas de suas maiores criações, das mais de quatrocentas, *O comissário Maigret.*

Simões, Maria Cristina Lacerda - Filha de Carlos Lacerda.

Simonsen, Mário Henrique (1935-1997) - Economista e professor. Secretário da Fazenda no governo Castello Branco.

Simonsen, Roberto Cochrane (1889-1948) - Engenheiro, industrial, administrador, professor, historiador e político paulista. Escreveu, entre outras obras, *O trabalhador moderno* e *O plano Marshall e a América Latina.* Membro da Academia Brasileira de Letras.

Skidmore, Thomas E. (1932-) - Professor de História da América Latina e ex-diretor da Faculdade de Wisconsin, Madison.

Sodré, Nelson Werneck (1911-1999) - Historiador, crítico literário, memorialista e general do Exército. Escreveu, entre vários títulos, *História militar do Brasil, Razões da Independência* e *Memórias de um soldado.*

Sodré, Roberto Costa Abreu (1918-1999) - Político. Governador de São Paulo (1967-1971).

Souza, Carlos Alberto Coelho de (1900-1982) - Deputado federal pelo Rio Grande do Sul em diversas legislaturas.

Souza, Fernando Tude de - Educador. Substituiu Roquette-Pinto na Rádio Educativa de 1943 a 1955.

Spínola, Antônio de (1910-1996) - Militar português. Comandou a Revolução dos Cravos.

Sthendal (Marie-Henri Beyle) (1783-1842) - Escritor francês. Autor, entre outras obras, de *O vermelho e o negro.*

Tamura, Yukishigue (1915-) - Deputado pelo Estado do Paraná na década de 1960.

Tasso, Torquato (1544-1595) - Poeta renascentista italiano. Escreveu, entre outras obras, *Jerusalém libertada* e *Conclusões de amor.*

Taunay, Alfredo Maria Adriano d'Escragnolle (1865-1899) - Engenheiro militar, professor, político, historiador, sociólogo, romancista e memorialista. Escreveu, entre outras obras, *Mocidade de Trajano, Ouro sobre azul* e *O encilhamento.* Membro da Academia Brasileira de Letras.

Tavares, Aurélio Lira (1905-1998) - Militar. Ministro da Guerra no governo Costa e Silva.

Távora, Juarez do Nascimento Fernandes (1898-1975) - Militar. Participou da Coluna Prestes. Foi um dos líderes da Revolução de 1930, que levou Getúlio Vargas ao poder, e um dos grandes opositores à ditadura implantada por ele.

Teixeira, Anísio Espínola (1900-1971) - Educador brasileiro.

Teixeira, Glycon de Paiva (1902-1993) - Geólogo e economista. Membro da Academia Brasileira de Ciências.

Teixeira, Mauro Ludovico Borges (1920-) - Militar. Governador de Goiás (1961-1964).

Telles, Lygia Fagundes (1923-) – Advogada, contista e romancista. Escreveu, dentre outros livros, *Ciranda de pedra*, *Antes do baile verde* e *A disciplina do amor.* Membro da Academia Brasileira de Letras.

Thibau, Mauro (1909-) – Engenheiro. Ministro de Minas e Energia do governo Castello Branco. Conselheiro da Federação das Indústrias do Estado do Rio de Janeiro (Firjan).

Toledo, Pedro Manuel de (1860-1935) – Advogado e político. Interventor do Estado de São Paulo por imposição da Revolução de 1930. Chefe nominal da Revolução Paulista de 1932.

Tolstoi, Leon (1828-1910) – Escritor russo. Escreveu, entre outras obras, *Guerra e paz* e *A morte de Ivan Ilitch.*

Tomaz, Américo de Deus Rodrigo (1894-1987) – Militar e político português. Eleito presidente em 1959.

Torelly, Apparício Fernando de Brinkerhoff (Barão de Itararé) (1895-1971) – Jornalista e humorista.

Valle-Inclán, Ramón María del (1866-1936) – Escritor e jornalista espanhol. Autor, entre outras obras, de *Los cruzados de la causa*, *Los cuernos de don Friolera* e *Baza de espadas.*

Valverde, Zélio – Editor.

Varela, Luís Nicolau Fagundes (1841-1875) – Poeta. Escreveu, entre várias obras, *Noturnas*, *Vozes da América* e *O diário de Lázaro.*

Vargas, Benjamin – Irmão de Getúlio Vargas. Nomeado por ele para ser chefe de polícia em seu último mandato.

Vargas, Darcy Saramanho (1895-1968) – Esposa de Getúlio Vargas. Fundou a Casa do Pequeno Jornaleiro, em 1940, e a Fundação Darcy Vargas, em 1938.

Vargas, Getúlio Dornelles (1883-1954) – Político gaúcho. Presidente da República de 1930 a 1945 e de 1951 a 1954, quando se suicidou. Participou da criação da Siderúrgica Nacional de Volta Redonda, da Fábrica Nacional de Motores e da Petrobras.

Vargas, Ivete (Cândida Ivete Vargas Tash) (1917-1984) - Sobrinha-neta de Getúlio Vargas, foi deputada federal por São Paulo. Foi presidente do Partido Trabalhista Brasileiro (PTB), de 1980 até 1984.

Vargas, Lutero Dornelles (1912-1989) - Médico e político. Filho mais velho de Getúlio Vargas. Participou da fundação do PTB, em 1945, foi deputado federal por duas legislaturas, de 1951 a 1959, e deputado estadual pelo então Estado da Guanabara, em 1960.

Vaz, Rubens Florentino (-1954) - Militar, major da Aeronáutica. Morto no "Atentado da Rua Toneleros".

Velasco, Domingos (1899-1973) - Político. Um dos fundadores do Partido Socialista Brasileiro.

Veloso, Fernando Cícero da França (1916-2001) - Advogado carioca.

Veríssimo, Érico (1905-1975) - Romancista gaúcho. Autor, entre outras obras, de *Clarissa* (1933), *Olhai os lírios do campo* (1938) e *Incidente em Antares* (1971).

Veríssimo, Mafalda - Esposa de Érico Veríssimo.

Viana Filho, Luiz (1908-1990) - Professor, jornalista, político, biógrafo, historiador e ensaísta. Deputado federal pelo Estado da Bahia. Membro da Academia Brasileira de Letras.

Vieira, padre Antônio (1608-1697) - Orador sacro português. Escreveu *semões, História do futuro* e *Cartas.*

Vilela, Teotônio Brandão (1917-1983) - Político paraibano.

Villa, Marco Antônio (1955-) - Historiador e professor. Escreveu, entre outras obras, *Jango: um perfil (1945-1964), Vida e morte no sertão, História das secas no Nordeste nos séculos XIX e XX* e *Canudos, o povo da terra.*

Villaça, Antônio Carlos (1928-) - Escritor e memoralista. Escreveu, entre outras obras, *Os saltimbancos da Porciúncula, A descoberta do morro* e *O nariz do morto.*

Wainer, Samuel (1912-1980) - Fundador e diretor da revista *Diretrizes.*

Walcacer, Hélio - Assessor da Secretaria do Trabalho do Governo Carlos Lacerda.

White, Theodore Harold (1915-1986) - Romancista, teatrólogo, historiador e jornalista. Repórter da *Time.*

Wilde, Oscar Fingal O'Flahertie Wills (1854-1900) - Escritor irlandês. Escreveu, entre outras obras, *Salomé, A importância de ser prudente* e *História de fadas.*

Zahar, Jorge (1920-1998) - Editor.

Zefirelli, Franco (1923-) - Cineasta italiano. Algumas de suas obras: *Camping* (1958), *Irmão Sol, Irmã Lua* (1972) e *Jesus de Nazaré* (1977).

Zweig, Stefan (1881-1942) - Escritor austríaco. Escreveu, entre outros livros, *Brasil, o país do futuro, Fouche* e *O mundo que eu vi.*